Les Quatre Livres

Confucius

四　書

LES QUATRE LIVRES

Imprimerie de la mission catholique, Ho Kien Fou, 1895
Books On Demand, 2022

- CHAPITRE XX. IAO IUE.

Meng Tzeu 297

- Introduction. 297
- Livre I. Leang Houei wang. 299
- Livre II. Koung suenn Tch'eou. 354
- Livre III. T'eng Wenn koung. 406
- Livre IV. Li Leou. 461
- Livre V. Wan Tchang. 508
- Livre VI. Kao tzeu. 557
- Livre VII. Tsin sin. 607

Souverains de la Chine 654

Lettres et noms propres 657

Errata 748

PRÉFACE

Les Quatre Livres sont la Grande Étude, l'Invariable Milieu, les Entretiens de Confucius et de ses disciples, et les Œuvres de Meng tzeu. Ils forment avec les cinq King la base de l'enseignement classique. Les cinq King sont le Cheu King ou Recueil des Poésies, le Chou King ou Anciennes Annales de l'Empire, le Li Ki ou Mémorial des Devoirs et des Cérémonies, et le Tch'ouenn Ts'iou ou Annales particulières de la principauté de Lou. La Grande Étude et l'Invariable Milieu sont des parties détachées du Li Ki.

Un grand nombre de commentateurs ont expliqué les livres classiques. Le plus en vogue est 朱熹 TCHOU HI , né en 1130 et mort en 1200. Il est le coryphée de l'école fondée par les deux Tch'eng tzeu, sous la dynastie des Soung. Les deux Tch'eng tzeu étaient frères. L'aîné, 程顥 TCH'ENG HAO vécut de 1032 à 1085 ; et le second, 程頤 Tch'eng I, de 1033 à 1107.

Tous les écoliers ont entre les mains les 四書章句 SEU CHOU TCHANG KIU Quatre Livres revus, mis en ordre, divisés en chapitres et annotés par Tchou Hi, et les 四書備旨 SEU CHOU PEI TCHEU Explication complète des Quatre Livres.

Les Seu Chou pei tcheu contiennent : 1° les annotations TCHOU des Seu Chou tchang kiu de Tchou Hi ; 2° une paraphrase KIANG , à la fois claire et élégante, entièrement conforme au commentaire de Tchou Hi ; 3° une analyse des chapitres et des paragraphes ; 4° des notes philologiques, historiques et géographiques. Cet ouvrage, composé par TENG LIN , sous la dynastie des Ming, a été publié en 1779 avec des additions importantes par TOU TING KI , et continue d'être réédité sous le titre de SEU CHOU POU TCHOU FOU K'AO PEI TCHEU Explication complète des Quatre Livres revue et augmentée.

Nous avons reproduit le plus fidèlement possible l'interprétation et les principaux développements donnés dans ce manuel scolaire.

La notice placée en tête des Œuvres de Meng tzeu est tirée de la collection des auteurs classiques 十三经注疏 CHEU SAN KING TCHOU CHOU . La remarque citée à la page 479 sur l'éducation est du 日講四書解義 JEU KIANG SEU CHOU KIAI I , Paraphrase ou Explication quotidienne des Quatre Livres faite à l'empereur par ses maîtres et publiée par ordre de K'ang Hi.

Toutes les autres notes imprimées en petites lettres chinoises se trouvent dans les Seu Chou pei tcheu. La plupart sont de Tchou Hi. En les lisant, l'étudiant s'habituera à consulter et parviendra bientôt à comprendre par lui-même les commentaires et les ouvrages modernes du Céleste-Empire. Il aura soin de lire à la fois les deux traductions, en français et en latin, parce que souvent l'une contient des éclaircissements qui ne sont pas dans l'autre. La liste des souverains de la Chine et le vocabulaire placés à la fin du volume lui donneront des renseignements historiques et géographiques, et la valeur exacte des termes.

Dans l'intérêt des commençants, il a paru bon de figurer en lettres européennes la prononciation des caractères chinois.

Les Quatre Livres sont ici rangés dans l'ordre adopté communément. Si quelqu'un préfère étudier les Œuvres de Meng Tzeu ou le Liun iu avant le Ta Hio ou le Tchoung Ioung, qui offrent plus de difficultés, il le pourra sans inconvénient, à l'aide des renvois marqués dans le vocabulaire.

Dans les écoles, l'étude des monuments littéraires de l'antiquité précède naturellement celle des chefs-d'œuvre des âges suivants. Car les écrivains se sont toujours approprié, et continuent de s'approprier et de fondre dans leurs périodes les expressions des anciens livres, comme les prédicateurs dans leurs discours emploient celles de l'Écriture- Sainte.

Les auteurs anciens nous font connaître les idées qui de tout temps ont été comme l'âme de ce peuple, les principes qui ont toujours régi et régissent encore l'individu, la famille et la société. En Chine, les siècles passent ; les traditions, les coutumes demeurent sans altération notable.

L'étude de la littérature est particulièrement recommandée aux missionnaires, qui, pour attirer les infidèles et les préparer à recevoir les enseignements chrétiens, comme S. Paul devant l'Aréopage, mettent d'abord en relief les vérités qui se sont conservées d'âge en âge au sein même du paganisme. « Quo vero iidem Evangelii præcones magis idonei fiant ad populus illos ad fidem adducendos, neque tantum ad plebem, verum et ad homines superioris conditionis Christi religione imbuendos, … (S. Congregatio) mandat ac præcipit ut in singulis quinque regionibus, … speciale studium ac veluti Academia sinensis linguæ erigatur, et ex singulis vicariatibus... missionarii designentur qui ad hujusmodi litteraturam serio incumbant ... » (S. Congr. de Prop. Fide, die 18 octobris 1883).

Le Souverain Pontife Léon XIII, sans vouloir aucunement sanctionner toutes les inventions du P. de Prémare, a loué hautement sa méthode, ses recherches, et le travail de ses éditeurs. « Gratulamur idcirco vobis, Dilecti Filii, qui usi doctis disquisitionibus præterito saeculo institutis ab altero e Patribus Societatis Jesu missionariorum munere functis iis in regionibus, novaque diligentia versatis sacris Sinarum libris vetustorumque sapientum operibus, *clara* ex ipsis vestigia duxistis dogmatum et traditionum religionis nostræ sanctissimæ ; quæ doceant eam jamdiu nuntiatam fuisse illis regionibus, et antiquitate sua longe excedere scripta sapientium e quibus Sinæ religionis suæ normam ducunt et documentum. » (Datum Romæ, die 12 augusti 1878).

Ho kien fou, le 1 mai 1895.

TA HIO

LA GRANDE ÉTUDE

——————

Ce livre, tiré du 禮記 **Li ki** , Mémorial des Usages et Cérémonies, se divise en deux parties. La première contient les paroles de Confucius transmises par son disciple 曾参 **Tseng Chenn** , appelé communément 曾子 **Tseng tzeu** le philosophe Tseng. La seconde contient l'explication de Tseng tzeu écrite par ses disciples. Le texte a été revu, corrigé, et disposé dans l'ordre actuel par 朱熹 **Tchou Hi** .

Avertissement de Tchou Hi.

Mon maître Tch'eng tzeu dit : « La Grande Étude est l'œuvre de Confucius et de ses disciples. Elle est comme la porte qui ouvre la voie de la vertu. L'ordre anciennement suivi dans les études n'est plus connu à présent que par ce livre, qui heureusement nous a été conservé, et par le Liun iu et les écrits de Meng tzeu, qui sont venus ensuite. Certainement, le disciple de la sagesse qui commencera par l'étude de ce livre ne sera pas exposé à s'égarer. »

La voie de la Grande Étude (c.-à-d. ce que l'homme dès l'adolescence doit apprendre et pratiquer), consiste en trois choses, qui sont de faire briller en soi-même les vertus brillantes *que la nature met dans l'âme de chacun* , de renouveler les autres hommes, et de se fixer pour terme la plus haute perfection. *Tch'eng tzeu dit que le caractère* **ts'in** aimer *doit être remplacé par le caractère* **sin** renouveler.

La Grande Étude est l'étude de ceux qui ne sont plus enfants (de ceux qui ont au moins atteint leur quinzième année). Le premier caractère **ming** *signifie faire briller* . **Ming te** , *les vertus brillantes que l'homme reçoit du Ciel en naissant. Il les reçoit libres d'entraves, lumineuses, exemptes de ténèbres, afin que par elles il connaisse tous les principes, et règle sa conduite en toutes choses. Mais, dans les liens d'un corps composé d'éléments matériels, au milieu des ténèbres amassées par les passions humaines, parfois elles s'obscurcissent. Néanmoins, la lumière qui est inhérente à leur nature, ne s'éteint jamais entièrement. C'est pourquoi le disciple de la sagesse doit se servir de la lumière qu'elles donnent encore, afin de les faire briller, et de leur rendre leur premier éclat* . **Sin** , renouveler les autres hommes, *faire disparaître leurs anciens* défauts. *Cela veut dire que le sage, après avoir fait briller en lui-même ses brillantes vertus, doit étendre son action aux autres hommes, et faire en sorte qu'ils se débarrassent des impuretés qui les souillent depuis longtemps* . **Ming te** , *les brillantes vertus sont la bienveillance, la justice, le sentiment des convenances, la prudence et la sincérité, que le Ciel met dans le cœur de chaque homme, et qu'on appelle les cinq règles principales* .

Connaissant le terme où l'on doit tendre et s'arrêter, on peut prendre une détermination. Cette détermination étant prise, l'esprit peut avoir le repos. L'esprit, étant en repos, peut jouir de la tranquillité. Jouissant de la tranquillité, il peut examiner les choses. Après cet examen, on peut atteindre *le but, qui est la perfection* .

En toute chose il faut distinguer le principal et l'accessoire et, dans les affaires, la fin et le commencement. Celui qui sait mettre chaque chose en son rang n'est pas loin de la voie *de la Grande Étude ou de la perfection* .

Les anciens princes, pour faire briller les vertus naturelles dans le cœur de tous les hommes, s'appliquaient auparavant à bien gouverner chacun sa principauté. Pour bien gouverner leurs principautés, ils mettaient auparavant le bon ordre dans leurs familles. Pour mettre le bon ordre dans leurs familles, ils travaillaient auparavant à se perfectionner eux mêmes, ils réglaient auparavant les mouvements de leur cœur. Pour régler les mouvements de leur cœur, ils rendaient auparavant leur volonté parfaite (ils s'appliquaient à vouloir sincèrement et à faire le bien, à haïr et à éviter le mal). Pour rendre leur volonté parfaite, ils développaient leurs connaissances le plus possible. On développe ses connaissances en scrutant la nature des choses.

La nature des choses une fois scrutée, les connaissances atteignent leur plus haut degré. Les connaissances étant arrivées à leur plus haut degré, la volonté devient parfaite. La volonté étant parfaite, les mouvements du cœur sont réglés. Les mouvements du cœur étant réglés, tout homme est exempt de défauts. Après s'être corrigé soi-même, on établit l'ordre dans la famille. L'ordre régnant dans la famille, la principauté est bien gouvernée. La principauté étant bien gouvernée, bientôt tout l'empire jouit de la paix.

Depuis le Fils du Ciel jusqu'au plus humble particulier, chacun doit avant tout se perfectionner soi-même. Celui qui néglige le principal (sa propre personne) ne peut régler convenablement les choses qui en dépendent (sa famille et sa principauté). Jamais un homme qui soigne peu ce qu'il doit aimer le plus (sa famille) n'a gouverné avec diligence ce qui lui est moins cher (sa principauté ou l'empire).

Le chapitre précédent, (qui est à droite dans les livres chinois), contient les paroles de Confucius rapportées par Tseng tzeu. Les dix chapitres d'explication se composent des idées de Tseng tzeu transmises par ses disciples. Dans les anciens exemplaires, beaucoup de tablettes (c'est-à-dire beaucoup de pages écrites sur des tablettes de bambou) n'étaient pas à leur place. M'appuyant sur les décisions de Tch'eng tzeu, j'ai révisé le texte du livre, et disposé les parties du commentaire dans l'ordre suivant. (*Tchou Hi*)

DEUXIÈME PARTIE.

Commentaire de Tseng tzeu.

CHAPITRE I. Dans le Chou king, au chapitre intitulé K'ang kao (Avis donnés à K'ang chou par son frère Ou wang), il est dit : « Wenn wang fut capable de faire briller ses vertus naturelles. » Dans le Chou king, au chapitre intitulé T'ai kia (Avis donnés à l'empereur T'ai kia par I In, son ministre), il est dit : « Tch'eng T'ang, votre prédécesseur, veillait sur ces dons brillants du Ciel (ou, veillait avec soin sur les dons brillants du Ciel, sur les vertus qu'il tenait de la nature). » Dans le Chou king, au chapitre intitulé Institutions de l'Empereur Iao, il est dit : « Il fut capable de faire briller ses vertus éminentes. » Tous ces princes faisaient briller leurs vertus.

Ce premier chapitre du commentaire explique ce qu'on doit entendre par « faire briller les brillantes vertus. »

CH. II. La baignoire de l'empereur Tch'eng t'ang portait cette inscription : « Renouvelez vous enfin véritablement, renouvelez vous chaque jour, et ne cessez de vous renouveler. » Les souillures du cœur se lavent comme celles du corps : Quand un homme est enfin parvenu à laver les souillures invétérées du cœur, et à se renouveler courageusement, il doit continuer chaque jour à se renouveler, à l'aide de ce qu'il a déjà renouvelé en lui.

Dans les Avis donnés à K'ang chou il est dit : Encouragez le peuple à se renouveler. Dans le Cheu king il est dit : « Bien que la principauté de Tcheou soit ancienne, ses princes ont reçu du Ciel un mandat nouveau pour commander à tout l'empire. » Dans la troisième partie du Cheu king, qui est intitulée Ta ia, au chapitre concernant Wenn wang, il est dit que Wenn wang, prince de Tcheou, s'étant renouvelé lui-même par la pratique de la vertu, et ayant déterminé le peuple à suivre son exemple, sa famille, qui était en possession d'une principauté ancienne, reçut du Ciel un mandat nouveau. Pour cette raison, les princes donnent à chaque chose toute leur application.

Ce deuxième chapitre du commentaire explique ce qu'on doit entendre par « renouveler les autres ».

CH. III. Le Cheu king dit : « Le territoire que l'empereur gouverne directement par lui-même a mille stades d'étendue en tous sens ; c'est là que le peuple établit sa demeure. » Le Cheu king dit : « L'oiseau jaune qui crie miên mân se tient à l'angle d'une colline. » Le Philosophe dit : « L'oiseau jaune sait le lieu où il doit se fixer. Se peut il qu'un homme soit moins intelligent qu'un oiseau ? » Chaque chose a un lieu déterminé où elle doit se fixer. Le territoire soumis à la juridiction directe de l'empereur a mille stades d'étendue en tous sens. C'est le lieu où tous les sujets de l'empire aiment à fixer leur demeure. L'oiseau jaune, qui est un être dépourvu de raison, sait néanmoins le lieu où il doit s'arrêter. Si l'homme, qui seul entre tous les êtres est doué d'intelligence, ne sait pas choisir et prendre pour terme la plus haute perfection, il est pire qu'un oiseau.

Dans le Cheu king il est dit : « Que la vertu de Wenn wang fut sublime ! Il brilla constamment par le soin qu'il eut de tendre au plus parfait. » Il eut toujours pour terme de ses actions, comme prince de Tcheou, la bienfaisance, comme vassal des In, la soumission, comme fils, la piété filiale, comme père, la bonté, comme concitoyen, la bonne foi.

Il est dit dans le Cheu king : « Voyez ce tournant de la K'i ; il est couvert de bambous verdoyants. Notre prince lui ressemble. Orné de toutes les vertus, il imite l'ouvrier qui coupe et lime l'ivoire ; il imite celui qui taille et polit une pierre précieuse. Il est sévère à lui-même, courageux, distingué et majestueux. Ce prince vertueux et sage ne pourra jamais être oublié. » « Imiter l'ouvrier qui coupe et lime l'ivoire », c'est s'appliquer à l'étude de la sagesse. « Imiter celui qui taille et polit les pierres précieuses », c'est se perfectionner soi-même. « Il est sévère à lui-même et courageux », c'est à dire très attentif à bien faire ; « distingué et majestueux », c'est à dire inspirant le respect et digne d'être imité. « Ce prince sage et vertueux ne pourra jamais être oublié », ces paroles signifient que sa vertu est parfaite, et restera toujours dans la mémoire du peuple.

Il est dit dans le Cheu king : « Les anciens rois (Weun wang et Ou wang) ne seront pas oubliés. » Les princes venus après eux ont été sages (ont profité) de leur sagesse (ont suivi leurs sages règlements), et ont aimé du même amour paternel (ont transmis comme eux le pouvoir impérial à leurs descendants). Le peuple a joui de la paix et des autres avantages que ces rois lui ont procurés. Aussi leur mémoire leur a-t-elle survécu.

Ce troisième chapitre du commentaire explique ces mots « se proposer pour terme la plus haute perfection ».

CH. IV. Confucius disait : « Juger les procès, je le pourrais tout comme un autre. Mais assurément, faire qu'il n'y eût plus de procès, ne serait ce pas le mieux ? » Débouter de leurs prétentions les plaideurs peu sincères, inspirer au peuple une grande horreur des chicanes, c'est connaître le principal devoir de l'homme, le devoir de se perfectionner lui-même, pour réformer les autres.

Ce quatrième chapitre du commentaire explique ce qu'on doit entendre par « la racine et les branches ».

CH. V. C'est connaître le principal devoir de l'homme ; c'est la plus haute science.

Le chapitre cinquième du commentaire de Tseng tzeu était l'explication de ces deux expressions « scruter la nature des choses, perfectionner ses connaissances » ; à présent il n'existe plus. Dernièrement, pour y suppléer, moi *Tchou Hi* , je me suis permis de prendre et d'ajouter l'explication de Tch'ong tzeu ; la voici. En disant que l'homme, pour perfectionner ses connaissances, doit scruter la nature des choses, Confucius enseigne que, si nous voulons étendre nos connaissances le plus possible, il faut examiner les choses et chercher leur raison d'être. Il n'est personne dont l'intelligence ne puisse acquérir des connaissances, et il n'est rien sur la terre qui n'ait sa raison d'être. Mais celui qui n'a pas entièrement approfondi la raison des choses ne la connaît qu'imparfaitement. Aussi, la Grande Étude, dès le début, avertit l'étudiant d'examiner toutes les choses avec lesquelles il est en contact, de se servir de la connaissance qu'il en a déjà pour pénétrer davantage leur raison d'être, de continuer ses recherches jusqu'aux dernières limites. Quand il aura longtemps fait tout ce qui est en son pouvoir, et qu'un beau matin il aura tout compris parfaitement, l'extérieur et l'intérieur des choses, les points les plus subtils comme les plus apparents, tout lui sera connu. Les principes innés dans l'âme et leurs applications n'auront plus pour lui d'obscurité. Cela s'appelle « avoir pénétré la nature des choses » ; cela s'appelle « le plus haut point de la connaissance ».

CH. VI. Ce que Confucius appelle « rendre sa volonté parfaite », c'est ne pas se tromper soi-même ; comme avoir en aversion une odeur fétide, aimer une chose vraiment belle, c'est ne pas se tromper. Cela s'appelle trouver sa parfaite satisfaction en soi-même (dans la pratique de la vertu). Aussi le sage veille-t-il attentivement sur ce que lui seul connaît (ses pensées et ses actions les plus secrètes). Le disciple de la sagesse, après avoir scruté (la nature des choses) et perfectionné ses connaissances, a les lumières nécessaires pour faire le bien et éviter le mal. S'il ne sait pas déployer une véritable énergie, il se trompe lui-même.

Lorsqu'un homme vicieux se trouve seul, il commet le mal ; il n'est rien qu'il ne se permette. S'il aperçoit un homme sage, aussitôt il dissimule, cache sa méchanceté, et se montre vertueux.

Mais l'homme sage pénètre ses intentions, comme s'il voyait le fond de son cœur. Que sert alors cette dissimulation ? C'est ce que dit le proverbe : « L'intérieur se manifeste toujours à l'extérieur. » Aussi le sage a-t-il grand soin de veiller sur ses pensées et ses actions les plus secrètes.

Tseng tzeu dit : « Ce que tous les yeux voient, ce que tout le monde montre du doigt, n'exige-t-il pas toute notre attention ? » La richesse d'une famille se voit aux ornements de la maison. De même, la vertu d'un homme paraît dans toute sa personne ; la dilatation de son cœur rejaillit sur son corps. C'est pourquoi le disciple de la sagesse a soin de rendre sa volonté parfaite.

Ce sixième chapitre du commentaire explique ce qu'on doit entendre par ces mots « perfectionner sa volonté ».

CH. VII. Ces paroles, « l'homme se perfectionne en réglant les mouvements de son cœur », signifient que le cœur n'est pas réglé, mais agité et troublé par la passion, lorsqu'il est sous l'impression de la colère ou du ressentiment, de la crainte ou de la, terreur, ni lorsqu'il est dans les liens d'une affection ou d'un violent attachement, dans l'inquiétude ou l'affliction. Quand le cœur s'en va où sa passion l'entraîne, on écoute et on n'entend pas, on mange et on ne perçoit pas le goût de la nourriture. Tel est le sens de ces paroles, « l'homme se perfectionne en réglant les mouvements de son cœur ».

Ce septième chapitre explique ce qu'on doit entendre par ces mots « se perfectionner soi-même en réglant les mouvements de son cœur ».

CH. VIII. Ces paroles, « établir le bon ordre dans sa famille en se perfectionnant soi-même », signifient que l'homme est injuste et partial envers les objets de sa tendresse ou de son affection, de son mépris ou de son aversion, de sa vénération ou de son respect, de sa commisération ou de sa pitié, de son dédain ou de son dégoût. Aussi peu d'hommes connaissent les défauts de ceux qu'ils aiment, ou les bonnes qualités de ceux qu'ils ont en aversion. Le proverbe dit : « Personne ne connaît les défauts de son fils, ni la beauté de sa moisson (le laboureur trouve toujours que sa moisson n'est pas belle). » Tel est le sens de ces paroles : « nul ne peut mettre l'ordre dans sa famille, s'il ne s'applique à se perfectionner lui-même. »

Ce huitième chapitre du commentaire explique ces mots « établir l'ordre dans sa famille en se perfectionnant soi-même ».

CH. IX. « Pour bien gouverner un État, il faut d'abord établir le bon ordre dans sa propre famille », ces paroles de Confucius signifient qu'un prince incapable d'instruire les personnes de sa maison est incapable d'instruire les autres. Le sage, sans sortir de sa famille, répand l'instruction dans la contrée par son exemple. Car le citoyen doit obéir à son prince comme le fils à son père, et aux officiers, comme le frère puîné obéit à son frère aîné ; le prince doit commander à ses sujets avec la même bonté qu'un père à ses enfants.

Ou wang donne cet avis à K'ang chou : « Ayez la sollicitude d'une mère pour son fils nouveau né. » Une mère cherche sérieusement à deviner les désirs de son fils ; elle devine juste, ou peu s'en faut. Jamais femme, avant de se marier, n'eut besoin d'apprendre à élever des enfants. Une seule famille dont les membres s'entr'aident avec affection porte par son exemple toute la nation à exercer la bienfaisance. Une seule famille dont les membres sont polis et condescendants entre eux fait fleurir la politesse et la condescendance parmi tous les concitoyens. La vie licencieuse et la perversité d'un seul homme mettent l'insurrection et le désordre dans tout le peuple. Tant est grande l'influence de la vertu ou du vice ! L'adage dit : « Une seule parole gâte une affaire ; un seul homme affermit l'État. »

Iao et Chouenn ont conduit l'empire par la voie de la bienfaisance, et le peuple les a suivis. Kie et Tcheou ont conduit l'empire par la voie de la violence, et le peuple les a suivis. Si les ordres du prince sont en contradiction avec sa conduite, le peuple n'obéit pas. Un prince sage, avant d'exiger une chose des autres, la pratique d'abord lui-même ; avant de reprendre un défaut dans les autres, il a soin de l'éviter lui-même. Un homme qui ne sait pas mesurer et traiter les autres avec la même mesure que lui-même ne peut pas les instruire. C'est donc en réglant sa maison qu'un prince arrive à bien gouverner.

Il est dit dans le Cheu king : « Le pêcher est délicat et beau ; son feuillage est verdoyant. Ces jeunes filles, profitant de la saison, vont célébrer leurs noces chez leurs fiancés. Elles agiront convenablement envers les personnes de leurs nouvelles familles. » Le sage traite convenablement les personnes de sa maison ; il peut ensuite instruire ses concitoyens. On lit dans le Cheu king : « Vous agissez convenablement envers vos frères, soit plus âgés, soit moins âgés que vous. » Le sage agit convenablement envers tous ses frères ; il peut ensuite instruire ses concitoyens. Le Cheu king dit : « Sa conduite envers tous est irréprochable ; il régira tous les peuples de l'empire. » Le sage remplit d'une manière exemplaire ses devoirs de père, de fils, de frère plus âgé et de frère moins âgé ; et le peuple l'imite. Voilà le sens de ces paroles : « Un prince, pour bien gouverner ses États, doit établir le bon ordre dans sa maison. »

Ce neuvième chapitre du commentaire explique cette sentence « gouverner l'État en réglant sa famille »

CH. X. Voici le sens de ces paroles : « Un prince fait régner la paix dans tout l'empire en gouvernant bien sa principauté. » Si le prince honore ses parents, le peuple pratiquera la piété filiale. Si le prince respecte ses aînés, le peuple pratiquera le respect envers les aînés. Si le prince a compassion des orphelins, le peuple fera de même. Ainsi un prince sage a une règle pour juger. Ne faites pas à vos inférieurs ce qui vous déplaît de la part de vos supérieurs, ni à vos supérieurs ce qui vous déplaît de la part de vos inférieurs. Ne faites pas à ceux qui vous suivent ce qui vous déplaît de la part de ceux qui vous précèdent, ni à ceux qui vous précèdent ce qui vous déplaît de la part de ceux qui vous suivent. Ne faites pas à ceux qui sont à votre gauche ce qui vous déplaît de la part de ceux qui sont à votre droite, ni à ceux qui sont à votre droite ce qui vous déplaît de la part de ceux qui sont à votre gauche. C'est ce qui s'appelle une règle pour juger.

Dans le Cheu king il est dit : « Notre aimable prince est le père du peuple. » Être le père du peuple, c'est aimer ce qui plaît au peuple, et avoir en aversion ce qui lui déplaît. Il est dit dans le Cheu king : « Cette montagne escarpée qui est au midi a des rochers très élevés. Ainsi vous, In, ministre d'État, vous occupez un poste éminent, et tout le peuple a les yeux levés vers vous. » Celui qui tient les rênes du gouvernement doit, en raison de sa dignité, être sur ses gardes. S'il commet une faute, chacun lui prodigue l'outrage.

Il est dit dans le Cheu king : « Avant que les In eussent perdu l'affection du peuple, ils étaient comme le Souverain Seigneur, (puisqu'ils partageaient avec lui le gouvernement des hommes). L'exemple des In doit servir comme de miroir. Le grand mandat du Ciel n'est pas facile à garder. » Cela veut dire qu'on obtient l'empire en obtenant l'affection du peuple, et qu'on perd l'empire en perdant l'affection du peuple.

Pour cette raison, le sage s'applique avant tout à pratiquer la vertu. Celui qui a la vertu a l'affection des hommes ; celui qui a l'affection des hommes possède la terre ; celui qui possède la terre a des richesses (qui lui viennent par le tribut) ; celui qui a des richesses a les ressources nécessaires. La vertu est comme la racine ; les richesses sont comme les branches (qui naissent de la racine). Exclure de ses pensées la vertu, et ne travailler qu'à s'enrichir, c'est disputer au peuple ses biens et autoriser la rapine par son exemple. Si le prince amasse des richesses, le peuple se disperse. Si le prince laisse les richesses partagées entre ses sujets, le peuple se groupe autour de lui. Une parole contraire à la justice rencontre dans le peuple une résistance injuste. Les richesses acquises par des moyens injustes s'écoulent par des voies injustes.

Dans le Chou king, Ou wang dit à son frère K'ang chou : « L'empereur ne reçoit pas le mandat du Ciel pour toujours. » Ces paroles signifient que, si le prince est vertueux, il obtient le mandat du Ciel ; s'il devient mauvais, il le perd. Il est dit dans les annales de la principauté de Tch'ou : « La nation de Tch'ou n'attache pas un grand prix à l'or ni aux pierreries ; elle n'estime que la probité. » Fan, oncle maternel de Wenn, prince de Tsin, dit : « L'exilé (c'est-à-dire Wenn, prince de Tsin, qui était alors en exil), estime la piété filiale, et non les richesses et les honneurs. »

Dans le Chou king, le prince de Ts'in dit à ses soldats : « S'il y avait un ministre d'État qui eût pour toutes qualités la simplicité, la probité, et dont le cœur fût exempt de passions ; qui pût en quelque sorte faire siennes les qualités de tous les autres ; qui, voyant des hommes de talent, se réjouît comme s'il avait lui-même leurs talents ; qui, voyant des hommes savants et vertueux, les aimât sincèrement ; qui ne se contentât pas de louer de bouche, mais considérât vraiment comme siennes les qualités des autres, et pût protéger mes descendants et tout le peuple, un tel homme serait très utile. Au contraire, si un ministre d'État, voyant des hommes de talent, leur porte envie et les a en aversion ; si, voyant des hommes savants et vertueux, il leur fait de l'opposition et empêche qu'on ne les connaisse ; s'il ne peut faire siennes les qualités des autres, ni par conséquent protéger mes descendants et mon peuple, il est même dangereux à l'État. » Un prince vertueux l'éloignerait, l'enverrait en exil, le reléguerait au milieu des étrangers qui entourent le pays. Il ne lui permettrait pas de partager avec les autres citoyens le séjour de la Chine. C'est ce qu'on exprime en disant que seul l'homme vertueux sait aimer et haïr comme il faut.

Connaître un homme probe et capable, et ne pas vouloir l'élever aux charges, ou le promouvoir tard, c'est négligence. (la lettre ming doit être remplacée par man, d'après Tcheng tzeu ou par tai, d'après Tch'eng tzeu). Connaître un homme vicieux et ne pas vouloir le chasser, ou le chasser à peu de distance, c'est une indulgence excessive.

Aimer ce que les autres n'aiment pas, ne pas aimer ce qu'ils aiment, c'est être en opposition avec la nature humaine. C'est attirer infailliblement des malheurs sur sa personne. Il existe pour les princes une excellente règle de conduite, (qui est d'aimer ce qu'aime le peuple, et d'avoir en aversion ce qu'il n'aime pas). Ils la gardent, quand ils sont bons et sincères ; ils la violent, quand ils sont orgueilleux et amis du faste. Pour procurer des ressources à l'État, il est un excellent moyen. Quand ceux qui les procurent sont nombreux, et ceux qui les consomment en petit nombre, quand ceux qui les obtiennent par leur travail agissent avec promptitude, et ceux qui les emploient avec lenteur, elles sont toujours plus que suffisantes.

Un prince bienfaisant augmente sa puissance par sa libéralité ; celui qui n'est pas bienfaisant augmente ses richesses au détriment de son crédit et de son autorité. Quand le prince aime à faire du bien, toujours ses sujets aiment à remplir leurs devoirs envers lui. Quand les sujets aiment à remplir leurs devoirs envers le prince, les affaires du prince sont toujours menées à bonne fin. Les richesses amassées dans les magasins et les trésors publics restent toujours au prince, (parce qu'elles ne sont pillées par personne). Meng Hien tzeu (sage préfet de la principauté de Lou) dit : « Celui qui entretient des attelages de quatre chevaux (un grand préfet nouvellement en charge), ne doit pas s'occuper de poules et de pourceaux, comme le font les hommes du bas peuple. Une famille (de ministre d'État, de grand préfet ou de prince) qui emploie la glace pour conserver les viandes, (lorsqu'elle célèbre des funérailles ou fait des offrandes), ne doit pas nourrir des bœufs et des brebis, comme font les bergers et les laboureurs. Une famille de ministre d'État, qui entretient pour la guerre cent attelages de quatre chevaux, ne doit pas nourrir des ministres qui lèvent des tributs exorbitants. Il vaudrait mieux qu'elle eût des ministres voleurs que des exacteurs. C'est ce que l'on exprime en disant : « La justice est beaucoup plus profitable à l'État que les revenus. »

Si celui qui administre les affaires publiques s'applique principalement à amasser des trésors, la faute en est à des ministres indignes. Il les croit hommes de bien. Quand des ministres méprisables ont le maniement des affaires publiques, il en résulte de grands malheurs et de grands dommages. Quand même il resterait des hommes vertueux, il leur serait impossible de remédier au mal. C'est ce qu'on exprime en disant : « La justice est beaucoup plus profitable à l'État que les revenus. »

Ce dixième chapitre du commentaire explique comment « un prince, en gouvernant bien sa principauté, procure la paix à tout l'empire ».

Le commentaire contient en tout dix chapitres. Dans les quatre premiers, l'auteur explique le sens et le but des principes généraux et, dans les six derniers, le travail que demandent les règles particulières. Dans le cinquième, il fait connaître la nécessité de discerner le bien et, dans le sixième, le fondement de la perfection. Ces deux chapitrer exigent des commençants une attention spéciale. Le lecteur ne doit pas les mépriser à cause de leur simplicité. (*Tchou Hi*)

———

TCHOUNG IOUNG

L'INVARIABLE MILIEU

———

Avertissement de Tchou Hi.

Mon maître Tch'eng tzeu dit : « On appelle milieu ce qui n'incline d'aucun côté, et constant ce qui ne change pas. Le milieu est la voie droite pour tous les êtres, et la constance est la loi invariable qui les régit. Ce traité contient les enseignements moraux donnés de vive voix par

Confucius, et transmis par son école. Tzeu seu, craignant qu'avec le temps l'erreur ne s'y mêlât, les a consignés par écrit. Ils sont ainsi parvenus à Meng tzeu. *Tzeu seu est le prénom de K'oung Ki, fils de Pe iu et petit-fils de Confucius. Il eut pour maître Tseng Tzeu*. L'auteur, au commencement, parle d'un principe unique ; dans le corps de son livre, il le développe et traite de tous les êtres ; à la fin, il ramène tout à ce principe unique. Quand il le développe, il embrasse tout l'univers ; quand il se renferme dans des considérations générales, il se plonge dans les mystères les plus profonds. La saveur de sa doctrine est inépuisable ; dans tout le livre, cette doctrine est solide. Le lecteur intelligent la médite, cherche à la comprendre ; et, quand il y est parvenu, il la met en pratique toute sa vie ; elle est un trésor inépuisable.

1. La loi que le Ciel a mise dans le cœur de l'homme s'appelle la loi naturelle. L'observation de la loi naturelle s'appelle la voie (ou la règle de nos actions). Réparer la voie (ou remettre en lumière dans le cœur des hommes la règle des actions que les passions ont obscurcie) cela s'appelle enseigner. Il n'est jamais permis de s'écarter de la règle de nos actions, même un instant ; s'il était permis de s'en écarter, elle ne serait plus règle. Pour cette raison, le sage prend garde et fait attention, même quand il ne voit rien qui réclame sa vigilance ; il craint et tremble, même quand il n'entend rien qui doive l'effrayer. Pour lui, rien n'apparaît plus à découvert que les secrets replis de son cœur ; et rien n'est plus manifeste que les plus petits indices. Aussi veille t il avec soin sur ce que lui seul connaît (sur ses pensées et ses sentiments les plus intimes).

Quand il ne s'élève dans l'âme aucun sentiment de joie, de colère, de tristesse ou de plaisir, on dit qu'elle est en équilibre (parce qu'elle n'incline d'aucun côté). Quand ces sentiments naissent dans l'âme sans dépasser la juste mesure, on dit qu'ils sont en harmonie. L'équilibre est le point de départ de toutes les transformations et de tous les changements qui s'opèrent dans l'univers. L'harmonie est la loi générale de tout ce qui se fait dans l'univers. Quand l'équilibre et l'harmonie atteignent leur plus haut degré, chaque chose est à sa place dans le ciel et sur la terre ; tous les êtres se propagent et se développent heureusement.

Dans ce premier article, Tzeu seu exprime les idées qu'il a reçues (des disciples de Confucius) et qui feront la base de son livre. Il montre d'abord que la loi naturelle a son fondement dans le ciel et est immuable ; qu'elle est tout entière en chacun de nous, et qu'il n'est jamais permis de s'en écarter. Il enseigne ensuite la nécessité d'en conserver et d'en entretenir la connaissance, et de nous examiner nous même. Enfin il parle de cette influence méritoire et toute puissante de l'homme qui, doué de la plus haute sagesse, transforme tout l'univers. Il désire que le disciple de la sagesse cherche en lui-même et trouve par lui-même ces vérités, afin qu'il repousse les mauvaises impressions faites sur lui par les objets extérieurs, et rende parfaites ses vertus naturelles. Ce premier article est ce que Iang tzeu appelle la substance et le résumé de tout l'ouvrage. Dans les dix articles qui vont suivre, Tzeu seu cite les paroles du Maître, pour compléter la doctrine du premier article. (*Tchou Hi*).

2. Confucius dit : L'homme vertueux reste dans l'invariable milieu ; celui qui n'est pas vertueux s'en écarte. (*Tchoung*, qui n'est ni oblique ni incliné, et atteint la limite sans la dépasser. *Ioung*, ordinaire et constant). Pour ce qui concerne l'invariable milieu, l'homme vertueux ne s'en écarte jamais, parce qu'il est vertueux ; celui qui n'est pas vertueux n'évite et ne craint rien, parce qu'il est vicieux. »

3. Confucius dit : « Se tenir dans l'invariable milieu, oh ! c'est la plus haute perfection ! Peu d'hommes sont capables de la garder longtemps. »

4. Confucius dit : « La voie de la vertu n'est pas suivie ; je le sais. Les hommes intelligents et éclairés vont au delà, et les ignorants restent en deçà. La voie de la vertu n'est pas bien connue ; je le sais. Les sages veulent trop faire, et les hommes vicieux, pas assez. C'est ainsi que tout homme boit et mange, et peu savent juger des saveurs !. »

5. Confucius dit : « Hélas ! la voie de la vertu n'est pas suivie ! »

6. Confucius dit : « Que Chouenn était prudent ! Il aimait à interroger ; il aimait à peser toutes les propositions qu'il entendait, même les plus simples. Il taisait ce qu'elles avaient de faux, et publiait ce qu'elles avaient de bon. Dans les bons avis, il considérait les deux extrêmes et

choisissait le milieu pour s'en servir à l'égard du peuple. Oh ! c'est par ce moyen qu'il est devenu le grand Chouenn ! »

7. Confucius dit : « Chacun se vante d'être habile en affaires. On court précipitamment ; et l'on tombe au milieu des filets, des pièges, et des fosses, à la manière des animaux sauvages ; personne ne sait échapper. De même, chacun dit : je connais parfaitement la voie de la vertu. On sait trouver l'invariable milieu ; mais on n'y peut persévérer l'espace d'un mois. »

8. Confucius dit : « Houei était homme à trouver et à tenir l'invariable milieu en toute occurrence. Dès qu'il avait connu une vertu, il la pratiquait avec énergie, la faisait pénétrer au fond de son cœur, et ne la laissait plus échapper. » *Houei, nommé Ien Iuen, était disciple de Confucius* .

9. Confucius dit : « Un homme peut être assez sage pour gouverner l'empire et des principautés, assez désintéressé pour refuser des dignités avec leurs revenus, assez courageux pour marcher sur des épées nues, et n'être pas capable de se tenir dans l'invariable milieu. »

10. Tzeu lou (ou Tchoung Iou, disciple de Confucius) ayant demandé à Confucius en quoi consiste la force d'âme, le Philosophe répondit : « Parlez vous de celle des habitants du midi ou des habitants du nord, ou bien de celle que vous, vous devez acquérir (vous, disciple de la sagesse) ? Enseigner avec indulgence et douceur, ne pas se venger des injustices, c'est la force d'âme des habitants du midi. Le sage la pratique constamment. Prendre son repos tout armé, donner sa vie sans regret, c'est la force d'âme des habitants du nord. Les braves (les soldats et les autres) la pratiquent. Le sage est accommodant ; mais il ne s'abandonne pas au courant (des passions humaines). Que sa fermeté est courageuse ! Il se tient dans le juste milieu, sans incliner d'aucun côté. Que sa fermeté est courageuse ! Si le gouvernement est bien réglé, (il accepte une charge, mais) dans la vie publique il est le même que dans la vie privée. Que sa fermeté est courageuse ! Si le gouvernement est mal réglé, il reste toujours le même jusqu'à la mort. Que sa fermeté est courageuse ! »

11. Confucius dit : « Scruter les secrets les plus impénétrables, faire des choses extraordinaires, pour être loué dans les siècles à venir, c'est ce

que je ne veux pas. (la lettre *sôn*, d'après les annales de Han, doit être remplacée par *souô*). Le sage marche dans la voie de la vertu. Rester à moitié chemin, c'est ce que je ne puis faire. Le sage s'attache à l'invariable milieu. Si, fuyant le monde, il demeure inconnu, il n'en éprouve aucun regret. Le sage est seul capable d'arriver à cette perfection. »

12. La règle des actions du sage est d'un usage très étendu (elle s'applique à tout), et cependant elle reste en partie cachée. Les personnes les plus ignorantes, hommes ou femmes, peuvent arriver à la connaître ; mais les plus grands sages eux mêmes ne la connaissent pas dans toute son étendue. Les personnes les moins courageuses, hommes ou femmes, peuvent entreprendre de la suivre ; mais les plus grands sages eux mêmes ne peuvent y conformer entièrement leur conduite. C'est ainsi que le ciel et la terre, malgré leur immensité, ne peuvent satisfaire pleinement les désirs des hommes, (qui se plaignent du froid, du chaud …). Quand le sage expose les grands principes de la loi naturelle, rien dans l'univers ne peut les contenir. Quand il en explique les principes particuliers, il n'est rien de plus subtil sous le ciel.

Il est dit dans le Cheu king : « L'épervier dans son vol s'élève jusqu'au ciel ; le poisson bondit au fond des abîmes. » Cela signifie que la loi naturelle se manifeste dans les régions les plus basses comme dans les plus élevées. La règle des actions du sage se trouve, quant à ses premiers principes, dans le cœur des personnes les plus vulgaires. Ses limites extrêmes atteignent celles du ciel et de la terre.

Dans ce douzième article, c'est Tzeu seu qui parle. Il y explique cette proposition du premier article, qu'« il n'est pas permis de s'écarter de la voie de la vertu ». Dans les huit articles qui vont suivre, il cite différentes paroles de Confucius à l'appui de cette doctrine.

13. Confucius dit : « La règle des actions n'est pas loin de l'homme. Si quelqu'un faisait une règle qui fût loin de l'homme, elle ne pourrait être considérée comme règle. Il est dit dans le Cheu king : « Celui qui fait un manche de hache a un modèle tout près de lui (à savoir, le manche de la hache dont il se sert). Il prend un manche (une hache munie de son

manche) pour faire un autre manche. (Bien que le modèle ne soit pas loin), l'ouvrier qui le considère en tournant les yeux obliquement juge qu'il est à distance du bois destiné à la confection d'un nouveau manche. (La règle de nos actions ou la loi naturelle est encore beaucoup plus près de nous ; elle est en nous) Le sage forme l'homme par l'homme (par le moyen de la loi naturelle qui est dans le cœur de l'homme) ; il se contente de le corriger de ses défauts. Il s'applique sérieusement à la pratique de la vertu, mesure les autres avec la même mesure que lui-même, et ne s'écarte guère de la voie de la perfection. Il évite de faire aux autres ce qu'il n'aime pas que les autres lui fassent à lui-même. « Le sage observe quatre lois principales ; moi, K'iou (Confucius), je n'ai pas encore pu en observer une seule. Je n'ai pas encore pu rendre à mon père les devoirs que j'exige de mon fils, ni à mon prince les devoirs que j'exigerais de mes sujets, ni à mon frère aîné les devoirs que j'exige de mon frère puîné ; je n'ai pas encore pu faire le premier à mon ami ce que j'exige de lui à mon égard. Celui-là n'est-il pas un sage vraiment parfait, qui, dans la pratique des vertus ordinaires et dans ses conversations de chaque jour, s'efforce d'éviter jusqu'aux moindres défauts, qui craint toujours de promettre plus qu'il ne peut tenir, et fait en sorte que ses paroles répondent à ses actions, et ses actions à ses paroles ?

14. Le sage règle sa conduite d'après la condition dans laquelle il se trouve ; il ne désire rien en dehors de sa condition. Dans les richesses et les honneurs, il agit comme il convient à un homme riche et honoré. Dans la pauvreté et l'abjection, il agit comme il convient à un homme pauvre et méprisé. Au milieu des barbares de l'occident ou du septentrion, il agit comme il convient au milieu de ces barbares. Dans le malheur et la souffrance, il agit comme il convient dans le malheur et la souffrance. Partout et toujours le sage a ce qui lui suffit (à savoir, la vertu).

Dans un rang élevé, il ne vexe pas ses inférieurs ; dans un rang inférieur, il ne recherche pas la faveur des grands. Il se rend lui-même parfait, et ne demande rien à personne ; aussi ne se plaint il jamais. Il ne se plaint pas du Ciel, il n'accuse pas les hommes. Le sage ne quitte pas le chemin uni ; il attend tranquillement les dispositions de la Providence. Celui qui n'est pas vertueux court chercher fortune à travers les précipices. Confucius dit : « L'archer a un point de ressemblance avec le sage. Quand sa flèche n'atteint pas le milieu de la cible, il en cherche la cause en lui-même, (et n'accuse personne).

15. Le sage est comme le voyageur qui, pour aller loin, part du lieu le plus rapproché de lui ; comme un homme qui, voulant gravir une haute montagne, commence par le bas. Il est dit dans le Cheu king : « Votre femme et vos enfants s'accordent comme le luth et la lyre. Vos frères de tout âge vivent en bonne harmonie, et se réjouissent ensemble ; ils font régner le bon ordre dans votre famille, et comblent de joie votre femme et vos enfants. »

Confucius ajoute : « Que le père et la mère en éprouvent de contentement ! » *Dans une famille, le père et la mère occupent le premier rang, ils vont au dessus et à distance des autres. La femme, les enfants, les frères de tout âge sont au second rang ; ils sont en bas, et tout près de nous. Commencer par mettre le bon accord entre la femme, les enfants et les frères, et par cette voie arriver à rendre heureux les parents, n'est ce pas aller loin en partant d'un lieu rapproché, gravir une haute montagne en partant du pied ?*

16. Confucius dit : « Que l'action des esprits est puissante ! L'œil ne peut les voir, ni l'oreille les entendre. Ils sont en toutes choses, et ne peuvent en être séparés. Pour eux, dans tout l'univers, les hommes se purifient par l'abstinence, se revêtent d'habits magnifiques, et offrent des dons et des sacrifices. Ils sont partout en grand nombre ; ils se meuvent au dessus de nos têtes, à notre droite et à notre gauche. Il est dit dans le Cheu king : « L'arrivée des esprits ne peut être devinée ; beaucoup moins peut elle être comptée pour rien. Tant il est vrai que les esprits se manifestent sans se montrer aux regards, et que leur action ne peut être cachée ! »

17. Confucius dit : « Que la piété filiale de Chouenn fut remarquable ! Il fut doué de la plus haute sagesse, obtint la dignité impériale, posséda toutes les richesses comprises entre les quatre mers ; ses ancêtres ont agréé ses offrandes ; ses descendants ont perpétué sa race. (Chouenn a signalé sa piété filiale, parce que sa vertu et sa dignité ont fait honneur à

ses parents, ses richesses les ont nourris, ses offrandes ont été agréables à ses ancêtres, et ses descendants ont perpétué leur race). Ainsi sa grande vertu appelait nécessairement la dignité, l'opulence, la renommée et la longévité dont il a joui. (Il vécut, dit-on, cent dix ans).

« Le Ciel, qui produit tous les êtres, donne l'accroissement à chacun d'eux d'après ses qualités particulières. Il donne ses soins à l'arbre qui est debout, et renverse celui qui est incliné. Il est dit dans le Cheu king : « Notre excellent et aimable prince brille par ses vertus. Il gouverne le peuple et dirige les ministres avec sagesse. Le Ciel le comble de biens ; il le conserve, il l'aide, il lui confie le pouvoir ; il lui renouvelle ses faveurs. Ainsi une vertu éminente obtient infailliblement l'empire. »

18. Confucius dit : « Wenn wang est le seul homme qui fut constamment heureux. Il eut pour père Wang ki et pour fils Ou wang. Il continua ce que son père avait commencé. Ou wang succéda à T'ai wang, à Wang ki et à Wenn wang. Il prit les armes une seule fois, (chassa le tyran Tcheou sin), et l'empire fut à lui. L'éclat de sa vertu brilla dans tout l'univers et ne s'obscurcit jamais. Il obtint la dignité impériale, posséda toutes les richesses comprises entre les quatre mers. Ses ancêtres agréèrent ses offrandes, et ses descendants perpétuèrent sa race.

« Ou wang parvint à l'empire dans sa vieillesse. Tcheou koung (son frère puîné) acheva son œuvre et celle de son père. Remontant au passé, il donna le titre de roi à T'ai ki et à Wang ki (qui de leur vivant n'avaient pas été rois). Remontant plus haut, il fit des offrandes aux princes ses ancêtres suivant les rites réservés aux empereurs.

« Des usages semblables furent adoptés par les princes, les grands officiers, et même les lettrés et les hommes du peuple. Ainsi, quand le père était grand officier, et le fils simple lettré, le fils faisait à son père des obsèques comme les grands officiers, et des offrandes comme les lettrés. Quand le père était simple lettré, et le fils grand officier, le fils faisait à son père des obsèques comme les lettrés, et des offrandes comme les grands officiers. L'usage du deuil d'un an s'étendit jusqu'aux grands officiers. L'usage du deuil de trois ans s'étendit jusqu'à l'empereur. Le deuil d'un père ou d'une mère fut de même durée pour tous, sans distinction de rang ou de dignité. »

19. Confucius dit : « Quelle n'était pas l'étendue de la piété filiale de Ou wang et de Tcheou koung ! Ils savaient admirablement poursuivre les objets et continuer les œuvres de leurs pères. Au printemps et en automne, ils nettoyaient et préparaient la salle des ancêtres ; ils exposaient rangés en ordre les objets et les vêtements dont leurs pères s'étaient servis ; ils leur offraient les mets et les fruits de la saison.

« (Dans les cérémonies en l'honneur des ancêtres), les parents se plaçaient à droite et à gauche, dans un ordre correspondant à celui des tablettes des défunts ; les aides principaux étaient rangés par ordre de dignité, on distinguait ainsi les différentes classes de dignitaires ; les ministres étaient rangés par ordre d'offices, on distinguait ainsi les différents degrés de capacité et de vertu. Après les offrandes, quand on versait à boire à tous les assistants, les moins élevés servaient ceux qui étaient au dessus d'eux ; c'était un honneur accordé aux moins élevés. Au festin (qui suivait), la couleur des cheveux servait à ranger les assistants par ordre d'âge.

« Occuper les mêmes places que les ancêtres, accomplir les mêmes cérémonies, exécuter les mêmes chants, respecter ceux qu'ils avaient honorés (à savoir, leurs pères), aimer ceux qu'ils avaient aimés, leur rendre les mêmes devoirs après leur mort que pendant leur vie, après qu'ils avaient disparu que quand ils étaient présents ; c'était la perfection de la piété filiale. « Par les sacrifices *kiao* et *che* on rendait hommage au Souverain Seigneur (et à la Terre). Les cérémonies usitées dans la salle des ancêtres accompagnaient les offrandes faites aux parents défunts. Si quelqu'un connaissait parfaitement les cérémonies des sacrifices *kiao* et *che* et le sens des offrandes qui se faisaient en l'honneur des ancêtres, l'une tous les cinq ans, l'autre chaque automne, il lui serait aussi facile de bien gouverner un État que de regarder la paume de sa main.

20. Ngai (prince de Lou) interrogea Confucius sur l'administration. Le philosophe répondit : « Les principes d'administration suivis par Wenn wang et Ou wang sont exposés dans les livres. Si de tels hommes exis-

taient encore, (ainsi que leurs ministres), leur administration serait en vigueur. Ils sont morts ; et elle a péri avec eux. La vertu des hommes d'État établit vite un bon gouvernement, comme la vertu de la terre fait croître rapidement les plantations. Les bonnes institutions se développent avec la même rapidité que les joncs et les roseaux. La perfection du gouvernement dépend des ministres. Un prince attire de bons ministres par les qualités de sa personne. Il rend sa personne aimable par la vertu. Il cultive la vertu en se montrant humain. L'humanité, c'est ce qui fait l'homme ; l'amour envers les parents est le principal devoir qu'elle porte à remplir. La justice consiste à traiter chacun comme il convient ; le principal devoir qu'elle impose est d'honorer les sages. Les degrés d'affection correspondant aux divers degrés de parenté, et les degrés de respect correspondant aux divers degrés de sagesse, sont déterminés par les lois des relations mutuelles.

« Un prince sage doit donc se perfectionner lui-même. Pour se perfectionner lui-même, il doit remplir ses devoirs envers ses parents. Pour remplir ses devoirs envers ses parents, il doit connaître les hommes, (afin de savoir le degré d'affection ou de respect dû à chacun). Pour connaître les hommes, il faut qu'il connaisse le Ciel, (auteur des lois qui règlent les relations sociales).

« Les lois communes à tous les hommes sont au nombre de cinq ; trois vertus aident à les observer. Ces cinq lois générales sont celles qui régissent les relations entre le prince et le sujet, entre le père et le fils, entre le mari et la femme, entre le frère aîné et le frère puîné, entre les compagnons ou les amis. Les trois vertus nécessaires à tous les hommes sont la prudence, l'humanité et la force. Pour n'être pas stériles, elles doivent avoir une qualité commune, (être vraies, sincères).

« Parmi les hommes, les uns possèdent en naissant la connaissance des cinq grandes lois morales ; les autres la reçoivent par l'enseignement d'autrui ; d'autres l'acquièrent au prix de recherches laborieuses. De quelque manière qu'elle soit obtenue, elle est toujours la même. Les uns observent les cinq lois générales sans la moindre peine ; les autres, sans grande difficulté ; d'autres, au prix de grands efforts. Le résultat final est le même pour tous. »

Confucius dit : « Celui qui aime à apprendre, aura bientôt la vertu de prudence. Celui qui fait des efforts, aura bientôt la vertu d'humanité. Celui qui sait rougir aura bientôt la vertu de force. Savoir ces trois choses (c'est-à-dire, apprendre avec ardeur, faire des efforts, rougir de ce qui est mal), c'est savoir le moyen de se perfectionner soi-même. Savoir le moyen de se perfectionner soi-même, c'est connaître l'art de gouverner les hommes. Connaître l'art de gouverner les hommes, c'est savoir gouverner tous les peuples de l'empire.

« Quiconque gouverne l'empire doit observer neuf lois ; à savoir, il doit se perfectionner lui-même, respecter les hommes sages, chérir ses proches, honorer les grands officiers, demeurer uni de sentiments avec les officiers inférieurs, aider paternellement ses moindres sujets, attirer toute sorte d'ouvriers, accueillir avec bonté les étrangers, aimer les princes feudataires.

« S'il se perfectionne lui-même, il offrira à ses sujets un modèle de vertu en sa personne. S'il respecte les hommes sages, il ne sera jamais dans l'incertitude. S'il aime ses proches, ses parents du côté paternel, soit d'une génération antérieure, soit d'une génération postérieure à la sienne, ne seront pas mécontents. S'il honore les grands officiers, il ne commettra pas d'erreur. S'il est uni de cœur avec la foule des officiers, ceux ci en retour lui prodigueront leurs services avec zèle. S'il traite tous ses sujets comme ses enfants, le peuple aimera à lui obéir. S'il attire des ouvriers de toute sorte, les denrées et les objets utiles ne manqueront pas. S'il accueille les étrangers avec bonté, ils viendront à lui de toutes les contrées. S'il aime les princes feudataires, il sera respecté dans tout l'empire.

« Un prince sage se purifie par l'abstinence, porte des vêtements magnifiques, ne se permet rien de mal ; et par là il relève sa personne. Il écarte les flatteurs, bannit la volupté, fait peu de cas des richesses, estime la vertu ; et par là il encourage les hommes sages. Il élève en dignité les princes de sa famille, augmente leurs revenus, partage leurs sentiments d'affection ou d'aversion ; par là il excite les parents à s'aimer entre eux.

Il établit beaucoup d'officiers subalternes qui aident les grands officiers ; par ce moyen il encourage les grands officiers. Il témoigne une confiance sincère à tous les officiers inférieurs et augmente leurs appointements ; par là il les encourage.

« Il choisit les temps convenables pour employer le peuple aux travaux publics, et n'impose que des taxes légères ; par là il encourage le peuple. Il fait inspecter les travaux des ouvriers tous les jours, examiner l'habileté de chacun tous les mois, et distribuer des récompenses proportionnées au travail ; par là il encourage les ouvriers de tout genre. Il fait reconduire les étrangers qui s'en vont, envoie au devant de ceux qui viennent, donne des éloges à leurs talents, et n'exige pas d'eux plus qu'ils ne peuvent ; par là il témoigne sa bonté envers les étrangers. Il donne des héritiers adoptifs aux familles sans postérité, relève les principautés tombées, rétablit l'ordre dans celles qui sont troublées, soutient celles qui menacent ruine, reçoit à sa cour les princes feudataires ou leurs envoyés aux temps marqués, leur offre un festin magnifique à leur départ, ne reçoit d'eux qu'un faible tribut à leur arrivée ; par là il témoigne son affection aux princes ses vassaux. Celui qui gouverne tout l'empire a neuf règles ; pour les garder, une chose lui est nécessaire, (un vrai désir de bien faire).

« Une chose qui a été préparée d'avance réussit ; celle qui ne l'a pas été, ne réussit pas. Un ordre qui a été médité d'avance ne rencontre pas d'obstacle insurmontable dans l'exécution. Une affaire combinée d'avance n'est pas abandonnée faute de ressources. Une action déterminée d'avance n'est pas défectueuse par manque de conseil ou de réflexion. Une règle de conduite fixée d'avance mène sûrement au but.

« Le peuple ne peut espérer d'être bien gouverné par celui qui, étant dans un rang inférieur, n'a pas la confiance ni le mandat de son supérieur. Pour les obtenir, une chose est nécessaire. Celui qui n'a pas la confiance de ses amis n'obtient pas la confiance de son supérieur. Pour obtenir la confiance des amis, une chose est nécessaire. Celui qui ne satisfait pas ses parents n'a pas la confiance de ses amis. Pour satisfaire les parents, une chose est nécessaire. Celui qui, en s'examinant, reconnaît qu'il n'est pas vraiment vertueux, ne satisfait pas ses parents. Pour devenir vraiment vertueux, une chose est nécessaire. Celui qui ne comprend pas bien en quoi consiste la vraie vertu n'est pas vraiment vertueux.

« La vraie perfection est l'œuvre du Ciel ; la faire briller en soi-même est le travail et le devoir de l'homme. (Le Ciel donne à l'homme, avec l'existence, toutes les vertus. Parfaites en elles-mêmes, elles sont plus ou moins obscurcies en nous, selon que les éléments constitutifs du corps sont plus ou moins grossiers, et les passions plus ou moins violentes. Quelques hommes seulement les reçoivent et les conservent dans toute leur intégrité et leur pureté ; ce sont les *cheng jenn* sages par excellence. Les autres hommes ont le devoir de rendre à ces vertus leur éclat naturel en eux-mêmes. Voy. Ta Hio, page 2). Celui qui est naturellement parfait, (qui a reçu du Ciel et conservé toujours toutes les vertus dans leur intégrité), atteint le but sans effort, suit la voie droite sans y penser, se tient dans le juste milieu aisément et sans peine ; c'est le sage par excellence.

« Celui qui se perfectionne lui-même embrasse ce qui est juste et bon, et s'y attache de toutes ses forces. Il l'étudie complètement, se le fait expliquer à fond, le médite attentivement, le distingue clairement, et l'exécute sérieusement. Il est des choses qu'il n'étudie pas ; mais ce qu'il étudie, il ne l'abandonne pas, quand même il n'arriverait pas à le savoir. Il est des choses sur lesquelles il n'interroge pas ; mais celles sur lesquelles il interroge, il ne les abandonne pas, quand même il ne comprendrait pas les réponses. Il est des choses sur lesquelles il ne médite pas ; mais celles sur lesquelles il réfléchit, il ne les abandonne pas, quand même il ne trouverait pas ce qu'il cherche. Il est des choses qu'il ne cherche pas à distinguer ; mais celles qu'il cherche à distinguer, il ne les abandonne pas, quand même il ne les discernerait pas clairement. Il est des choses qu'il ne fait pas ; mais celles qu'il entreprend de faire, il ne les abandonne pas, quand même il ne les ferait pas parfaitement. Ce que d'autres, (mieux doués), peuvent faire au premier essai, il le pourra faire au centième ; ce que d'autres peuvent faire au dixième essai, il le pourra faire au millième. Sans aucun doute, celui qui tiendra cette conduite, fût il ignorant, deviendra éclairé ; fût il faible, il deviendra fort. »

21. La connaissance du bien qui, chez le sage par excellence, fait partie de sa perfection naturelle, s'appelle don naturel. La perfection qui, chez les sages ordinaires, suit la connaissance acquise du bien, s'appelle perfection acquise par l'enseignement. Celui qui est naturellement parfait comprend naturellement ce qui est bien. Celui qui acquiert la connaissance par l'enseignement devient ensuite parfait.

Dans ce vingt et unième article, Tzeu seu reprend ce qui a été dit dans le précédent, à savoir, la pensée de Confucius sur « l'œuvre du Ciel » et « l'œuvre de l'homme » ; il en fait le fondement du reste de son traité. Les douze articles qui vont suivre sont tous de Tzeu seu ; il y répète et met en lumière les idées exprimées dans celui-ci.

22. Seul sous le ciel le sage par excellence est capable de développer et de déployer entièrement ses qualités naturelles. Pouvant développer et déployer entièrement ses qualités naturelles, il peut (par ses exemples et ses enseignements) faire que les autres hommes développent et déploient entièrement leurs qualités naturelles. Ensuite, il peut (par de sages règlements) faire que toutes choses servent à l'homme selon toute l'étendue de leurs qualités naturelles. Pouvant faire que toutes choses servent selon toute l'étendue de leurs qualités naturelles, il peut aider le ciel et la terre à former et à conserver les êtres. Pouvant aider le ciel et la terre à former et à conserver les êtres, il peut être associé au ciel et à la terre.

23. Après ces hommes (qui sont naturellement parfaits) viennent ceux qui perfectionnent une nature défectueuse. Une nature défectueuse peut devenir parfaite. Aussitôt sa perfection paraît ; elle devient manifeste, elle brille, elle exerce de l'influence (sur les hommes et les choses), elle les change, elle les transforme. Seul sous le ciel celui qui est vraiment parfait a le pouvoir d'opérer des transformations.

24. Un homme vraiment parfait peut connaître par lui-même l'avenir. Lorsqu'une nouvelle dynastie va surgir, elle est toujours annoncée par d'heureux présages. Lorsqu'une dynastie va disparaître, les animaux et les choses inanimées donnent de mauvais augures. On aperçoit certains signes sur l'achillée et la tortue, certains mouvements dans les membres du corps de l'homme. A l'approche d'un événement heureux ou malheu-

reux, l'homme vraiment parfait sait toujours d'avance ce qui arrivera de bon ou de mauvais. Il est semblable aux esprits.

25. La bonté constitue les êtres (car tout être est bon) ; et la voie (la loi naturelle) conduit naturellement l'homme. La bonté est le commencement et la fin des êtres, (tout être qui commence ou finit, est bon). Il n'y a pas d'être qui ne soit vraiment bon. Pour cette raison, le sage met la perfection au-dessus de tout. La vraie vertu ne perfectionne pas seulement l'homme qui la possède, mais elle perfectionne aussi toutes choses. Ce qui rend un homme parfait, c'est la vertu d'humanité (sans laquelle l'homme n'est pas vraiment homme) ; ce qui perfectionne les choses extérieures, c'est la prudence, (qui discerne et applique les moyens convenables pour atteindre la fin proposée). Ces deux vertus sont des dons de la nature. Par elles l'homme embrasse à la fois l'intérieur et l'extérieur (il se perfectionne lui-même et tout ce qui est bon en lui). Consulter les circonstances pour l'exercice de ces deux vertus, c'est le propre du discernement.

26. La vraie perfection est toujours agissante, toujours persévérante. Elle se manifeste par des effets, s'étend et se propage au loin. Elle devient large et profonde, élevée et brillante.

Large et profonde, elle soutient les êtres ; élevée et brillante, elle les met à couvert ; vaste et persévérante, elle les perfectionne. Elle est large et profonde comme la terre, élevée et brillante comme le ciel. Son étendue et sa durée n'ont pas de limites. Aussi, elle brille sans chercher à se montrer ; elle transforme sans produire aucun mouvement ; elle perfectionne sans agir.

L'action du ciel et de la terre peut être exprimée en un seul mot : ils forment ensemble un seul agent parfait et, pour cette raison, leur action créatrice est immense. L'action du ciel et de la terre est large, profonde, élevée, brillante, vaste, persévérante.

Le ciel, (si l'on en considère qu'une petite partie), n'est qu'un point lumineux ; considéré dans toute son étendue, il est la voûte immense où sont suspendus le soleil, la lune et les étoiles, et qui couvre tous les êtres de l'univers. La terre, (si l'on en considère qu'un point), n'est qu'une poignée de poussière. A raison de sa largeur et de sa profondeur, elle soutient le mont Houa, et n'est pas accablée sous ce poids ; elle reçoit les fleuves et les mers, et n'en laisse rien échapper ; elle porte tous les êtres.

Les montagnes, (si l'on n'en considère qu'un petit endroit), ne sont qu'une poignée de pierres ; considérées dans leur largeur et leur étendue, elles produisent toutes sortes de plantes, servent de retraite aux oiseaux et aux quadrupèdes, et abondent en trésors (en minéraux) précieux. L'eau, (si l'on n'en considère qu'une petite étendue), tiendrait dans une cuiller ; considérée dans son immensité, elle nourrit les grandes tortues, les crocodiles, les dragons, les poissons, les petites tortues ; elle fournit beaucoup de richesses et de ressources.

Il est dit dans le Cheu king : « Oh ! l'action du Ciel est mystérieuse, et n'est jamais interrompue voilà ce par quoi le Ciel est Ciel, (à savoir, son action constante) ; Oh ! la vertu pure et parfaite de Wenn wang ne brille t elle pas d'un vif éclat ? » voilà ce par quoi Wenn wang fut Wenn wang, à savoir, sa vertu sans mélange et toujours agissante.

27. Combien grande est la vertu (l'action, l'influence) d'un homme parfaitement sage ! Elle s'étend au delà de toute limite, fait surgir et entretient tous les êtres. Elle s'élève au-dessus de la terre et arrive jusqu'au ciel. Dans son immensité, elle embrasse les trois cents lois de la morale et les trois mille règles de l'urbanité. Quand il surgira un homme vraiment parfait, il accomplira toutes ces choses. On dit que sans un homme parfaitement vertueux, la vertu parfaite n'est pas pratiquée.

Le disciple de la sagesse fait grande attention aux vertus que donne la nature et s'applique à interroger, à apprendre. Il développe le plus possible ses vertus et scrute les points les plus subtils de la loi naturelle. Il donne à ses vertus toute l'élévation et la perfection dont elles sont capables et se tient constamment dans l'invariable milieu. Pour ne pas oublier ce qu'il a appris, il le répète souvent, et il apprend ce qu'il ne sait pas encore. Il cultive et perfectionne ses vertus ; il apprend et observe entièrement les règles de l'urbanité.

Sur le trône, il ne s'enfle pas d'orgueil ; dans un rang inférieur, il ne s'arroge aucune liberté déréglée. Dans un État bien gouverné, ses enseignements font fleurir la vertu. Dans un État mal gouverné, son silence met sa personne à l'abri de tout mal. Il est dit dans le Cheu king : « Sa perspicacité et sa prudence préservent sa personne de tout danger. » Ce passage exprime la même vérité.

28. Confucius dit : « Un ignorant qui veut suivre son propre jugement, un inférieur qui veut suivre sa propre volonté, un homme de notre siècle qui veut ramener les usages anciens, tous ces hommes s'attirent des malheurs.

« Personne, sauf le Fils du Ciel, n'a le droit de délibérer sur les rites, ni de faire des lois, ni de changer les caractères de l'écriture. De là vient que, dans tout l'empire, toutes les voitures tracent deux ornières également distantes entre elles ; tous les livres sont écrits avec les mêmes lettres ; la conduite de tous les hommes est soumise aux mêmes lois.

« Quelqu'un eût il la dignité requise (la dignité impériale), s'il n'a pas la vertu nécessaire, il ne doit pas se permettre d'introduire de nouveaux rites ou de nouveaux chants. De même, eût-il la vertu nécessaire, s'il n'a pas la dignité requise, il ne doit pas se permettre de faire des innovations dans les rites ou la musique. »

Confucius disait : « Je parle des rites des Hia ; les princes de K'i les ont abandonnés et ne peuvent nous en donner une connaissance certaine. J'ai étudié les rites des In ; les princes de Soung les ont conservés. J'ai étudié les rites des Tcheou ; ils sont observés à présent ; je me conforme aux rites des Tcheou. »

29. Le chef de tout l'empire réglant seul ces trois importantes institutions (les rites, les lois et l'écriture), il se commet moins de fautes. Les institutions des anciens empereurs, bien qu'excellentes, ne sont plus connues avec certitude ; n'étant plus connues avec certitude, elles n'obtiennent pas créance ; n'obtenant pas créance, elles ne sont pas acceptées par le peuple. Les institutions faites par un autre que l'empereur n'ont pas d'autorité. N'ayant pas d'autorité, elles n'ont pas la confiance du peuple ; n'ayant pas la confiance du peuple, elles ne sont pas acceptées.

Le gouvernement d'un prince sage a pour base la vertu du prince et se manifeste par ses effets sur tout le peuple. Si on le compare avec le gouvernement des fondateurs des trois dynasties (Hia, In, Tcheou), on trouve qu'il ne s'en écarte pas. Si on le compare avec l'action du ciel et de la terre, on voit qu'il ne lui est pas contraire. Si on le compare avec la manière d'agir des esprits, il n'inspire aucun doute. S'il surgissait un grand sage, ne fût ce qu'après cent générations, il n'y trouverait rien d'incertain.

Comparé avec la manière d'agir des esprits, il n'inspire aucun doute, parce qu'un prince sage connaît (et imite) l'action du Ciel (et des esprits). S'il surgissait un grand sage, ne fût ce qu'après cent générations, il n'y trouverait rien d'incertain, parce qu'un prince sage connaît la voie que l'homme doit suivre.

Aussi, la conduite d'un prince sage sera à jamais le modèle de tout l'empire ; ses actions seront à jamais la règle de tout l'empire ; ses paroles seront à jamais la loi de tout l'empire. Ceux qui sont loin de lui désirent s'en approcher ; ceux qui sont près de lui ne se lassent jamais de sa présence.

Il est dit dans le Cheu king : « Là, personne ne les hait ; ici, personne n'est lassé de leur présence ; leur mémoire sera célébrée dans tous les âges. » Jamais prince n'est parvenu de bonne heure à se faire un nom dans tout l'empire, si ce n'est par cette voie.

30. Confucius fut l'héritier et le successeur de Iao et de Chouenn, l'imitateur et l'image resplendissante de Wenn wang et de Ou wang. Il imita les saisons de l'année et fut semblable à l'eau et à la terre. Il fut comparable au ciel qui couvre et abrite tous les êtres, à la terre qui les porte et les soutient, aux quatre saisons qui reviennent successivement, au soleil et à la lune qui brillent tour à tour.

Tous les êtres se nourrissent sans se nuire mutuellement. Les saisons, le soleil et la lune suivent leur cours sans confusion. L'action particulière du ciel et de la terre se partage comme en ruisseaux qui atteignent chaque être séparément. Leur action générale atteint à la fois et produit tout l'ensemble des êtres. C'est ce qui fait la grandeur du ciel et de la terre.

31. Celui qui possède la parfaite sagesse a seul assez de perspicacité, d'intelligence, de sagacité et de prudence pour gouverner des sujets ; as-

sez de générosité, de grandeur d'âme, d'affabilité et de bonté pour aimer tous les hommes ; assez d'activité, de courage, de fermeté et de constance pour remplir fidèlement tous ses devoirs ; assez d'intégrité, de gravité, de modération et de droiture pour se garder de toute négligence ; assez d'ordre et de suite dans ses actions, assez de soin et de vigilance dans les affaires, pour savoir discerner.

La vertu parfaite embrasse toutes choses dans son immensité ; elle est profonde et sort comme d'une source inépuisable. Le sage la fait paraître selon les circonstances. Elle est immense et partout, comme le ciel ; profonde et inépuisable, comme la mer. Le sage se montre, et chacun le respecte ; il parle, et chacun le croit ; il agit, et chacun est content.

Sa renommée grandit et se répand par tout l'empire ; elle s'étend au nord et au midi jusqu'aux contrées les plus barbares. Partout où les navires et les voitures peuvent atteindre, partout où les forces de l'homme parviennent, partout où la voûte du ciel s'étend, partout où la terre porte des êtres, partout où le soleil et la lune répandent leur lumière, partout où le givre et la rosée se forment, tout ce qui a esprit et vie vénère et aime l'homme sage. Aussi le compare-t-on au ciel.

32. Seul l'homme vraiment parfait est capable de fixer les grandes lois des cinq relations sociales, d'établir le fondement de la société humaine (les vertus d'humanité, de justice, d'urbanité, de prudence et de sincérité) et de connaître comment le ciel et la terre produisent et conservent toutes choses. Et quel secours trouve-t-il hors de lui-même ?(il fait tout cela par lui-même, sans aucun secours étranger).

Sa vertu est très diligente, sa science très profonde, son action immense comme celle du Ciel. Celui qui n'est pas lui-même très perspicace, très prudent, très versé dans la connaissance des vertus naturelles, peut il connaître l'homme parfaitement sage ?

33. On lit dans le Cheu king : « Sur un vêtement de soie à fleurs, elle porte une robe simple. » Elle ne veut pas laisser paraître un vêtement si brillant. De même, la vertu du sage aime à rester cachée, et son éclat augmente de jour en jour. Au contraire, la vertu de l'homme vulgaire aime à se montrer, et elle disparaît peu à peu. La vertu du sage n'a pas de saveur,

particulière, et elle n'excite jamais le dégoût ; elle est simple, mais non dé-pourvue d'ornement ; sans apprêt, mais non sans ordre.

Celui qui connaît les moyens rapprochés qui mènent très loin ; celui qui sait qu'on arrive à réformer les mœurs en se corrigeant soi-même ; celui qui sait que la vertu intérieure se manifeste au dehors ; celui-là peut être admis dans l'école de la sagesse.

Il est dit dans le Cheu king : « Quand même le poisson se cacherait au fond de l'eau, il serait vu parfaitement. » Quand le sage s'examine et ne trouve en lui-même aucun défaut, son cœur est satisfait. Le lieu où le sage exerce sa vigilance plus que personne, c'est celui où il n'est vu de personne, (à savoir, son propre cœur).

Il est dit dans le Cheu king : « Dans votre maison, il importe que vous n'ayez rien dont vous deviez rougir, même dans les appartements qui (sont situés au nord-ouest, et) ne reçoivent la lumière que par les ouver-tures du toit (et où vous êtes toujours vu, sinon des hommes, au moins des esprits). » Le sage se tient sur ses gardes, même quand il n'agit pas ; il est sincère, même quand il ne parle pas.

Il est dit dans le Cheu king : « Quand il offre le ragoût et invite les Mânes, il ne parle pas ; alors il ne surgit aucune discussion (tous les assis-tants imitent son silence respectueux). » Le sage, sans donner de récom-penses, encourage le peuple ; sans s'irriter, il se fait craindre plus que le glaive ou la hache du bourreau.

On lit dans le Cheu king : « Leur vertu, sans briller d'un vif éclat, est imitée par tous les princes feudataires. » Le sage veille attentivement sur lui-même, et tout l'empire est en paix.

Dans le Cheu king, (le Souverain Roi) dit : « J'aime la vertu parfaite de Wenn wang, dont la voix, le visage n'ont rien d'impérieux. » Confucius dit : « En celui qui instruit le peuple, le ton de la voix, l'air du visage sont des chose secondaires. » Le Cheu king dit plus encore. « La vertu, dit il, est légère comme une plume. » Une plume a encore un certain poids. (Le Cheu king décrit) le plus haut degré de la perfection, en disant : « L'ac-tion du Ciel n'est perçue ni par l'ouïe ni par l'odorat. »

Dans ce trente-troisième article, Tzeu seu, après avoir, dans les précédents, parlé de la vertu parfaite, remonte à la source, (qui est le Ciel). Il rappelle que le premier soin du disciple de la sagesse doit être de veiller attentivement sur ses pensées et ses actions les plus secrètes, et peu à peu il arrive à parler de la toute puissante influence du sage, qui, en veillant attentivement sur lui-même, fait régner l'ordre et la paix dans l'univers. Enfin il exalte les merveilleux effets de la vertu, en disant que son action échappe à l'ouïe et à l'odorat. Il récapitule ainsi le contenu de tout l'ouvrage. Il répète et inculque ses enseignements avec un vif désir de persuader. Le disciple de la sagesse ne doit il pas les étudier de tout cœur ? (*Tchou Hi*).

———

LIUN IU

ENTRETIENS DE CONFUCIUS
ET DE SES DISCIPLES

———

Ce recueil 分上下两篇 **fenn chang hia loang p'ien** se divise en deux parties, le Chang Liun Iu et le Hia Liu Iu. Chaque partie comprend cinq 篇 **kiuen** livres, et chaque livre, deux chapitres.

LIUN IU

ENTRETIENS DE CONFUCIUS
ET DE SES DISCIPLES

Ce recueil 分上下两篇 **fenn chang hia loang p'ien** se divise en deux parties, le Chang Liun Iu et le Hia Liu Iu. Chaque partie comprend cinq 篇 **kiuen** livres, et chaque livre, deux chapitres.

Liun signifie examiner et discuter une question ; iu, répondre et expliquer. Ce livre contient les enseignements de Confucius, les questions et les réponses qui ont été faites sur l'étude de la sagesse et le gouvernement de l'État, dans les entretiens du philosophe avec ses disciples, avec les princes et les ministres de son temps, et qui ont été écrites par ses disciples. Voilà pourquoi ce recueil est intitulé Explications et Réponses.

Le philosophe K'oung était de la principauté de Lou. Son nom de famille était K'oung, son nom propre Kiou et son surnom Tchoung gni. Son père Chou leang Ho avait d'abord épousé une fille de la famille Cheu, qui lui avait donné neuf filles, mais pas de garçon. Il avait eu d'une femme de second rang un fils, nommé Meng pi, qui était boiteux. Ensuite il demanda en mariage une fille de la famille Ien. Cette famille, qui avait trois filles, lui donna la plus jeune, nommée Tcheng tsai. Tcheng tsai, ayant prié sur le mont Gui k'iou, donna le jour à Confucius, qui pour cette raison fut nommé K'iou.

Avant sa naissance, à K'iue li (son pays natal), une licorne vomit un livre orné de pierres précieuses. On y lut ces mots : « Un enfant, formé des parties les plus subtiles de l'eau, soutiendra l'empire ébranlé de la dynastie des Tcheou et sera roi sans royaume. » Ien chen, (mère de Confucius), fut étonnée de ce prodige. Avec un cordon de soie, elle lia par la corne le mystérieux animal, qui disparut au bout de deux nuits.

La nuit de sa naissance, deux dragons entourèrent le toit de la maison. Cinq vieillards descendirent dans la cour. Leurs corps étaient formés des éléments les plus purs des cinq planètes. Auprès des appartements de la mère, on entendit le chant du Céleste Potier. Des voix dans les airs prononcèrent ces mots : « Le Ciel accorde à la prière la naissance d'un fils parfaitement sage. »

CHAPITRE I. HIO EUL.

1. Le Maître dit : « Celui qui cultive la sagesse et ne cesse de la cultiver n'y trouve-t-il pas de la satisfaction ? Si des amis de la sagesse viennent de loin recevoir ses leçons, n'éprouve-t-il pas une grande joie ? S'il reste inconnu des hommes et n'en ressent aucune peine, n'est il pas un vrai sage ? »

2. Iou tzeu dit : « Parmi les hommes naturellement enclins à respecter leurs parents, à honorer ceux qui sont au dessus d'eux (par le rang ou par l'âge), peu aiment à résister à leurs supérieurs. Un homme qui n'aime pas à résister à l'autorité, et cependant aime à exciter du trouble, ne s'est jamais rencontré. Le sage donne son principal soin à la racine. La racine, une fois affermie, donne naissance au tronc et aux branches. L'affection envers nos parents et le respect envers ceux qui sont au dessus de nous sont comme la racine de la vertu ». (Iou tzeu, nommé Jo, était disciple de Confucius).

3. Le Maître dit : « Celui qui par des discours étudiés et un extérieur composé (cherche à plaire aux hommes) ruine ses vertus naturelles. » (*Sien* équivaut à la lettre *wang*).

4. Tseng tzeu dit : « Je m'examine chaque jour sur trois choses : Si, traitant une affaire pour un autre, je ne l'ai pas traitée avec moins de soin que si elle eût été ma propre affaire ; si, dans mes relations avec mes amis, je n'ai pas manqué de sincérité ; si je n'ai pas négligé de mettre en pratique les leçons que j'ai reçues. »

5. Le Maître dit : « Celui qui gouverne une principauté qui entretient mille chariots de guerre doit être attentif aux affaires et tenir sa parole, modérer les dépenses et aimer les hommes, n'employer le peuple aux travaux publics que dans les temps convenables, (afin de ne pas nuire aux travaux des champs). »

6. Le Maître dit : « Un jeune homme, dans la maison, doit aimer et respecter ses parents. Hors de la maison, il doit respecter ceux qui sont plus âgés ou d'un rang plus élevé que lui. Il doit être attentif aux affaires et sincère dans ses paroles ; aimer tout le monde, mais se lier plus étroitement avec les hommes vertueux. Ces devoirs remplis, s'il lui reste (du temps et) des forces, qu'il les emploie à l'étude des lettres et des arts libéraux. »

7. Tzeu hia dit : « Celui qui, au lieu d'aimer les plaisirs, aime et recherche les hommes sages, qui aide ses parents de toutes ses forces, qui se dépense tout entier au service de son prince, qui avec ses amis parle sincèrement, quand même on me dirait qu'un tel homme n'a pas cultivé la sagesse, j'affirmerais qu'il l'a cultivée. »

8. Le Maître dit : « Si celui qui cultive la sagesse manque de gravité, il ne sera pas respecté et n'acquerra qu'une connaissance superficielle de la vertu. Qu'il mette au premier rang la fidélité et la sincérité ; qu'il ne lie pas amitié avec des hommes qui ne lui ressemblent pas (qui ne cultivent pas comme lui la sagesse) ; s'il tombe dans un défaut, qu'il ait le courage de s'en corriger. »

9. Tseng tzeu dit : « Si le prince rend les derniers devoirs à ses parents avec un vrai zèle et honore par des offrandes ses ancêtres même éloignés, la piété filiale fleurira parmi le peuple. »

10. Tzeu k'in adressa cette question à Tzeu koung : « Quand notre maître arrive dans une principauté, il reçoit toujours des renseignements sur l'administration de l'État. Est-ce lui qui les demande au prince, ou bien est ce le prince qui les lui offre ? » Tzeu koung répondit : « Notre maître les obtient (non par des interrogations, mais) par sa douceur, son calme, son respect, sa tenue modeste et sa déférence. Il a une manière d'interroger qui n'est pas celle des autres hommes. »

11. Le Maître dit : « Un fils doit consulter la volonté de son père, tant que son père est en vie, et ses exemples, quand il est mort. Si durant trois ans après la mort de son père, il imite sa conduite en toutes choses, on pourra dire qu'il pratique la piété filiale. »

12. Iou tzeu dit : « Dans l'observation des devoirs mutuels, la concorde est d'un grand prix. C'est pour cette raison que les règles des anciens souverains sont excellentes. Toutes leurs prescriptions, grandes ou petites, ont été inspirées par le désir de la concorde. (Cependant,) il est une chose qu'il faut éviter : connaître le prix de la concorde, et faire tout pour la concorde, sans tenir compte du devoir, c'est ce qui n'est pas permis. »

13. Iou tzeu dit : « Quand on peut accomplir sa promesse sans manquer à la justice, il faut tenir sa parole. Un respect et des égards conformes aux règles de la bienséance ne sont ni honteux ni déshonorants. Si vous choisissez pour protecteur un homme digne de votre amitié et de votre confiance, vous pourrez lui rester attaché à jamais. »

14. Le Maître dit : « Un disciple de la sagesse qui ne recherche pas la satisfaction de son appétit dans la nourriture, ni ses commodités dans son habitation, qui est expéditif dans les affaires et circonspect dans ses paroles, qui se fait diriger par des hommes vertueux, celui-là a un véritable désir d'apprendre. »

15. Tzeu koung dit : « Que faut il penser de celui qui, étant pauvre, n'est pas flatteur, ou qui, étant riche, n'est pas orgueilleux ? Le maître répondit : « Il est louable ; mais celui-là l'est encore plus qui dans la pauvreté vit content, ou qui au milieu des richesses garde la modération. » Tzeu koung répliqua : « On lit dans le Cheu king que le sage imite l'ouvrier qui coupe et lime l'ivoire, ou qui taille et polit une pierre précieuse. Ces paroles n'ont elles pas le même sens (ne signifient-elles pas que le sage ne doit pas se contenter de n'être ni flatteur dans la pauvreté, ni orgueilleux dans l'opulence, mais travailler à conserver toujours la joie de l'âme et la modération) ? » Le Maître repartit : « Seu (Tzeu koung) commence à pouvoir entendre l'explication du Cheu king ; sur ma réponse à sa question, il a aussitôt compris le sens des vers qu'il a cités. »

16. Le Maître dit : « Le sage ne s'afflige pas de ce que les hommes ne le connaissent pas ; il s'afflige de ne pas connaître les hommes. »

CHAPITRE II. WEI TCHENG.

1. Le Maître dit : « Celui qui gouverne un peuple en lui donnant de bons exemples est comme l'étoile polaire qui demeure immobile, pendant que toutes les autres étoiles se meuvent autour d'elle.

2. Le Maître dit : « Les odes du Cheu king sont au nombre de trois cents. Un seul mot (de l'une d'elles) les résume toutes : « Avoir des intentions droites. »

3. Le Maître dit : « Si le prince conduit le peuple au moyen des lois et le retient dans l'unité au moyen des châtiments, le peuple s'abstient de mal faire ; mais il ne connaît aucune honte. Si le prince dirige le peuple par ses bons exemples et fait régner l'union en réglant les usages, le peuple a honte de mal faire, et devient vertueux. »

4. Le Maître dit : « A quinze ans, je m'appliquais à l'étude de la sagesse ; à trente ans, je marchais d'un pas ferme dans le chemin de la vertu ; à quarante ans, j'avais l'intelligence parfaitement éclairée ; à cinquante ans, je connaissais les lois de la Providence ; à soixante ans, je comprenais, sans avoir besoin d'y réfléchir, tout ce que mon oreille entendait ; à soixante-dix ans, en suivant les désirs de mon cœur, je ne transgressais aucune règle. »

5. Meng i tzeu ayant interrogé, sur la piété filiale, le Maître répondit : « Elle consiste à suivre les prescriptions. » Plus tard, Fan Tch'eu conduisant la voiture de Confucius, le philosophe lui dit : « Meng i tzeu m'a interrogé sur la piété filiale ; je lui ai répondu qu'elle consiste à observer les prescriptions. » Fan Tch'eu dit : « Quel est le sens de cette réponse ? » Confucius répondit : « Un fils doit aider ses parents durant leur vie selon les prescriptions, leur faire des obsèques et des offrandes après leur mort selon les prescriptions. » Meng i tzeu, nommé Ifo ki, grand préfet de Lou, était le chef de la famille Tchoung suenn ou Meng suenn. Voy. plus loin ch III. 2. Fan Tch'eu (ou Tzeu fan), nommé Siu, était disciple de Confucius.

6. Meng Ou pe, ayant interrogé le Maître sur la piété filiale, reçut cette réponse : « Les parents craignent par dessus tout que leur fils ne soit malade. » Un bon fils partage cette sollicitude de ses parents, et se conforme à leurs sentiments. Il ne néglige rien de tout ce qui sert à la conservation de sa personne.

7. Tzeu iou ayant interrogé Confucius sur la piété filiale, le Maître répondit : « La piété filiale qu'on pratique maintenant ne consiste qu'à fournir les parents du nécessaire. Or les animaux, tels que les chiens et les chevaux, reçoivent aussi des hommes ce qui leur est nécessaire. Si ce que l'on fait pour les parents n'est pas accompagné de respect, quelle différence met on entre eux et les animaux ? »

8. Tzeu hia l'ayant interrogé sur la piété filiale, le Maître répondit : « Il est difficile de tromper par un faux semblant de piété filiale. Quand les parents ou les frères aînés ont des affaires, si les fils ou les frères puînés leur viennent en aide ; quand ceux ci ont du vin et des vivres, s'ils en font part à leurs parents et à leurs aînés, est ce suffisant pour qu'on loue leur piété filiale ? » (la piété filiale requiert en outre une affection cordiale).

9. Le Maître dit : « Houei (Ien Iuen) écoute mes explications toute une journée sans m'adresser une objection ni une question, comme s'il était dépourvu d'intelligence. Quand il s'est retiré, je considère sa conduite privée, et j'y vois resplendir mes enseignements. Houei n'est pas dépourvu d'intelligence. »

10. Le Maître dit : « Si l'on considère les actions d'un homme, si l'on observe les motifs qui le font agir, si l'on examine ce qui fait son bonheur, pourra-t-il cacher ce qu'il est ? »

11. Le Maître dit : « Celui qui repasse dans son esprit ce qu'il sait déjà, et par ce moyen acquiert de nouvelles connaissances, pourra bientôt enseigner les autres. »

12. Le Maître dit : « L'homme sage n'est pas comme un vase ou un instrument (qui n'a qu'un usage ; il est apte à tout). »

13. Tzeu koung ayant demandé ce que doit faire un homme sage, le Maître répondit : « Le sage commence par faire ce qu'il veut enseigner ; ensuite il enseigne. »

14. Le Maître dit : « Le sage aime tous les hommes et n'a de partialité pour personne. L'homme vulgaire est partial et n'aime pas tous les hommes. »

15. Le Maître dit : « Entendre ou lire sans réfléchir est une occupation vaine ; réfléchir, sans livre ni maître, est dangereux. »

16. Le Maître dit : Etudier des doctrines opposées (aux enseignements des anciens sages), c'est nuisible.

17. Le Maître dit : « Iou (Tzeu lou), voulez vous que je vous enseigne le moyen d'arriver à la science véritable ? Ce qu'on sait, savoir qu'on le sait ; ce qu'on ne sait pas, savoir qu'on ne le sait pas : c'est savoir véritablement. »

18. Tzeu tchang étudiait en vue d'obtenir une charge avec des appointements. Le Maître lui dit : « Après avoir entendu dire beaucoup de choses, laissez de côté celles qui sont douteuses, dites les autres avec circonspection, et vous serez peu blâmé. Après avoir beaucoup vu, laissez ce qui serait dangereux, et faites le reste avec précaution ; vous aurez rarement à vous repentir. Si vos paroles vous attirent peu de blâme et vos actions peu de repentir, les appointements viendront d'eux-mêmes. »

19. Ngai, prince de Lou, dit à Confucius : Que doit faire un prince pour que le peuple soit content ? Le philosophe répondit : « Si le prince élève aux charges les hommes vertueux et écarte tous les hommes vicieux, le peuple sera satisfait ; si le prince élève aux charges les hommes vicieux et écarte les hommes vertueux, le peuple sera mécontent.

20. Ki K'ang tzeu dit : « Que faut il faire pour que le peuple respecte son prince, lui soit fidèle et cultive la vertu ? » Le Maître répondit : « Que le prince ait en public un maintien grave, et il sera respecté ; qu'il honore ses parents et soit bon envers ses sujets, et ses sujets lui seront fidèles ; qu'il élève aux charges les hommes de bien et forme ceux dont la vertu est encore faible, et il excitera le peuple à cultiver la vertu. »

21. Quelqu'un dit à Confucius : « Maître, pourquoi ne prenez vous aucune part au gouvernement ? » Le philosophe répondit : « Les Annales ne disent elles pas, en parlant de la piété filiale : « Respectueux envers vos parents et bienveillants envers vos frères, vous ferez fleurir ces vertus partout sous votre gouvernement ? » Faire régner la vertu dans sa famille par son exemple, c'est aussi gouverner. Remplir une charge, est ce la seule manière de prendre part au gouvernement ? »

22. Le Maître dit : « Je ne sais à quoi peut être bon un homme qui manque de sincérité. Comment employer une grosse voiture qui n'a pas de joug pour le bœuf, ou une petite voiture qui n'a pas de joug pour les chevaux ? »

23. Tzeu tchang demanda si l'on pouvait savoir d'avance ce que feraient les empereurs de dix dynasties successives. Le Maître répondit : « La dynastie des In a adopté les prescriptions de la dynastie des Hia (qui n'avait fait qu'interpréter la loi naturelle) ; on peut connaître par les documents ce qu'elle a ajouté ou retranché (sur des points accessoires). La dynastie des Tcheou a adopté les prescriptions de la dynastie des In ; ce qu'elle a ajouté ou retranché (ne concerne que des points accessoires, et) se trouve mentionné dans les documents. On peut savoir d'avance ce que feront les dynasties à venir, fussent elles au nombre de cent (elles feront observer la loi naturelle) ».

24. Le Maître dit : « Celui-là se rend coupable d'adulation, qui sacrifie à un esprit auquel il ne lui appartient pas de sacrifier. Celui-là manque de courage, qui néglige de faire une chose qu'il sait être de son devoir. »

CHAPITRE III. PA I.

1. Le chef de la famille Ki avait huit chœurs de pantomimes qui chantaient dans la cour du temple de ses ancêtres. Confucius dit : « S'il ose se permettre un tel abus, que n'osera-t-il se permettre ? » *Le chef de la famille Ki ou Ki suenn était grand préfet dans la principauté de Lou.* **I** *rangée (ou chœur) de*

pantomimes. L'empereur avait huit chœurs de pantomimes ; les tchou heou, six, les tai fou, quatre et les officiers inférieurs, deux. Le nombre des hommes dans chaque chœur était égal au nombre des chœurs. Quelques auteurs disent que chaque chœur se composait de huit hommes. On ne sait laquelle de ces deux opinions est la vraie. Le chef de la famille Ki était seulement tai fou ; il usurpait les cérémonies et les chants réservés à l'empereur.

2. Les trois familles faisaient exécuter le chant Ioung, pendant qu'on enlevait les vases, (après les offrandes). Le Maître dit : « Les aides sont tous des princes feudataires ; la tenue du Fils du Ciel est très respectueuse ; » comment ces paroles peuvent elles être chantées dans le temple des ancêtres des trois familles ? » *Ces trois familles étaient les familles Meng suenn (ou Tchoung suenn), Chou suenn et Ki suenn, dont les chefs étaient grands préfets dans la principauté de Lou.*

Parmi les fils de Houan, prince de Lou, le prince Tchouang, né de la femme légitime, devint le chef de la principauté ; K'ing fou, Chou ia et Ki iou, nés d'une femme de second rang, formèrent trois familles : K'ing fou, la famille Tchoung suenn, Chou ia, la famille Chou suenn, et Ki iou, la famille Ki suenn. K'ing fou changea le nom de Tchoung (second fils) et prit celui de Meng (fils aîné), parce qu'il était le fils aîné d'une femme de second rang, et qu'il n'osait pas se dire le frère cadet du prince Tchouang.

Ioung est le nom d'une ode qui se trouve dans le Cheu king parmi les Eloges des Tcheou. Ou wang la faisait chanter, quand il présentait des offrandes à Wenn wang. Les Tcheou la faisaient chanter dans le temple des ancêtres à la fin des offrandes, pour annoncer que la cérémonie était terminée. Les chefs des trois familles, qui n'avaient que le rang de tai fou, se permettaient l'usage d'une cérémonie et d'un chant réservés à l'empereur.

3. Le Maître dit : « Comment un homme dépourvu des vertus qui sont propres à l'homme peut il accomplir les cérémonies ? Comment un homme dépourvu des vertus qui sont propres à l'homme peut il cultiver la musique ? » *Quand un homme perd avec les vertus du cœur les qualités propres à l'homme, son cœur n'a plus le respect, qui est la partie essentielle des cérémonies ; il n'a plus l'harmonie des passions, qui est le fondement de la musique.*

4. Lin Fang ayant demandé quelle était la chose la plus nécessaire dans les cérémonies, le Maître répondit : « Oh ! que cette question est importante ! Dans les démonstrations extérieures, il vaut mieux rester en deçà des limites que de les dépasser ; dans les cérémonies funèbres, la douleur vaut mieux qu'un appareil pompeux. »

5. Le Maître dit : « Les barbares de l'orient et du septentrion, qui ont des princes, sont moins misérables que les nombreux peuples de la Chine ne reconnaissant plus de prince. »

6. Le chef de la famille Ki offrait des sacrifices aux Esprits du T'ai chan. Le Maître dit à Jen Iou : « Ne pouvez vous pas empêcher cet abus ? » Jen Iou répondit : « Je ne le puis. » Le Maître répliqua : « Hé ! dira-t-on que les Esprits du T'ai chan sont moins intelligents que Lin Fang ? » *T'ai chan, montagne située dans la principauté de Lou. D'après les rites, chaque prince feudataire sacrifiait aux Esprits des montagnes et des cours d'eau qui étaient dans son domaine. Le chef de la famille Ki, en sacrifiant aux Esprits du T'ai chan, s'arrogeait un droit qu'il n'avait pas (il n'était que tai fou). Jen Iou, nommé K'iou, disciple de Confucius, était alors intendant de Ki suenn. Le philosophe lui dit : « Ki suenn ne doit pas sacrifier aux Esprits du Tai chan. Vous êtes son intendant. Le faire changer de détermination serait ce la seule chose qui vous fût impossible ? » Jen Iou répondit : « Je ne le puis. » Le philosophe reprit en gémissant : « Hé ! s'imaginera t on que les Esprits du T'ai chan agréent des sacrifices qui sont contraires aux rites, et qu'ils comprennent moins bien que Lin Fang, moins bien qu'un citoyen de Lou, ce qui est essentiel dans les cérémonies ? Je suis certain qu'ils n'agréent pas les sacrifices de Ki suenn. »*

7. Le Maître dit : « Le sage n'a jamais de contestation. (S'il en avait), ce serait certainement quand il tire à l'arc. (Avant la lutte), il salue humblement ses adversaires et monte à l'endroit préparé. (Après la lutte), il boit la liqueur que les vaincus sont condamnés à prendre. Même quand il lutte, il est toujours sage. » *D'après les règles du tir solennel, le président divisait les archers en trois groupes de trois hommes chacun. Le moment arrivé, les trois compagnons partaient et s'avançaient ensemble, se saluaient trois fois, témoignaient trois fois leur respect mutuel, et montaient à l'endroit préparé pour le tir. Après le tir, ils se saluaient une fois, descendaient, puis, se tenant debout, ils attendaient que les autres*

groupes eussent fini de tirer. Les vainqueurs, se plaçant en face des vaincus, les sa-
luaient trois fois. Ceux-ci montaient de nouveau au lieu du tir, prenaient les coupes et,
se tenant debout, buvaient la liqueur qu'ils devaient accepter à titre de châtiment. Or-
dinairement, quand on offrait à boire, on présentait les coupes. (Mais, après le tir à
l'arc), on obligeait les vaincus à prendre eux-mêmes les coupes, sans leur faire aucune
invitation polie, afin de montrer que c'était une peine. Ainsi les anciens sages, même quand ils se disputaient la victoire, étaient conciliants et patients, se saluaient et se témoignaient mutuellement leur respect. De cette manière, au milieu même de la lutte, ils montraient toujours une égale sagesse. Vraiment le sage n'a jamais de contestation.

8. Tzeu hia dit à Confucius : (On lit dans le Cheu king) : « Un sourire agréable plisse élégamment les coins de sa bouche ; ses beaux yeux brillent d'un éclat mêlé de noir et de blanc. Un fond blanc reçoit une peinture de diverses couleurs ? » Que signifient ces paroles ? « Le Maître répondit : Avant de peindre, il faut avoir un fond blanc ». Tzeu hia reprit : « (Ces paroles ne signifient elles pas que) les cérémonies extérieures exigent avant tout et présupposent la sincérité des sentiments ? » Le Maître dit : « Chang (Tzeu hia) sait éclaircir ma pensée. A présent je puis lui expliquer les odes du Cheu king. » Un homme dont la bouche est élégante et les yeux brillants peut recevoir divers ornements, de même qu'un fond blanc peut recevoir une peinture variée. Les anciens empereurs ont institué les cérémonies afin qu'elles fussent l'élégante expression et comme l'ornement des sentiments du cœur. Les cérémonies présupposent comme fondement la sincérité des sentiments, de même qu'une peinture exige d'abord un fond blanc.

9. Le Maître dit : « Je puis exposer les cérémonies de la dynastie des Hia. (Mais je ne puis prouver ce que j'en dirais ; car) les princes de K'i (descendants des Hia, n'observent plus ces cérémonies et) ne peuvent les faire connaître avec certitude. Je puis exposer les cérémonies de la dynastie des In. (Mais les témoignages font défaut ; car) les princes de Soung, descendants des In, n'observent plus ces cérémonies et ne peuvent en donner une connaissance certaine. (Les princes de K'i et de Soung ne peuvent faire connaître avec certitude les cérémonies des Hia et des In),

parce que les documents et les hommes leur font défaut. S'ils ne faisaient pas défaut, j'aurais des témoignages. »

10. Le Maître dit : « Dans la cérémonie Ti, (faite par le prince de Lou), tout ce qui suit les libations me déplaît ; je n'en puis supporter la vue. » Confucius blâme l'autorisation accordée aux princes de Lou de faire une cérémonie qui aurait dû être réservée à l'empereur. Anciennement, l'empereur, après avoir fait des offrandes au fondateur de la dynastie régnante, en faisait au père du fondateur de la dynastie, et, en même temps, au fondateur lui-même. Cette cérémonie avait lieu tous les cinq ans, et s'appelait Ti.

Comme Tcheou koung s'était signalé par d'éclatants services (et avait été créé prince de Lou par son frère Ou wang), Tch'eng wang, (successeur de Ou wang), permit au prince de Lou de faire cette importante cérémonie. Le prince de Lou offrait donc le sacrifice Ti, dans le temple de Tcheou koung, à Wenn wang, comme au père du fondateur de la dynastie, et il associait à cet honneur Tcheou koung. Cette cérémonie était contraire aux anciens rites.

Les libations consistaient à répandre à terre, dès le commencement du sacrifice, une liqueur aromatisée, pour inviter les mânes à descendre. Au moment de ces libations, l'attention du prince de Lou et de ses ministres n'était pas encore distraite ; la vue de cette cérémonie était encore supportable. Mais, ensuite, ils s'abandonnaient peu à peu à l'insouciance et à la négligence ; ils offraient un spectacle pénible à voir.

11. Quelqu'un ayant demandé à Ti, le Maître répondit : « Je ne le sais pas. Celui qui le saurait n'aurait pas plus de difficulté à gouverner l'empire qu'à regarder ceci. » (En disant ces mots), il montra la paume de sa main. Les anciens empereurs ne montraient jamais mieux que dans le sacrifice Ti leur désir d'être reconnaissants envers leurs parents et d'honorer leurs ancêtres éloignés. C'est ce que ne pouvait comprendre cet homme qui avait interrogé sur la signification du sacrifice Ti. De plus, dans la principauté de Lou, (où les princes accomplissaient cette cérémonie), il fallait éviter de rappeler la loi qui la défendait à tout autre qu'à l'empereur. Pour ces raisons, Confucius répondit : « Je ne le sais pas. »

Sur cette question pouvait il y avoir quelque chose que le Sage par excellence ignorât réellement ?

12. Confucius faisait des offrandes à ses parents défunts et aux Esprits tutélaires, comme s'il les avait vus présents. Il disait : « Un sacrifice auquel je n'assisterais pas en personne, et que je ferais offrir par un autre, ne me paraîtrait pas un sacrifice véritable. »

13. Wang suenn Kia demanda quel était le sens de cet adage : « Il vaut mieux faire la cour au dieu du foyer qu'aux esprits tutélaires des endroits les plus retirés de la maison. » Le Maître répondit : « L'un ne vaut pas mieux que l'autre. Celui qui offense le Ciel n'obtiendra son pardon par l'entremise d'aucun Esprit. » Wang suenn Kia était un grand préfet tout puissant dans la principauté de Wei. Confucius était alors dans cette principauté. Wang suenn Kia soupçonnait qu'il avait l'intention de solliciter une charge. Il désirait qu'il s'attachât à lui ; mais il n'osait le lui dire ouvertement. Il eut donc recours à une allégorie, et lui dit : « D'après un proverbe, on offre des sacrifices auprès du foyer et dans les endroits retirés de la maison. Le foyer est la demeure du dieu du foyer. Bien que ce dieu soit d'un rang peu élevé, on lui offre un sacrifice particulier. Les endroits retirés de la maison sont les appartements situés à l'angle sud ouest. Les esprits qui y demeurent sont d'un rang élevé ; néanmoins on ne leur offre pas de sacrifice particulier. Quand on veut sacrifier aux esprits pour obtenir une faveur, il vaut mieux faire la cour au dieu du foyer pour obtenir sa protection secrète, que de faire la cour aux esprits de la maison pour rendre hommage à leur inutile dignité. Cet adage populaire doit avoir un sens profond. Quelle est sa signification ? » En parlant ainsi, Wang suenn Kia se désignait lui-même sous la figure du dieu du foyer, et il désignait son prince sous la figure des esprits de la maison. Il voulait dire qu'il valait mieux s'attacher à lui que de rechercher la faveur du prince. Confucius devina sa pensée. Sans le reprendre ouvertement, il se contenta de lui répondre : « Je réprouve toute flatterie, soit à l'égard des esprits de la maison, soit à l'égard du dieu du foyer. Au dessus des esprits de la maison et du dieu du foyer, il y a le Ciel, qui est souverainement noble et n'a pas d'égal. Celui qui se conduit d'après les lumières de la droite raison est récompensé par le Ciel. Celui qui agit contrairement à la

droite raison est puni par le Ciel. Si quelqu'un ne sait pas rester dans les limites de sa condition, ni suivre la droite raison, il offense le Ciel. Celui qui offense le Ciel, où trouvera t il un protecteur qui lui obtienne son pardon ?

14. Le Maître dit : « La dynastie des Tcheou a consulté et copié les lois des deux dynasties précédentes 'Hia et Chang). Que les lois des Tcheou sont belles ! Moi, j'observe les lois des Tcheou.

15. Le Maître, étant entré dans le temple dédié au plus ancien des princes de Lou, interrogea sur chacun des rites. Quelqu'un dit : « Dira-t-on que le fils du citoyen de Tcheou connaît les rites ? Dans le temple du plus ancien de nos princes, il interroge sur chaque chose. » Le Maître en ayant été informé, répondit : « En cela, je me suis conformé aux rites. » Dans la principauté de Lou, le temple du plus ancien des princes était celui de Tcheou koung. Tcheou est le nom d'une ville de la principauté de Lou. Chou leang Ho, père de Confucius, avait été préfet de cette ville. Confucius est appelé pour cette raison le fils du citoyen de Tcheou. (Il naquit à Tcheou).

16. Le Maître dit : « Quand on tire à l'arc, le mérite ne consiste pas à transpercer, (mais à frapper) le centre de la cible ; car les hommes ne sont pas tous d'égale force. Ainsi l'ont décidé les anciens. » Après avoir déployé la cible, on fixait en son milieu un morceau de cuir, qui formait le centre, et s'appelait Kou, petit oiseau. Les anciens avaient établi le tir à l'arc pour juger de l'habileté. L'essentiel était d'atteindre le centre de la cible, et non de la transpercer.

17. Tzeu koung (nommé Seu, alors ministre du prince de Lou) voulait supprimer l'usage de fournir aux frais de l'État une brebis, qui devait être offerte aux ancêtres à la nouvelle lune. Le Maître dit : « Seu, vous tenez par économie à garder (à ne pas fournir) cette brebis ; moi, je tiens à conserver cette cérémonie. » A chaque nouvelle lune, les princes feudataires offraient à leurs ancêtres une brebis, et leur faisaient connaître leurs projets. Après les avoir invités, ils leur présentaient la victime encore vivante. A partir de Wenn koung, les princes de Lou avaient cessé de faire la cérémonie de la nouvelle lune ; cependant les officiers conti-

nuaient à fournir la brebis. Tzeu koung voulait abolir cette coutume, qui n'atteignait plus son but, et supprimer une dépense qu'il croyait inutile. Mais, bien que la cérémonie de la nouvelle lune eût été abandonnée, l'offrande de la brebis en rappelait le souvenir et pouvait en ramener l'usage. Si l'on avait supprimé l'obligation de fournir la brebis, la cérémonie elle même aurait été entièrement oubliée.

18. Le Maître dit : Envers mon prince j'observe exactement toutes « les prescriptions. Les hommes m'accusent de flatterie, (parce qu'eux mêmes servent le prince négligemment). »

19. Ting, prince de Lou, demanda comment un prince devait conduire ses sujets, et comment les sujets devaient obéir à leur prince. Confucius répondit : « Le prince doit commander à ses sujets selon les prescriptions, et les sujets doivent lui obéir avec fidélité. »

20. Le Maître dit : « L'ode *Kouàn ts'iù* exprime la joie et non la licence, la douleur et non l'abattement. »

21. Ngai, prince de Lou, ayant interrogé Tsai Ngo au sujet des autels élevés en l'honneur de la Terre, Tsai Ngo répondit : « Les Hia y plantaient des pins, et les In, des cyprès. Les Tcheou y plantent des châtaigniers , afin d'inspirer au peuple la crainte et la terreur. » Le Maître entendant ces paroles dit : « Rien ne sert de parler des choses qui sont déjà accomplies, ni de faire des remontrances sur celles qui sont déjà très avancées, ni de blâmer ce qui est passé. » *Tsai Ngo, nommé Iu, était disciple de Confucius. Les anciens plantaient auprès des autels érigés à la Terre les arbres qui convenaient le mieux au terrain. Tsai Ngo avait mal interprété leur intention et prêté aux princes actuellement régnants le désir de châtier et de mettre à mort leurs sujets. Confucius l'en reprit sévèrement, et lui marqua plusieurs choses dont il ne convenait pas de parler.*

22. Le Maître dit : « Que Kouan Tchoung a l'esprit étroit ! » Quelqu'un demanda si Kouan Tchoung était trop parcimonieux. (Confucius) répondit : « Le chef de la famille Kouan a élevé (à grands frais) la tour de San kouei ; dans sa maison aucun officier n'est chargé de deux emplois. Comment pourrait on le croire trop économe ? » « Mais, reprit l'interlocuteur, s'il fait tant de dépenses, n'est ce pas parce qu'il connaît (et veut

observer) les convenances ? » (Confucius) répliqua : « Les princes ont une cloison devant la porte de leurs palais (pour en dérober la vue aux passants) ; le chef de la famille Kouan a aussi une cloison devant sa porte. Quand les princes ont une entrevue amicale, ils ont une crédence sur laquelle on renverse les coupes ; Kouan Tchoung a une crédence semblable. Si le chef de la famille Kouan connaît les convenances, quel est celui qui ne les connaît pas ? » Kouan Tchoung, nommé I ou, grand préfet de Ts'i, aida Houan, prince de Ts'i, à établir son autorité sur tous les grands feudataires. Il avait l'esprit étroit, il ne connaissait pas les grands principes de conduite suivis et enseignés par les sages.

23. Le Maître, instruisant le grand directeur de musique de Lou, dit : « Les règles de la musique sont faciles à connaître. Les divers instruments commencent par jouer tous ensemble ; ils jouent ensuite d'accord, distinctement et sans interruption, jusqu'à la fin du morceau. »

24. Dans la ville de I (où Confucius s'était retiré après avoir été dépouillé de sa charge par le prince de Lou), un officier préposé à la garde des frontières demanda à lui être présenté, en disant : « Chaque fois qu'un sage est venu dans cette ville, il m'a toujours été donné de le voir. » Les disciples, qui avaient suivi Confucius dans son exil, introduisirent cet officier auprès de leur maître. Cet homme dit en se retirant : « Disciples, pourquoi vous affligez vous de ce que votre maître a perdu sa charge ? Le désordre est dans l'empire depuis longtemps déjà. Mais le Ciel va donner au peuple en ce grand sage un héraut de la vérité. » Il y avait deux sortes de clochettes. L'une, à battant de métal, servait pour les affaires militaires. L'autre, à battant de bois, servait à l'officier chargé d'enseigner ou d'avertir le peuple.

25. Le Maître disait que les Chants du Successeur étaient tout à fait beaux et doux ; que les Chants du Guerrier étaient tout à fait beaux, mais non tout à fait doux. Les chants de Chouenn sont appelés les Chants du Successeur, parce qu'il succéda à l'empereur Iao, et comme lui, gouverna parfaitement. Les chants de Ou wang sont nommés les Chants du Guerrier, parce qu'ils célèbrent les exploits de Ou wang, qui délivra le peuple de la tyrannie de Tcheou. Les Chants du Successeur sont au nombre de

neuf, parce qu'il y eut neuf péripéties ; les Chants du Guerrier sont au nombre de six, parce qu'il y eut six péripéties.

26. Le Maître dit : « De quelle règle puis je me servir pour juger la conduite d'un homme qui exerce une haute autorité avec un cœur étroit, qui s'acquitte d'une cérémonie sans respect, ou qui, à la mort de son père ou de sa mère, est (ou se lamente) sans douleur ?

CHAPITRE IV. LI JENN.

1. Le Maître dit : « Un bon voisinage est celui où règne la probité. Pourrait on appeler sage un homme qui, ayant à choisir un lieu pour sa demeure, ne voudrait pas avoir des voisins honnêtes ? »

2. Le Maître dit : « Un homme qui n'est pas vertueux ne peut demeurer longtemps dans l'indigence ou dans l'opulence (sans devenir plus mauvais). Un homme vertueux trouve son bonheur dans la vertu ; un homme sage n'ambitionne que le trésor de la vertu. »

3. Le Maître dit : « Seul l'homme vertueux sait aimer et haïr les hommes comme il convient. »

4. Le Maître dit : « Celui qui s'applique sérieusement à cultiver la vertu s'abstient de mal faire. »

5. Le Maître dit : « Les richesses et les honneurs sont très ambitionnés des hommes ; si vous ne pouvez les obtenir par des voies honnêtes, ne les acceptez pas. La pauvreté et l'abjection sont en horreur aux hommes ; si elles vous viennent, même sans aucune faute de votre part, ne les fuyez pas. Si l'homme sage abandonne la voie de la vertu, comment soutiendra-t-il son titre de sage ? L'homme sage ne l'abandonne jamais, pas même le temps d'un repas. Il y demeure toujours, même au milieu des affaires les plus pressantes, même au milieu des plus grands troubles. »

6. Le Maître dit : « Je n'ai pas encore vu, un homme qui aimât vraiment la vertu et haït sincèrement le vice. Celui qui aime vraiment la vertu la préfère à toute autre chose ; celui qui hait sincèrement le vice cultive la vertu, et fuit toute atteinte du mal. Est il un homme qui travaille de

toutes ses forces à pratiquer la vertu un jour entier ? Je n'ai jamais vu aucun homme qui n'eût pas assez de forces pour être vertueux. Peut être en existe-t-il ; mais je n'en ai jamais vu. » Tout homme, s'il fait des efforts sérieux, peut atteindre la perfection.

7. Le Maître dit : « Chaque classe d'hommes tombe dans un excès qui lui est particulier. On peut connaître la vertu d'un homme en observant ses défauts. » *L'homme vertueux excède toujours en libéralité, et l'homme vulgaire, en parcimonie ; l'homme vertueux, en bienfaisance, et l'homme vulgaire, en dureté de cœur. En voyant les défauts d'un homme, on peut connaître s'il est vertueux ou non* .

8. Le Maître dit : « Celui qui le matin a compris les enseignements de la sagesse, le soir peut mourir content. »

9. Le Maître dit : « Un homme qui se livre à l'étude de la sagesse, s'il rougit d'un vêtement grossier et d'une nourriture ordinaire, ne mérite pas de recevoir mes enseignements. »

10. Le Maître dit : « Dans le gouvernement de l'empire, le sage ne veut ni ne rejette rien avec opiniâtreté. La justice est sa règle. »

11. Le Maître dit : « L'homme sage aspire à la perfection, et l'homme vulgaire, au bien être ; l'homme sage s'attache à observer les lois, et l'homme vulgaire, à s'attirer des faveurs. »

12. Le Maître dit : « Celui qui dans ses entreprises cherche uniquement son intérêt propre excite beaucoup de mécontentements. (parce qu'il nuit aux intérêts de plusieurs). »

13. Le Maître dit : « Celui qui, dans le gouvernement de l'État, montre cette déférence qui fait le fondement de l'urbanité, quelle difficulté rencontrera-t-il ? Celui qui dans le gouvernement n'a pas la déférence requise par l'urbanité, quelle urbanité peut il avoir ? » (il peut encore moins gouverner l'État).

14. Le Maître dit : « Ne soyez pas en peine de ce que vous n'ayez pas de charge ; mettez vous en peine de vous rendre digne d'être élevé à une charge. Ne soyez pas en peine de ce que personne ne vous connaît ; travaillez à vous rendre digne d'être connu. »

15. Le Maître dit : « Chenn (Tseng tzeu), ma doctrine se réduit à une seule chose qui embrasse tout. » Tseng tzeu répondit : « Certainement. » Lorsque le Maître se fut retiré, ses disciples demandèrent ce qu'il avait voulu dire. Tseng tzeu répondit : « Toute la sagesse de notre maître consiste à se perfectionner soi-même et à aimer les autres comme soi-même. »

16. Le Maître dit : « Le disciple de la sagesse est très intelligent en ce qui concerne le devoir, et l'homme vulgaire, en ce qui concerne l'intérêt propre. »

17. Le Maître dit : « Quand vous voyez un homme sage, pensez à l'égaler en vertu. Quand vous voyez un homme dépourvu de vertu, examinez vous vous même, (de peur de lui ressembler). »

18. Le Maître dit : « Si vos parents tombent dans une faute, avertissez les avec grande douceur. Si vous les voyez déterminés à ne pas suivre vos avis, redoublez vos témoignages de respect, et réitérez vos remontrances. Quand même ils vous maltraiteraient, n'en ayez aucun ressentiment. »

19. Le Maître dit : « Durant la vie de vos parents, n'allez pas voyager au loin. Si vous voyagez, que ce soit dans une direction déterminée. (afin qu'ils sachent où vous êtes). »

20. Le Maître dit : « Vous devez vous rappeler souvent l'âge de vos parents, vous réjouir de leur longévité, et craindre qu'ils ne viennent à mourir. »

21. Le Maître dit : « Les anciens n'osaient pas émettre de maximes ; ils craignaient que leurs actions ne répondissent pas à leurs paroles. »

22. Le Maître dit : « On s'égare rarement en s'imposant à soi-même des règles sévères. »

23. Le Maître dit : « Le sage s'applique à être lent dans ses discours et diligent dans ses actions. »

24. Le Maître dit : « La vertu ne va jamais seule ; un homme vertueux attire toujours des imitateurs. »

25. Tzeu iou dit : « Celui qui par des avis réitérés se rend importun à son prince tombe dans la disgrâce ; celui qui par des remontrances réité-

rées se rend importun à son ami perd son amitié. »

CHAPITRE V. KOUNG IE TCH'ANG.

1. Le Maître dit que Koung ie Tch'ang était un homme à qui l'on pouvait convenablement donner une fille en mariage ; que, bien qu'il fût dans les fers, il n'avait mérité aucun châtiment. Il lui donna sa fille en mariage. Le Maître dit que Nan Ioung, dans un État bien gouverné, aurait toujours une charge ; que, dans un État mal gouverné, il saurait, (par sa circonspection), échapper aux tourments et à la peine capitale. Il lui donna en mariage la fille de son frère. *Nan Ioung, disciple de Confucius, habitait Nan koung. Il s'appelait T'ao et Kouo. Son surnom était Tzeu ioung, et son nom posthume King chou. Il était le frère aîné de Meng I tzeu.*

2. Le Maître dit de Tzeu tsien : « Quelle sagesse est en cet homme ! Si la principauté de Lou n'avait pas de sages, où celui-ci aurait il puisé une telle sagesse ? » (Tzeu tsien était disciple de Confucius. Son nom de famille était Fou ; son nom propre, Pou ts'i).

3. Tzeu koung demanda : « Que dites vous de moi ? » Le Maître répondit : « Vous êtes un vase (qui peut être employé, mais à un seul usage). » Tzeu koung reprit : « Quel vase ? » « Un vase pour les offrandes, dit (Confucius). » *Les vases que les Hia appelaient* hou, *ceux que les Chang appelaient* lien, *et ceux que les Tcheou appelaient* fou *et* kouei, *servaient à offrir le millet dans les temples des ancêtres ; ils étaient ornés de pierres précieuses. Bien que Tzeu koung (n'eût encore d'aptitude que pour une seule chose, et) ne fût encore qu'un vase, c'était un vase très noble. Ses talents lui permettaient de traiter les affaires publiques et d'exercer la charge de grand préfet, ce qui était honorable. Son langage avait une élégance remarquable, ce qui faisait comme l'ornement de sa personne.*

4. Quelqu'un dit : « Ioung est très vertueux, mais peu habile à parler. » Le Maître répondit : « Que sert d'être habile à parler ? Ceux qui reçoivent tout le monde avec de belles paroles, qui viennent seulement des lèvres, et non du cœur, se rendent souvent odieux. Je ne sais si Ioung est vertueux ; mais que lui servirait d'être habile à parler ? »

5. Le Maître ayant engagé Ts'i tiao Kai (Tzeu Iou) à exercer une charge, celui-ci répondit : « Je ne suis pas encore parvenu à savoir parfaitement (l'art de gouverner moi-même et les autres). » Cette réponse réjouit le Maître. (qui fut heureux de voir que son disciple comprenait la nécessité d'apprendre à se gouverner soi-même et les autres, avant d'accepter une charge).

6. Le Maître dit : « Ma doctrine n'est pas mise en pratique. Si (renonçant à enseigner inutilement les hommes, et fuyant le monde) je montais sur un radeau et me confiais aux flots de la mer, celui qui me suivrait, ne serait ce pas Iou (Tzeu Iou) ? » Tzeu Iou, entendant ces paroles, en éprouva une grande joie. Le Maître dit : « Iou a plus d'audace que moi ; mais il n'a pas le discernement nécessaire pour bien juger (s'il l'avait, il ne penserait pas que je voulusse fuir la société des hommes). »

7. Meng Ou pe demanda si la vertu de Tzeu Iou était parfaite. Le Maître répondit : « Je ne le sais pas. » Meng Ou pe renouvela la même question. Le Maître répondit : « Iou est capable de former les troupes d'une principauté qui possède mille chariots de guerre. Je ne sais pas si sa vertu est parfaite. » « Que pensez vous de K'iou ? » Le Maître répondit : « K'iou est capable de gouverner une ville de mille familles, ou la maison d'un grand préfet, qui a cent chariots de guerre. Je ne sais pas s'il est parfaitement vertueux. » *Une principauté qui possède mille chariots de guerre est celle d'un grand prince. Une maison qui a cent chariots de guerre est celle d'un ministre d'État ou d'un grand préfet. Le titre de gouverneur désigne le préfet d'une ville et l'intendant de la maison d'un grand dignitaire. Le préfet d'une ville a la direction des personnes, et l'intendant d'une maison, celle des affaires.*

(Meng Ou pe demanda) : « Que dites vous de Tch'eu ? » Le Maître répondit : « Tch'eu serait capable de se tenir en habits de cour auprès d'un prince, et de converser avec les hôtes et les visiteurs. Je ne sais pas si sa vertu est parfaite. »

8. Le Maître dit à Tzeu koung : « Lequel des deux l'emporte sur l'autre, de vous ou de Houei ? » Tzeu koung répondit : « Comment oserais je me mettre en parallèle avec Houei ? Il suffit à Houei d'entendre expliquer une chose pour qu'il en comprenne dix. Moi, quand j'en ai entendu ex-

pliquer une, je n'en comprends que deux. » Le Maître dit : « Vous lui êtes inférieur ; je suis de votre avis, vous lui êtes inférieur. »

9. Tsai Iu (était si paresseux qu'il) restait au lit pendant le jour. Le Maître dit : « Un morceau de bois pourri ne peut être sculpté ; un mur de fumier et de boue ne peut être crépi. Que sert de réprimander Iu (Tsai Iu) ? Auparavant, quand j'avais entendu parler un homme, je croyais que sa conduite répondait à ses paroles. A présent, quand j'ai entendu parler un homme, j'observe ensuite si ses actions répondent à ses paroles. C'est Iu qui m'a fait changer la règle de mes jugements. »

10. Le Maître dit : « Je n'ai pas encore vu un homme qui eût une fermeté d'âme inflexible. » Quelqu'un dit : « Chenn Tch'ang (a cette fermeté d'âme). » Le Maître répondit : « Tch'ang est l'esclave de ses passions ; comment aurait il la fermeté d'âme ? »

11. Tzeu koung dit : « Ce que je ne veux pas que les autres me fassent, je désire ne pas le faire aux autres. » Le Maître répondit : « Seu, vous n'avez pas encore atteint cette perfection. »

12. Tzeu koung dit : « Il est donné à tous les disciples d'entendre les leçons du Maître sur la tenue du corps et les bienséances, mais non ses enseignements sur la nature de l'homme et l'action du Ciel. » (Ce grand sage procédait avec ordre et graduellement).

13. Quand Tzeu lou avait reçu un enseignement, il craignait d'en recevoir un nouveau, jusqu'à ce qu'il fût parvenu à mettre en pratique le premier.

Tzeu lou s'empressait moins d'apprendre du nouveau que de mettre en pratique ce qu'il savait déjà. Il désirait faire promptement ce qu'on lui avait enseigné et se préparer à recevoir plus tard de nouveaux enseignements. En voyant que, tant qu'il n'avait pas fait ce qu'on lui avait enseigné, il craignait d'apprendre du nouveau, on peut juger que, quand il l'avait fait, sa seule crainte était de ne pas recevoir de nouveaux enseignements.

14. Tzeu koung demanda pourquoi K'oung Wenn tzeu (grand préfet de la principauté de Wei.) avait reçu (après sa mort) le nom de Wenn, Poli ou Cultivé. Le Maître répondit : « Bien qu'il fût très intelligent, il aimait

à être enseigné ; il n'avait pas honte d'interroger même ses inférieurs. C'est pour cette raison qu'il a reçu le nom posthume de Wenn. »

15. Le Maître dit que Tzeu tch'ang (Koung suenn K'iao, grand préfet de Tcheng) pratiquait parfaitement quatre vertus : à savoir, la déférence envers ses égaux, le respect envers ses supérieurs, la bienfaisance envers le peuple, la justice envers ses sujets.

16. Le Maître dit : « Ien P'ing tchoung (nommé Ing, grand préfet de Ts'i) est admirable dans ses relations avec ses amis ; leur intimité eût-elle duré depuis longtemps, il les traite toujours, avec respect ».

17. Le Maître dit : « Tsang Wenn tchoung a fait bâtir, pour loger une grande tortue, un édifice où la sculpture a figuré des montagnes sur les chapiteaux des colonnes, et la peinture a représenté des algues marines sur les colonnettes du toit. Peut on dire que ce soit un homme éclairé ? » *Tsang Wenn tchoung, nommé Tch'enn, chef de la famille Tsang suenn, était grand préfet dans la principauté de Lou. Ts'ai, grande tortue, ainsi nommée parce qu'elle provenait du pays de Ts'ai (aujourd'hui compris dans le Jou gning fou, province de Ho nan). Wenn tchoung croyait qu'une tortue entourée de tant d'honneurs ferait certainement descendre les faveurs célestes. Il ignorait que la tortue n'a d'usage que pour la divination, qu'elle peut seulement donner des présages heureux ou malheureux, mais ne peut pas dispenser les biens et les maux. Méritait il de passer pour un homme éclairé ?*

18. Tzeu tchang dit : « Tzeu wenn, premier ministre (de Tch'ou), fut trois fois élevé aux honneurs et créé premier ministre ; il n'en manifesta aucune joie. Il fut trois fois dépouillé de sa charge ; il n'en manifesta aucun mécontentement. En quittant la charge de premier ministre, il faisait connaître à son successeur ses actes administratifs. Que faut il penser de lui ? » Le Maître dit : « Il a été fidèle au devoir. » Tzeu tchang reprit : « Sa vertu a-t-elle été parfaite ? » Le Maître répondit : « Je ne le sais pas ; son indifférence pour les charges est elle la perfection ? »

(Tzeu tchang, dit) : « Ts'ouei tzeu, (qui était *tai fou* dans la principauté de Ts'i), ayant tué son prince, le prince de Ts'i, Tch'enn Wenn tzeu, qui avait dix attelages de quatre chevaux, abandonna ses richesses, et quitta sa terre natale (parce qu'elle avait été souillée du sang de son prince). Arrivé dans une autre principauté, il dit : Ici les officiers ressemblent à notre grand préfet Ts'ouei tzeu. Et il s'en alla. Quand il arrivait dans une nouvelle principauté, il disait toujours : « Ici les officiers ressemblent à notre grand préfet Ts'ouei tzeu. » Et il se retirait. Que faut il penser de lui ? » Le Maître répondit : « Il craignait la moindre souillure. » Tzeu tchang reprit : « Sa vertu a-t-elle été parfaite ? » (Confucius) répondit : « Je ne le sais pas ; a-t-il atteint la perfection de la vertu ? »

19. Ki Wenn tzeu réfléchissait à plusieurs reprises, avant de faire une chose. Le Maître, l'ayant appris, dit : « Il suffit de réfléchir deux fois. » *Ki Wenn tzeu, nommé Hing fou, était grand préfet dans la principauté de Lou. Avant de faire une chose, on doit réfléchir, mais pas trop. Après avoir réfléchi deux fois, on peut prendre une détermination. Un troisième examen fait naître des intentions peu louables, et obscurcit les idées, au lieu de les éclaircir. L'important est de prendre la justice pour règle de ses actions.*

20. Le Maître dit : « Gning Ou tzeu se montra prudent, tant que l'État fut bien gouverné, et imprudent, quand l'État fut mal gouverné. Sa prudence peut être imitée ; son imprudence est au dessus de toute imitation. » *Guing Ou tzeu, nommé Iu, était grand préfet dans la principauté de Wei. D'après les commentateurs du Tch'ouenn ts'iou, il exerça cette charge sous le prince Wenn et sous le prince Tch'eng. Le prince Wenn sut bien gouverner ; sous son règne, Ou tzeu ne s'attira aucune difficulté. En cela, il montra une prudence qui peut être égalée. Le prince Tch'eng gouverna si mal qu'il perdit le pouvoir souverain. Ou tzeu prit soin de réparer les fautes du prince, avec le* plus entier dévouement, bravant les souffrances et les périls. Les affaires dans lesquelles il s'est engagé étaient toutes de celles que les officiers prudents et rusés (uniquement occupés de leurs propret intérêts) évitent soigneusement et ne consentent par à entreprendre. Cependant il a su jusqu'à la fin conserver sa personne et servir son prince. En cela son imprudence est au dessus de toute imitation.

21. Le Maître, étant dans la principauté de Tch'enn, dit : « Retournerai-je, retournerai-je dans la principauté de Lou ? Les disciples que j'avais dans mon pays ont des aspirations élevées, s'appliquent peu aux choses vulgaires et sont d'une distinction remarquable. Mais ils ne savent pas

comment régler ces bonnes qualités. » *Confucius parcourait les différentes principautés, 'répandant partout ses enseignements). Lorsqu'il était dans la principauté de Tch'enn, voyant que sa doctrine n'était pas mise en pratique, il résolut de fonder une école, qui lui survécût et transmît ses préceptes aux âges futurs. Comme il ne trouvait pas de disciples capables de garder toujours le juste milieu, il pensa à ceux qu'il avait laissés dans la principauté de Lou, et qui étaient d'une capacité un peu moindre. Il jugea que des hommes aux aspirations élevées pourraient faire des progrès dans la voie de la vertu. Il craignait seulement qu'ils n'allassent au delà des justes limites, ne s'écartassent du droit chemin, et ne tombassent dans l'erreur. Pour cette raison, il voulait retourner dans son pays et modérer leur ardeur excessive.*

22. Le Maître dit : « Pe i et Chou ts'i oubliaient les défauts passés d'autrui ; aussi avaient ils peu d'ennemis. »

23. Le Maître dit : « Qui pourra encore louer la droiture de Wei cheng Kao ? Quelqu'un lui ayant demandé du vinaigre, il en demanda lui-même à l'un de ses voisins pour le lui donner. »

24. Le Maître dit : « Employer un langage étudié, prendre un extérieur trop composé, donner des marques de déférence excessives, c'est ce que Tsouo K'iou ming aurait rougi de faire ; moi aussi, j'en aurais honte. Haïr un homme au fond du cœur et le traiter amicalement, c'est ce que Tsouo K'iou ming aurait rougi de faire ; moi aussi, j'en aurais honte. »

25. Le Maître dit à Ien Iuen et à Tzeu lou, qui se tenaient auprès de lui : « Pourquoi ne me diriez vous pas chacun quels seraient vos désirs ? » Tzeu lou répondit : « Je désirerais partager avec mes amis l'usage de mes voitures, de mes chevaux, de mes tuniques garnies de fine fourrure ; et, si mes amis les maltraitaient ou les gâtaient, n'en éprouver aucun mécontentement. » *Tzeu lou répondit : « On doit partager avec tout l'univers l'usage des choses de tout l'univers. Je désirerais permettre à mes amis de partager l'usage des chevaux et des voitures dont je me servirais, et des tuniques garnies de fine fourrure dont je me revêtirais. »*

Ien Iuen dit : « Je désirerais ne pas vanter mes bonnes qualités, ne pas exagérer mes bons services (ou ne donner aucune peine à personne.) ». Tzeu lou reprit : « Maître, je serais heureux d'apprendre quel serait votre désir. » Le Maître répondit : « Pourvoir abondamment aux nécessités des vieillards, mériter la confiance de mes amis, aider avec affection les enfants et les jeunes gens. »

26. Le Maître dit : « Faut il donc désespérer de voir un homme qui reconnaisse ses fautes, et se les reproche en secret ? Moi, je n'en ai pas encore vu. »

27. Le Maître dit : « Dans un village de dix familles, il se trouve certainement des hommes à qui la nature a donné, comme à moi, des dispositions à la fidélité et à la sincérité ; mais il n'en est pas qui travaillent comme moi à connaître et à pratiquer ces vertus. » *Confucius, pour exciter les hommes à cultiver la vertu, dit : « Il est facile de trouver des hommes doués d'excellentes dispositions naturelles ; mais on entend rarement citer un homme qui ait des vertus parfaites. Celui qui s'applique de toutes ses forces à cultiver la vertu peut devenir un très grand sage. Celui qui ne s'y applique pas ne sera jamais qu'un homme inculte, et comme un paysan grossier. »*

CHAPITRE VI. IOUNG IE.

1. Le Maître dit : Ioung (Tchoung koung) est capable de régler les affaires publiques, le visage tourné vers le midi, (c-a-d., d'exercer l'autorité souveraine). Tchoung koung interrogea Confucius sur Tzeu sang Pe tzeu. Le Maître répondit : « Il a de bonnes qualités ; il se contente aisément. » Tchoung koung dit : Être soi-même toujours diligent, et ne pas exiger trop de son peuple, n'est ce pas louable ? Mais être soi-même négligent, et, dans l'administration, exiger peu des autres, n'est ce pas se contenter trop facilement ? Le Maître répondit : « Ioung, vous dites vrai. » *Si un officier prend la ferme résolution d'être diligent, il a une détermination, et se gouverne lui-même avec sévérité. Si de plus il exige peu du peuple, les charges imposées ne sont pas nombreuses, et le peuple n'est pas molesté. Mais s'il se propose avant tout de se contenter aisément, (de faire peu de choses), il n'a pas de détermination, et il est très indulgent envers lui-même. Si de plus, dans les affaires, il se contente de peu, n'est ce pas une négligence excessive et l'abandon de toutes les lois ? Dans les Traditions de famille (sur Confucius), il est rapporté que Tzeu sang Pe tzeu ne portait à la maison ni*

tunique ni bonnet. Confucius l'a blâmé d'avoir voulu que les hommes vécussent comme les bœufs et les chevaux.

2. Le prince Ngai demanda à Confucius quels étaient ceux de ses disciples qui s'appliquaient avec ardeur à l'étude et à la pratique de la vertu. Confucius répondit : « Ien Houei s'y appliquait avec ardeur. Lorsqu'il était justement irrité contre quelqu'un, il n'étendait pas injustement sa colère à un autre. Il ne tombait jamais deux fois dans la même faute. Malheureusement, il a peu vécu. A présent, il n'est plus personne qui lui ressemble. Je n'ai entendu citer aucun homme qui aimât véritablement la sagesse. »

3. Tzeu houa était dans la principauté de Ts'i chargé d'une mission (qui lui avait été confiée par Confucius, alors ministre de la justice dans la principauté de Lou.). Jen tzeu (ami de Tzeu houa) demanda à Confucius du grain pour la mère de Tzeu houa. Le Maître dit : « Je lui en donne six boisseaux et quatre dixièmes. » Jen tzeu en demanda davantage. (Confucius) dit : « Je lui en donne seize boisseaux. » Jen tzeu lui en donna de son chef quatre cents boisseaux. Le Maître réprimanda Jen tzeu, et lui dit : « Tzeu houa est allé à Ts'i dans une voiture traînée par des chevaux magnifiques, et avec des vêtements garnis de fine fourrure. J'ai entendu dire que le sage secourait les indigents ; mais n'ajoutait pas à l'opulence des riches. »

Iuen seu était gouverneur d'une préfecture. (Confucius) lui donna neuf cents mesures de grain. Iuen seu, jugeant que c'était trop, refusa. Le Maître dit : Acceptez ; vous le distribuerez aux pauvres dans les hameaux, les villages, les villes et les bourgades de votre préfecture. *Un officier ne doit pas refuser le traitement ordinaire. S'il a du superflu, il fera bien de le distribuer aux pauvres et aux indigents.*

4. Le Maître dit en parlant de Tchoung koung : « Si une génisse, née d'une vache au poil varié, est de couleur rousse et a les cornes bien régulières, quand même on ne voudrait pas l'offrir en victime, les esprits des montagnes et des fleuves n'exigeraient ils pas qu'elle leur fût immolée ? » *Sous la dynastie des Tcheou, les victimes de couleur rougeâtre étaient les plus estimées ; on immolait des bœufs roux. Sans doute une génisse ou un taureau qui n'est pas*

d'une seule couleur ne peut servir comme victime ; mais la génisse ou le taureau né d'une vache ou d'un taureau aux couleurs variées peut être immolé, si sa couleur est rougeâtre ou rousse. Le père de Tchoung koung était un homme méprisable et vicieux. Confucius se sert d'une comparaison tirée de la couleur des victimes, pour montrer que les vices du père ne détruisent pas les bonnes qualités du fils ; que si Tchoung koung a des vertus et des talents, on doit lui confier une charge dans l'intérêt du pays.

5. Le Maître dit : Ien Houei passait trois mois entiers sans qu'aucun mouvement de son cœur s'écartât de la plus haute perfection. Mes autres disciples atteignent la perfection au plus une fois par jour ou par mois, et ils s'arrêtent.

6. Ki K'ang tzeu demanda si Tzeu lou était capable d'administrer les affaires publiques (en qualité de grand préfet). Le Maître répondit : « Iou (Tzeu lou) sait prendre une décision ; quelle difficulté aurait il à administrer les affaires publiques ? » Ki K'ang tzeu dit : Seu (Tzeu lou) est-il capable d'administrer les affaires publiques ? Confucius répondit : « Seu est très intelligent ; quelle difficulté aurait il à administrer les affaires publiques ? » Ki K'ang tzeu dit : K'iou (Jen lou) peut-il gérer les affaires publiques ? Confucius répondit : « K'iou a beaucoup de talents ; quelle difficulté aurait il à administrer les affaires publiques ? »

7. Le chef de la famille Ki fit inviter Min Tzeu k'ien à exercer la charge de gouverneur dans la ville de Pi. Min Tzeu k'ien répondit à l'envoyé : « Exprimez poliment mon refus à votre maître. S'il m'envoie un second messager, je serai certainement au delà de la Wenn (non plus dans la principauté de Lou, mais dans celle de Ts'i). » *Min Tzeu k'ien, nommé Suenn, disciple de Confucius. Wenn, rivière qui passait au sud de la principauté de Ts'i, au nord de celle de Lou. Le chef de la famille Ki était grand préfet ; il gouvernait la principauté de Lou avec un pouvoir absolu. La ville de Pi lui appartenait, et lui servait comme de citadelle pour résister à son prince. Lorsque Confucius était ministre de la justice, il voulait toujours la démolir. Un jour Ki fit inviter Min tzeu à exercer la charge de gouverneur dans cette ville. Il n'avait d'autre dessein que de se l'attacher. Mais Min tzeu était un disciple vertueux et sage du plus sage des philosophes. Comment aurait il consenti à suivre le parti d'un sujet qui avait usurpé tout le pouvoir ? Il répondit à l'envoyé : « Le grand préfet veut se servir de moi ; mais les honneurs et les*

riches appointements n'excitent pas mes désirs. Vous, parlez pour moi à votre maître doucement et adroitement. Dites lui mon désir de n'exercer aucune charge, et détournez lo de me confier un emploi. Si l'on revient me faire une seconde invitation, certainement je quitterai la principauté de Lou, et me réfugierai au delà de la Wenn. »

8. Pe gniou étant malade, le Maître alla lui faire visite. Il lui prit la main à travers la fenêtre, et dit : « Nous le perdrons. Le Ciel l'a ainsi ordonné. Se peut il qu'un tel homme soit ainsi malade ! Se peut il qu'un tel homme soit ainsi malade ! »

Pe gniou était l'un des disciples de Confucius. Son nom de famille était Jen, et son nom propre Keng. Les anciens lettrés ont pensé que sa maladie était la lèpre. La fenêtre dont il est ici parlé regardait le midi. D'après les usages, celui qui était malade se tenait auprès d'une fenêtre tournée au nord. S'il devait recevoir la visite d'un prince, il changeait de place et se tenait auprès d'une fenêtre tournée au midi, afin que le prince en le visitant eût le visage tourné vers le midi. Les personnes de la maison de Pe gniou voulurent faire le même honneur à Confucius ; mais le Philosophe n'osa pas l'accepter. Il n'entra pas dans la maison, prit la main du malade par la fenêtre, et lui dit un éternel adieu.

9. Le Maître dit : « Que la sagesse de Ien Houei était grande ! Il demeurait dans une misérable ruelle, n'ayant qu'une écuelle de nourriture et une cuillerée de boisson. Un autre, en se voyant si dépourvu, aurait eu un chagrin intolérable. Houei était toujours content. Oh ! que Houei était sage ! »

10. Jen K'iou dit : « Maître, ce n'est pas que votre doctrine me déplaise ; mais je n'ai pas la force de la mettre en pratique. » Le Maître répondit : « Celui qui vraiment n'a pas assez de forces tombe épuisé à moitié route. Pour vous, vous vous prescrivez des limites (que vous ne voulez pas dépasser ; ce n'est pas la force, mais la volonté qui vous manque). »

11. Le Maître dit à Tzeu hia : « Soyez un lettré vertueux et sage, et non un lettré sans vertu. »

12. Lorsque Tzeu iou était gouverneur de Ou tch'eng (ville de la principauté de Lou, à présent Kia siang hien), le Maître lui dit : « Avez vous trouvé des hommes qui méritent votre confiance ? » Tzeu iou répondit :

« Il y a T'an tai Mie ming. Il ne va jamais par les sentiers écartés et cachés. Jamais il n'est allé à mon prétoire que pour des affaires publiques (jamais il n'y va pour avancer ses propres affaires). »

13. Le Maître dit : « Meng Tcheu fan ne se vante pas lui-même. L'armée ayant été mise en déroute, il est revenu le dernier. Arrivé à la porte de la capitale, il frappa son cheval, en disant : « Ce n'est pas que j'aie eu le courage de me retirer après les autres ; mais mon cheval ne marche pas. » *Meng Tcheu fan, nommé Tche, était grand préfet dans la principauté de Lou. La onzième année de Ngai, l'armée de Ts'i envahit la frontière septentrionale de Lou. Les troupes de Lou rencontrèrent celles de Ts'i non loin de la capitale de Lou. Elles furent mises en déroute. Meng Tcheu fan resta seul derrière tous les autres, revint le dernier et, en se retirant, il résista encore à l'ennemi, afin de sauver l'armée. On peut dire qu'il a bien mérité de son pays. Arrivé à la porte de la capitale de Lou, au moment où tous les regards étaient tournés vers lui, il fouetta son cheval, et dit : « Je n'aurais pas eu le courage de rester le dernier ; mais mon cheval ne peut avancer. » Non seulement il n'eut aucun orgueil de sa belle action, mais il essaya même de la cacher.*

14. Le Maître dit : A moins d'avoir le talent de l'orateur « T'ouo et la beauté de Tchao (fils du prince) de Soung, il est difficile d'échapper à la haine dans ce siècle. » *L'orateur T'ouo, grand préfet dans la principauté de Wei, était chargé de faire l'éloge des ancêtres du prince, de leur adresser des prières et de transmettre leurs réponses. Il était très habile à parler. Tchao, fils du prince de Soung, était remarquable par sa beauté. Ces deux hommes étaient en grand renom, à l'époque des événements racontés dans le Tch'ouenn Ts'iou. Confucius dit en gémissant : « A présent les hommes ne sont plus comme autrefois. Ils n'aiment pas la franchise, mais la flatterie ; ils n'aiment pas la vertu, mais la beauté. A moins d'avoir l'habileté de l'orateur T'ouo et la beauté de Tchao, fils du prince de Soung, il est impossible de plaire aux hommes de notre époque, et très difficile d'échapper à la haine et à l'envie. »*

15. Le Maître dit : « Quelqu'un peut il sortir de la maison, si ce n'est par la porte ? Pourquoi personne ne marche-t-il par la voie de la vertu ? » *Les hommes savent que, pour sortir, il faut passer par la porte, et ils ne savent pas que, pour bien agir, il faut passer par la voie de la vertu (suivre la loi naturelle).*

16. Le Maître dit : « Celui chez qui les qualités naturelles l'emportent sur la politesse des manières et du langage est un homme agreste. Celui chez qui la politesse des manières et du langage l'emporte sur les vertus intérieures est comme un copiste de tribunal. Celui qui possède à un égal degré la vertu et la politesse est un sage. »

17. Le Maître dit. « Tout homme en naissant a la rectitude du cœur. Si celui qui la perd ne perd pas en même temps la vie, il a un bonheur qu'il n'a pas mérité. » (Il a perdu ce par quoi l'homme est vraiment homme, et n'a plus sa raison d'être).

18. Le Maître dit : « Il vaut mieux aimer la vertu que de la connaître seulement, et il vaut encore mieux en faire ses délices que de l'aimer seulement. »

19. Le Maître dit : « Un homme d'une vertu plus qu'ordinaire peut entendre des enseignements relevés. Un homme d'une vertu moins qu'ordinaire n'en est pas capable. »

20. Fan Tch'eu l'interrogea sur la prudence. Le Maître dit : « Remplir les devoirs propres à l'homme, honorer les esprits, mais s'en tenir à distance (c'est-à-dire, n'aller pas sans cesse à eux, comme les courtisans à leur prince, pour obtenir des faveurs), cela peut s'appeler prudence. » *Honorer les esprits, c'est s'appliquer de tout cœur à leur témoigner sa reconnaissance et à leur faire des offrandes. Les esprits, dont il est ici parlé, sont ceux auxquels on doit faire des offrandes. Se tenir à l'écart, c'est ne pas chercher à faire en quelque sorte la cour aux esprits pour en obtenir des faveurs. L'homme a des règles constantes à observer dans toutes ses actions chaque jour de sa vie. Si quelqu'un, guidé par la lumière de la raison, donne toute son application aux devoirs qu'il doit remplir et aux choses qu'il doit faire ; s'il honore les esprits par des hommages sincères, tans leur faire la cour ni solliciter leurs faveurs ; la prospérité et l'infortune ne sont plus capables de le toucher ; ne doit-on pas l'appeler prudent ?*

Fan Tch'eu l'interrogea ensuite sur la perfection de la vertu. Confucius répondit : « Un homme parfait met en premier lieu ce qui est le plus difficile (à savoir, la victoire sur ses passions) ; il met en second lieu les avantages qu'il en doit retirer ; alors il mérite d'être appelé parfait. »

21. Le Maître dit : « L'homme prudent aime l'eau, et l'homme parfait les montagnes. L'homme prudent se donne du mouvement, (comme l'eau qui coule) ; l'homme parfait demeure immobile, (comme une montagne). L'homme prudent vit heureux ; l'homme parfait vit longtemps. » *L'homme prudent a l'esprit exempt de tout préjugé et de toute passion, très perspicace et libre de toute entrave. Il a une ressemblance avec l'eau ; c'est pour cela qu'il aime l'eau. L'homme parfait est grave et ferme par caractère ; rien ne peut l'émouvoir ni l'agiter. Il a une ressemblance avec les montagnes, et il les aime. L'homme prudent pénètre toutes choses par l'intelligence ; son activité atteint presque le plus haut degré possible. L'homme parfait pratique toutes les vertus sans aucun effort ; son cœur n'est ni troublé ni tourmenté par les passions. Son repos est presque absolu. Un homme dont le cœur est attaché aux choses extérieures, comme par des liens, rencontre des obstacles à ses désirs et éprouve mille soucis. L'homme prudent, dont l'âme est toujours pure et sereine, n'est arrêté par aucun obstacle. Comment ne serait-il pas heureux ? Un homme qui ne met pas de frein à ses passions ni à ses désirs se conduit mal et abrège sa vie. L'homme parfait jouit d'une santé forte et vigoureuse, qu'aucun excès ne vient altérer. Comment ne vivrait-il pas longtemps ?*

22. Le Maître dit : « Si la principauté de Ts'i s'améliorait d'un degré, elle vaudrait pour les mœurs celle de Lou. Si la principauté de Lou devenait meilleure d'un degré, elle serait parfaite. »

23. Le Maître dit : « Un vase à vin qu'on nomme *kou* , c'est à dire vase à angles, s'il n'a pas d'angles, doit il être appelé *kou* ? » *Confucius voyait que dans le monde beaucoup de choses avaient un nom sans réalité. C'est pour cela qu'il exprima sa douleur à propos du vase de vin nommé* kou. *Pour qu'un fils mérite le nom de fils, il faut qu'il pratique la piété filiale. Pour qu'un sujet mérite le nom de sujet, il faut qu'il soit fidèle à son prince. Il en est de même de toute autre chose.*

24. Tsai Ngo dit : « Un homme parfait, apprenant qu'il est tombé quelqu'un dans un puits, se précipitera t il lui-même dans le puits pour l'en retirer ? » Le Maître dit : « Pourquoi agirait-il ainsi ? Un homme sage, en recevant cette annonce, pourra se déterminer à aller au bord du puits, (pour en retirer un homme qui se noie), mais il ne s'y jettera pas lui-même (avec la certitude d'y laisser sa vie, sans pouvoir sauver celle d'un

autre). Il pourra être trompé (par un faux avis), mais non être aveuglé (au point de confondre ce qui est louable avec ce qui ne l'est pas). »

25 Le Maître dit . « Le disciple de la sagesse étudie les livres (le Cheu king, le Chou king, ...), afin d'acquérir des connaissances étendues, et il règle sa conduite d'après les vrais principes ; il parvient ainsi à ne pas s'écarter de la voie droite. »

26. Le Maître visita Nan tzeu. Tzeu lou en fut mécontent. Le maître dit, en prononçant une imprécation : « Si j'ai mal fait, que le Ciel me rejette ! que le Ciel me rejette ! » *Nan tzeu, femme de Ling, prince de Wei, avait une conduite déréglée. Confucius étant arrivé à la capitale de Wei, Nan tzeu l'invita à aller la voir. Confucius s'excusa d'abord ; puis, contraint par la nécessité, il alla visiter la princesse. Anciennement, celui qui exerçait une charge dans une principauté devait, d'après les usages, faire visite à la femme du prince. Tzeu lou, ne connaissant pas cette coutume, trouvait que c'était une honte de visiter cette mauvaise femme.*

27. Le Maître dit : « La vertu qui se tient dans l'invariable milieu est la plus haute perfection. Peu d'hommes la possèdent, et cela depuis longtemps. »

28. Tzeu koung dit : « Que faut il penser de celui qui répandrait partout ses bienfaits parmi le peuple et pourrait aider tous les hommes sans exception ? Pourrait on dire qu'il est parfait ? » Le Maître répondit : « Aider tous les hommes sans exception, est ce une chose qui soit possible à la vertu parfaite ? (Pour y parvenir), ne faudrait-il pas la plus haute sagesse, unie à la plus grande puissance ? Iao et Chouenn eux mêmes avaient la douleur de ne pouvoir le faire. Un homme parfait veut se tenir ferme lui-même, et il affermit les autres ; il désire comprendre lui-même (ses devoirs), et il instruit les autres. La vertu parfaite consiste, (non pas à secourir tous les hommes sans exception, ce qui est impossible ; mais) à juger des autres par soi-même et à les traiter comme on désire être traité soi-même. »

CHAPITRE VII. CHOU EUL.

1. Le Maître dit : « Je transmets (les enseignements des anciens), et n'invente rien de nouveau. Je m'attache à l'antiquité avec confiance et affection ; je me permets de me comparer à notre vieux P'eng. » *Le vieux P'eng, dont le nom de famille est Ts'ien et le nom propre K'eng, était petit fils de l'empereur Tchouen hiu. A la fin de la dynastie des In, il avait plus de sept cents ans, et n'était pas encore cassé de vieillesse. Il reçut en fief la vallée de Ta p'eng dans la principauté de Han et, pour cette raison, fut appelé le vieux P'eng.*

2. Le Maître dit : « Méditer et se graver dans la mémoire les préceptes de la sagesse, apprendre sans éprouver jamais de satiété, enseigner sans jamais se lasser, ces trois mérites se trouvent-ils en moi ? »

3. Le Maître dit : « Ce que je crains, c'est de ne pas m'appliquer à la pratique de la vertu, de ne pas chercher à me faire expliquer ce que je dois apprendre, de ne pouvoir accomplir ce que je sais être de mon devoir, et de ne pouvoir me corriger de mes défauts. »

4. Lorsque le Maître n'était pas occupé d'affaires, son maintien était plein d'aisance, son air affable et joyeux.

5. Le Maître dit : « J'ai beaucoup perdu de mon énergie. Depuis longtemps je ne vois plus en songe Tcheou koung. » *Lorsque Confucius était dans la force de l'âge, il se proposait d'imiter Tcheou koung, et il le voyait en rêve. Quand il fut devenu vieux,* et incapable d'imiter de si grands exemples, il n'eut plus les mêmes aspirations ni les mêmes songes.

6. Le Maître dit : « Proposez vous toujours de suivre la voie de la vertu ; demeurez dans cette voie ; ne vous écartez jamais de la perfection ; ayez pour délassements les six arts libéraux (l'urbanité, la musique, le tir à l'arc, l'art de conduire un char, l'écriture et le calcul). »

7. Le Maître dit : « Chaque fois que quelqu'un est venu de lui-même à mon école, en m'apportant les présents d'usage, ne fussent que dix tranches de viande séchée, jamais je ne lui ai refusé mes enseignements. » — Siou, *tranche de viande séchée. Dix tranches formaient un paquet. Chez les anciens, lorsqu'on faisait une visite, l'usage exigeait qu'on offrît un présent. Un paquet de dix tranches de viande était le moindre de tous les présents. Confucius désirait que tous les hommes sans exception entrassent dans la voie de la vertu. Mais il n'était pas d'usage que le maître allât enseigner celui qui ne savait pas venir recevoir des leçons.*

Si quelqu'un venait en observant les usages, Confucius lui donnait toujours ses enseignements.

8. Le Maître dit : « Je n'enseigne pas celui qui ne s'efforce pas de comprendre ; je n'aide pas à parler celui qui ne s'efforce pas d'exprimer sa pensée. Si quelqu'un, après avoir entendu exposer la quatrième partie d'une question, ne peut comprendre par lui-même et exposer les trois autres parties, je ne l'enseigne plus. »

9. Lorsque le Maître mangeait à côté d'un homme qui venait de perdre un proche parent, sa douleur lui permettait à peine de prendre un peu de nourriture. Quand il avait été pleurer un mort, toute la journée sa douleur l'empêchait de chanter.

10. Le Maître dit à Ien Iuen : « Vous et moi, nous sommes les seuls qui soyons toujours disposés à remplir une charge, quand on nous l'offre, et à rentrer dans la vie privée, quand on nous la retire. » Tzeu lou dit : « Maître, si vous aviez trois légions à conduire, quel serait celui que vous prendriez pour vous aider ? » Le Maître répondit : « Je ne prendrais pas un homme qui serait disposé à saisir sans aucune arme un tigre avec les mains, à travers un fleuve sans barque, à braver la mort sans aucun souci de sa vie. Je choisirais certainement un homme qui n'entreprendrait rien qu'avec circonspection, et qui réfléchirait avant d'agir. »

11. Le Maître dit : « S'il convenait de chercher à amasser des richesses, 'fallût il, pour y parvenir), remplir l'office de valet qui tient le fouet, je le remplirais. Mais tant qu'il ne convient pas de les rechercher, je poursuis l'objet de mes désirs (la sagesse). »

12. Trois choses excitaient surtout la sollicitude du Maître : l'abstinence avant une cérémonie, la guerre et la maladie. *Confucius était attentif à tout. Mais trois choses attiraient spécialement son attention : l'abstinence, parce qu'elle prépare à entrer en communication avec les intelligences spirituelles ; la guerre, parce que la vie ou la mort d'un grand nombre d'hommes, le salut ou la ruine de l'État en dépendent ; la maladie, parce que notre vie en dépend.*

13. Le Maître, étant dans la principauté de Ts'i, entendit exécuter les chants de Chouenn. Pendant trois mois qu'il les étudia, il avait l'esprit tellement absorbé qu'il ne percevait pas la saveur des viandes. « Je ne

pensais pas, dit il, que l'auteur de ces chants eût atteint une si grande perfection. »

14. Jen Iou dit : « Notre maître est il pour le prince de Wei, (nommé Tche) ? » Tzeu koung répondit : « Bien ; je le lui demanderai. » Entrant (dans le lieu où était Confucius), il dit : « Que faut il penser de Pe i et de Chou ts'i ? » Confucius répondit : C'étaient deux sages de l'antiquité. Tzeu koung reprit : « Se sont ils repentis (d'avoir renoncé à la royauté ?) » Confucius répondit : « Ils ont voulu être parfaits dans leur conduite, et ils ont atteint leur but. Pourquoi auraient ils eu du repentir ? » Tzeu koung, quittant Confucius, (retourna auprès de Jen Iou, et lui) dit : Notre maître n'est pas pour (le prince Tche). *Ling, prince de Wei, chassa de ses États son fils K'ouai kouei, qui devait hériter du titre de prince. Le prince Ling étant mort, ses sujets mirent à sa place Tche, fils de K'ouai kouei. Mais les habitants de la principauté de Tsin ramenèrent K'ouai kouei dans la principauté de Wei : et Tche entra en lutte avec son père. Confucius était alors dans la principauté de* Wei. Les habitants croyaient que, K'ouai kouei ayant encouru la disgrâce de son père, Tche, petit fils légitime du prince Ling, devait lui succéder. Jen Iou eut des doutes et interrogea à ce sujet.

Pe i et Chou ts'i étaient deux fils du prince de Kou tchou (pays actuellement compris dans le Tcheu li). Leur père en mourant légua son titre de prince à Chou ts'i (qui était son troisième fils). Quand il fut mort, Chou ts'i voulut céder le titre de prince à Pe i, (qui était son frère aîné). Pe i rappela la volonté de son père ; et prenant la fuite, se retira dans un autre pays. Chou ts'i n'accepta pas non plus l'héritage, et s'enfuit également. Les habitants établirent héritier le deuxième des fils du prince défunt. Plus tard, Ou wang (fondateur de la dynastie des Tcheou), ayant chassé Tcheou (dernier empereur de la dynastie des Chang), Pe i et Chou ts'i montèrent à cheval, et allèrent en toute hâte reprocher à Ou wang d'avoir éteint la dynastie des Chang. Considérant comme une honte de manger le grain récolté dans l'empire des Tcheou, ils se retirèrent sur le mont Cheou iang, où ils moururent de faim.

Tzeu koung, quittant Confucius, dit à Jen Iou : « Puisque notre maître approuve la conduite des deux frères Pe i et Chou ts'i, qui se cédèrent l'un à l'autre la dignité de prince, certainement il désapprouve le prince de Wei qui dispute à son père cette même dignité. Evidemment il n'est pas pour le prince de Wei. »

15. Le Maître dit : « Le sage, fût il réduit à manger une grossière nourriture, à boire de l'eau, et à reposer la nuit la tête appuyée sur son bras, il conservera sa joie au milieu de ses privations. Les richesses et les dignités obtenues par de mauvaises voies me paraissent comme des nuées qui flottent dans les airs. (elles ne rendent pas l'homme vraiment heureux). »

16. Le Maître dit : « Si le Ciel me donnait encore quelques années de vie, après avoir étudié le Livre des Changements durant cinquante années, je pourrais éviter les fautes graves. »

17. Les entretiens du Maître roulaient ordinairement sur le Cheu king, sur le Chou king, et sur le Li ki, qui enseigne les devoirs à remplir. Tels étaient les sujets ordinaires de ses discours.

18. Le prince de Che ayant interrogé Tzeu lou sur la personne de Confucius, Tzeu lou ne répondit pas. Le Maître dit : « Pourquoi n'avez vous pas répondu : C'est un homme qui s'applique (à l'étude et à la pratique de la vertu) avec une telle ardeur qu'il oublie de manger ; éprouve une telle joie qu'il oublie tout chagrin ; (qui est si absorbé dans l'étude de la sagesse qu'il) ne sent pas venir la vieillesse ? » *Le prince de Che était Chenn Tchou leang, nommé Tzeu kao, préfet de Che bien. Il avait usurpé le titre de prince.*

19. Le Maître dit : « La connaissance des choses n'est pas innée en moi ; mais j'aime l'antiquité, et je m'applique à l'étude avec ardeur. » *En parlant ainsi, Confucius a voulu s'abaisser lui-même. Il a été un grand sage, parce que la sagesse était innée en lui. Quand il disait qu'il aimait l'étude, ce n'était pas uniquement pour engager les autres à étudier. Car, ce qu'un homme peut connaître naturellement et sans étude, ce sont les devoirs de justice et de convenance. Quant aux faits historiques, aux changements introduits dans les cérémonies, dans la musique, dans les insignes des dignités, nul ne peut les connaître avec certitude, s'il ne les a étudiés.*

20. Le Maître ne parlait pas des choses extraordinaires, ni des actes de violence, ni des troubles, ni des esprits. *Parler des choses extraordinaires, c'est exciter les hommes à ne pas suivre les règles ordinaires ; parler des actes d'audace et de violence, c'est affaiblir dans les hommes les sentiments de douceur ; parler de résistance*

aux lois ou à l'autorité, c'est porter les hommes à violer la justice ; parler des esprits, c'est brouiller les idées de ceux qui écoutent.

21. Le Maître dit : « Si je voyageais avec deux compagnons, (l'un vertueux et l'autre vicieux), tous deux me serviraient de maîtres. J'examinerais ce que le premier a de bon et je l'imiterais ; les défauts que je reconnaîtrais en l'autre, je tâcherais de les corriger en moi-même. »

22. Le Maître dit : « Le Ciel m'a donné la vertu avec l'existence ; que peut me faire Houan T'ouei ? » *Houan T'ouei était Hiang T'ouei, ministre de la guerre dans la principauté de Soung. Il descendait du prince Houan, et pour cette raison s'appelait le chef de la famille Houan. Confucius, étant dans la principauté de Soung, expliquait les devoirs de l'homme à ses disciples sous un grand arbre. T'ouei, qui haïssait le philosophe, fit abattre l'arbre. Les disciples furent frappés de crainte. Confucius, s'abandonnant avec confiance aux soins de la Providence, dit : « Puisque le Ciel, en me donnant l'existence, a mis en moi une telle sagesse, certainement il a des desseins sur moi. Quand même les hommes voudraient me nuire, ils ne pourraient résister à la puissance du Ciel. »*

23. Le Maître dit : « Pensez vous, mes enfants, que je vous cache quelque chose ? Je ne vous ai rien caché ; je n'ai rien fait dont je n'aie donné connaissance à mes disciples. Voilà comme je suis. »

24. Le Maître enseignait spécialement quatre choses les lettres humaines et les arts libéraux, la morale, la fidélité et la sincérité.

25. Le Maître dit : « Il ne m'a pas été donné de voir un homme d'une sagesse extraordinaire ; si je vois seulement un homme vraiment sage, je serai assez content. Il ne m'a pas été donné de voir un homme irréprochable ; si je vois seulement un homme d'une volonté constante, je serai assez content. Celui-là ne peut pas être constant qui n'a rien et feint d'avoir quelque chose, qui est vide et cherche à paraître plein, qui possède peu de choses et veut étaler une grande magnificence. »

26. Le Maître pêchait à la ligne, mais non au filet ; il ne tirait pas la nuit sur les oiseaux qui étaient au repos. *I. tirer sur les oiseaux avec une flèche retenue par un long fil de soie écrue. Confucius étant d'une famille pauvre et d'une humble condition, il était parfois obligé dans sa jeunesse de prendre des poissons à la ligne ou de chasser aux oiseaux, pour nourrir ses parents et faire des offrandes aux*

morts. Mais tuer et prendre tous les animaux était contraire à sa volonté, et il ne le faisait pas. En cela apparaît le cœur compatissant de cet homme si bon. En voyant de quelle manière il traitait les animaux, on peut juger comment il traitait les hommes ; en voyant la manière dont il agissait dans sa jeunesse, on peut juger comment il agissait dans l'âge mûr.

27. Le Maître dit : « Il est peut être des hommes qui tentent des entreprises à l'aveugle ; moi, je n'agis pas ainsi. Après avoir beaucoup entendu, j'examine et mets à profit ce qu'on m'a appris de bon ; après avoir beaucoup vu, je grave dans ma mémoire ce que j'ai remarqué. Je suis de ceux qui viennent immédiatement après les grands sages chez qui les connaissances sont innées.

28. Les habitants de Hou hiang (étaient si mauvais) qu'il était difficile de leur enseigner à pratiquer la vertu. Un jeune homme de ce pays s'étant présenté (pour suivre les leçons de Confucius), les disciples du philosophe doutèrent (s'il convenait de l'admettre). Le Maître dit : « Lorsque quelqu'un vient à moi avec l'intention de se corriger, j'approuve son intention, sans me faire garant de sa vie passée. J'approuve sa venue ; je n'approuve pas son départ futur, (ni tout ce qu'il fera dans la suite). Pourquoi donc serais je si sévère ? »

29. Le Maître dit : « La vertu parfaite est elle loin de nous ? Si je veux la trouver, aussitôt elle est présente à moi. » *La vertu parfaite est la bonté naturelle que chaque homme possède nécessairement. Mais les hommes, aveuglés par leurs passions, ne savent pas la chercher. Ils suivent la pente du vice et se persuadent que la vertu est loin d'eux.*

30. Le ministre de la justice de la principauté de Tch'enn demanda si Tchao, prince de Lou, connaissait les convenances. Confucius répondit qu'il les connaissait. Le philosophe s'étant retiré, le ministre de la justice rencontra et salua Ou ma K'i ; puis, l'ayant fait entrer, il lui dit : « J'ai entendu dire que le sage n'était point partial ; le sage serait il aussi partial ? Le prince de Lou (dont la famille s'appelle Ki) a épousé, dans la principauté de Ou, une femme dont la famille porte aussi le nom de K'i ; (et pour cacher cette irrégularité), il a appelé sa femme Ou ma Tzeu, (au lieu de Ou ma K'i, qui était son vrai nom). Si le prince de Lou connaît les

convenances, quel est celui qui ne les connaît pas ? » Ou ma K'i rapporta ces paroles à Confucius. Le Maître répondit : « Par un bonheur singulier, si je commets une faute, elle ne manque jamais d'être connue. » *Ou ma K'i, nommé Cheu, disciple de Confucius. D'après les usages, un homme et une femme, dont les familles portent le même nom, ne se marient pas ensemble. Or les familles princières de Lou et de Ou s'appelaient toutes deux Ki. Le prince de Lou, pour cacher le nom de famille de sa femme, l'appela Ou meng Tzeu, comme si elle avait été fille du prince de Soung, dont le nom de famille était Tzeu. Confucius ne pouvait se permettre de dire que son prince avait mal agi ; d'un autre côté, il ne pouvait dire que celui qui avait épousé une femme de même nom que lui connût (et observât) les usages. Pour cette raison, il laissa croire que sa réponse était blâmable, et ne chercha pas à s'excuser. S'il avait censuré ouvertement la conduite de son prince, il aurait manqué au devoir d'un sujet fidèle. S'il n'avait pas dit qu'il avait mal répondu, il aurait paru méconnaître une loi concernant les mariages. On voit que le Philosophe dans sa réponse a atteint la perfection au moyen d'un détour. En s'accusant lui-même, il dit : « Le plus grand malheur qui puisse arriver à un homme, c'est de n'être pas averti de ses fautes. Moi, j'ai un bonheur particulier ; si je commets une faute, elle ne manque pas d'être connue. Lorsqu'elle est connue des autres, j'en suis informé ; je puis changer de conduite, et me rendre irréprochable. N'est ce pas un très grand bonheur pour moi ? »*

31. Lorsque Confucius se trouvait avec d'habiles chanteurs qui exécutaient un chant, il le leur faisait répéter et chantait avec eux.

32. Le Maître dit : « J'ai peut être autant d'érudition qu'un autre ; mais je ne suis pas encore arrivé à faire les actions d'un sage. »

33. Le Maître dit : « Oserais je penser que je possède la sagesse ou la vertu au plus haut degré ? Mais, pour ce qui est de cultiver la vertu sans jamais en éprouver de dégoût, et d'enseigner les autres sans jamais me lasser, on peut dire que je le fais, et voilà tout. » Koung si Houa dit : « Ce sont précisément deux choses que nous, vos disciples, nous ne parvenons pas à apprendre. »

34. Confucius étant gravement malade, Tzeu lou lui proposa de faire des prières. Le Maître dit : « Cela convient il ? » Tzeu lou répondit : « Cela convient. Dans les oraisons funèbres il est dit : « Nous vous supplions,

esprits du ciel et de la terre. » Le Maître répliqua : « Il y a longtemps que je prie. » — Lei, *discours dans lequel on raconte les actions d'un homme dont on déplore la perte.* Chang hia, *le ciel et la terre. Les esprits du ciel s'appellent* cheun ; *ceux de la terre* K'i. Tao, *se repentir de ses fautes, pratiquer la vertu, et demander ainsi la protection des esprits. Le Philosophe répondit : « Il y a longtemps que je prie. En effet, prier, ce n'est autre chose que pratiquer la vertu, se corriger de ses défauts, et solliciter ainsi le secours des esprits. Moi, tous les jours, si j'ai quelque défaut, je le corrige, s'il est une vertu à pratiquer, je la pratique. Ma prière est vraiment continuelle. Comment aurais je attendu jusqu'aujourd'hui pour prier ? »*

35. Le Maître dit : « La prodigalité conduit à l'arrogance, et la parcimonie à l'avarice. L'arrogance est pire que l'avarice. »

36. Le Maître dit : « Le sage est calme, il a le cœur dilaté ; l'homme vulgaire est toujours accablé de soucis. »

37. Le Maître était affable avec gravité, sévère sans dureté ; dans les cérémonies son maintien était respectueux, sans avoir rien de forcé.

CHAPITRE VIII. T'AI PE.

1. Le Maître dit : T'ai pe doit être considéré comme un homme d'une vertu très parfaite. Il a cédé résolument l'empire, et il n'a pas laissé au peuple la possibilité de célébrer son désintéressement. *Anciennement, T'ai wang, prince de Tcheou, eut trois fils, dont l'aîné fut nommé T'ai pe, le second Tchoung ioung, et le troisième Ki li. Ki li eut pour fils Tchang, qui devint Wenn wang. T'ai wang, voyant que Wenn wang possédait toutes les vertus au plus haut degré, résolut de léguer la dignité de prince à Ki li, afin qu'elle passât à Wenn wang. T'ai pe ayant connu l'intention de son père, aussitôt, sous prétexte d'aller cueillir des plantes médicinales, s'en alla avec son frère cadet Tchoung ioung, et se retira au milieu des tribus barbares du midi. Alors T'ai wang transmit sa principauté à Ki li. Plus tard, Ou wang (fils de Wenn wang) gouverna tout l'empire. Si l'on considère la conduite de T'ai pe comme elle parut aux yeux de ses contemporains, il n'a cédé qu'une principauté (la principauté de Tcheou). Mais si on la considère avec les*

connaissances actuelles, on voit qu'il a réellement refusé l'empire et l'a cédé au fils de son frère. Après l'avoir cédé, il s'est caché, il a disparu, il n'est pas resté trace de lui. Pour cette raison, le peuple n'a pu célébrer ses louanges. T'ai pe a enseveli dans l'ombre sa personne et son nom ; il a fait en sorte d'oublier le monde et d'en être oublié. C'est le plus haut degré de la vertu.

2. Le Maître dit : « Celui qui fait des politesses outre mesure est fatigant ; celui qui est circonspect outre mesure est craintif ; celui qui est courageux outre mesure cause du désordre ; celui qui est franc outre mesure offense par des avis trop pressants. Si le prince remplit avec zèle ses devoirs envers ses parents et ses ancêtres, la piété filiale fleurit parmi le peuple. Si le prince n'abandonne pas ses anciens serviteurs ni ses anciens amis, le peuple suit son exemple. »

3. Tseng tzeu, sur le point de mourir, appela ses disciples et leur dit : « Découvrez mes pieds et mes mains (et voyez que j'ai conservé tous mes membres dans leur intégrité). On lit dans le Cheu king : « Tremblant et prenant garde, comme si j'étais sur le bord d'un gouffre profond, comme si je marchais sur une glace très mince » (C'est avec cette crainte et cette précaution que j'ai pris soin de mon corps). A présent et pour toujours, je vois avec plaisir que j'ai pu préserver mon corps de toute lésion, ô mes enfants. *Un fils doit rendre entier à la terre ce que ses parents lui ont donné entier, et ne pas les déshonorer en laissant endommager son corps. Sans doute, la principale obligation d'un bon fils est de se bien conduire, de faire honneur à ses parents en rendant son nom illustre ; mais celui qui sait conserver ses membres intacts sait aussi mener une vie irréprochable. S'il n'est pas permis de laisser perdre l'intégrité de son corps, à plus forte raison est il blâmable de déshonorer ses parents par sa mauvaise conduite.*

4. Tseng tzeu mourant reçut la visite de Meng King tzeu. Prenant la parole, il lui dit : « L'oiseau qui va mourir crie d'une voix plaintive ; un homme qui va mourir donne de bons avis. Un prince sage a surtout soin de trois choses : il a soin d'éviter la raideur et le laisser aller dans la tenue du corps, la simulation dans l'air du visage, la grossièreté et l'inconvenance dans le ton de la voix. Pour ce qui est des vases de bambou ou de bois employés dans les cérémonies, (un prince sage n'y attache pas une

grande importance, et ne s'en occupe pas lui-même, mais) il a des officiers qui en prennent soin. » (Meng K'ing tzeu, nommé Tsie, chef de la famille Tchoung sueun, grand préfet dans la principauté de Lou. »

5. Tseng tzeu dit : « Être habile, et interroger ceux qui ne le sont pas, avoir beaucoup (de scince et de vertu), et interroger ceux qui en ont peu, avoir (de la science et de la vertu), et se considérer comme n'ayant rien, être riche, et se regarder comme dépourvu de tout, recevoir des offenses, et ne pas contester, voilà ce qu'était et ce que faisait mon condisciple (Ien luen). »

6. Tseng tzeu dit : « Un homme à qui l'on peut confier la tutelle d'un jeune prince haut de six palmes (environ douze décimètres), et le gouvernement d'un État ayant cent stades d'étendue, et qui, au moment d'un grand trouble ou d'une révolution, reste fidèle à son devoir, un tel homme n'est il pas un sage ? Certainement c'est un sage.

7. Tseng tzeu dit : « Il faut que le disciple de la sagesse ait le cœur grand et courageux. Le fardeau est lourd, et le voyage long. Son fardeau, c'est la pratique de toutes les vertus ; n'est ce pas lourd ? Son voyage ne finira qu'après la mort ; n'est ce pas long ? »

8. Le Maître dit : « Le disciple de la sagesse excite en son cœur des sentiments honnêtes par la lecture des Vers (du Cheu king) ; il affermit sa volonté par l'étude et la pratique des cérémonies et des devoirs mentionnés dans le Li ki ; il perfectionne sa vertu par l'étude de la musique (du Io ki). »

9. Le Maître dit : « On peut amener le peuple à pratiquer la vertu ; mais on ne peut lui en donner une connaissance raisonnée. »

10. Le Maître dit : « Celui qui aime à montrer de la bravoure et supporte avec peine sa pauvreté causera du désordre. Si un homme, qui n'est pas vertueux, se voit trop détesté, il tombera dans le désordre. »

11. Le Maître dit : « Un homme eût il les belles qualités de Tcheou koung, s'il est orgueilleux et avare, rien en lui ne mérite d'être regardé. »

12. Le Maître dit : « Il est rare de trouver un homme qui se livre trois ans à l'étude de la sagesse, sans avoir en vue les appointements de la ma-

gistrature. » *Le philosophe Iang dit : « Tzeu tchang, malgré toute sa sagesse, fut convaincu de convoiter les revenus attachés aux charges ; à plus forte raison, ceux qui sont moins vertueux que lui. »*

13. Le Maître dit : « Le sage s'attache aux préceptes de la sagesse, et il aime à les étudier. Il les observe fidèlement jusqu'à la mort, et par l'étude il se convainc de leur excellence. Il n'entre pas dans un pays menacé d'une révolution ; il ne demeure pas dans un État troublé par les dissensions. Si l'empire est bien gouverné, il se montre (il peut et doit accepter une charge dans l'intérêt de l'empereur et du peuple). Si l'empire est mal gouverné, il se cache (il cultive la vertu dans sa vie privée). Quand l'État est bien gouverné, le sage aurait honte de n'avoir ni richesses ni honneurs (parce qu'alors il peut et doit exercer une charge). Quand l'État est mal gouverné, il aurait honte d'avoir des richesses et des honneurs. »

14. Le Maître dit : « Ne cherchez pas à vous immiscer dans les affaires d'une charge publique qui n'est pas confiée à vos soins. »

15. Le Maître dit : « Lorsque le chef de musique Tcheu commença à exercer sa charge (dans la principauté de Lou), comme le chant final *La Mouette chantant* charmait et satisfaisait l'oreille ! »

16. Le Maître dit : « Je n'accepte pas pour disciple un homme ambitieux et sans droiture, ou ignorant et léger, ou peu intelligent et peu sincère. »

17. Le Maître dit : « Travaillez sans relâche à acquérir la sagesse, comme si vous aviez toujours à acquérir ; de plus, craignez de perdre ce que vous avez acquis. » *Celui qui ne progresse pas chaque jour recule chaque jour.*

18. Le Maître dit : « Oh ! quelle grandeur d'âme ! Chouenn et Iu ont possédé l'empire, et leur cœur ne s'y est pas attaché. »

19. Le Maître dit : « Que Iao a été un grand prince ! qu'il a fait de grandes choses ! Seul le Ciel est grand ; seul Iao lui a été semblable. L'influence de sa vertu a été sans limites ; le peuple n'a pu trouver de terme pour la nommer. Que ses mérites ont été insignes ! Que ses cérémonies, sa musique et ses lois ont été belles ! »

20. Chouenn avait cinq ministres d'État, et l'empire était bien gouverné. Ou wang (fondateur de la dynastie des Tchéou) disait : J'ai dix ministres qui m'aident à bien gouverner (Parmi eux il comptait sa femme, l'impératrice I Kiang, qui gouvernait la ville impériale). Confucius ajoute : « On dit communément que les hommes de talent sont rares. Ce dicton populaire n'est-il pas vrai (Il est vrai, puisque Chouenn n'a trouvé que cinq ministres capables, et Ou wang dix). L'époque de Iao et de Chouenn a été plus florissante que la nôtre (celle de la dynastie des Tchéou). Cependant elle ne paraît pas l'emporter par le nombre des hommes de talent. Car Chouenn n'a trouvé que cinq ministres capables ; Ou wang a trouvé une femme de talent et neuf hommes, mais pas davantage. Posséder les deux tiers de l'empire, et employer sa puissance au service de la dynastie des In, ce fut le mérite de la famille des Tcheou ; ce mérite a été très grand. »

21. Le Maître dit : « Je ne découvre aucun défaut dans l'empereur Iu. Sa nourriture et sa boisson étaient fort simples ; mais ses offrandes aux esprits étaient splendides. Ses vêtements ordinaires étaient grossiers ; mais sa robe et son bonnet de cérémonie étaient magnifiques. Son habitation et ses chambres étaient basses ; mais il donnait tous ses soins aux canaux d'irrigation. Je ne trouve aucun défaut dans l'empereur Iu. »

CHAPITRE IX. TZEU HAN.

1. Le Maître parlait rarement du gain, de la Providence céleste, de la vertu parfaite. *Celui qui cherche sa propre utilité blesse la justice. La question de la Providence céleste est très subtile. La voie de la vertu parfaite est immense. Confucius parlait rarement de ces trois choses. Il parlait peu du gain, de peur de porter les hommes à ne désirer que des choses basses, à ne chercher que leurs propres intérêts. Il parlait peu de la* Providence céleste et de la vertu parfaite, de peur d'exciter les hommes à vouloir faire des choses trop au dessus de leurs forces. Il parlait peu de gain, de peur que ces disciples ne fussent trop portés à chercher leur propre intérêt. Il parlait peu de la Providence céleste et de

la vertu parfaite, parce que ses disciples n'auraient pas facilement comprit ces hautes questions.

2. Un homme du bourg Ta hiang avait dit : « Le philosophe K'oung est certainement un grand homme. Il a beaucoup de science ; mais il n'a pas ce qu'il faut pour se faire un nom (parce qu'il n'exerce aucun des six arts libéraux). » Confucius, en ayant été informé, dit : « Quel art exercerai-je ? Exercerai-je l'art de conduire une voiture ? Exercerai-je l'art du tir à l'arc ? Je me ferai conducteur de voiture. » *Un conducteur de voiture est le serviteur d'autrui. Son métier est encore plus vil que celui d'archer. Le philosophe, entendant faire son éloge, répondit en s'abaissant lui-même. Ce grand sage n'avait pas réellement l'intention de se faire conducteur de voiture.*

3. Le Maître dit : « Le bonnet de chanvre est conforme à l'ancien usage. A présent on porte le bonnet de soie, qui (se tisse plus facilement, et) coûte moins cher. Je me conforme à l'usage général, (qui n'a rien d'inconvenant). Anciennement, un officier saluait son prince au bas (des degrés qui conduisaient à la salle). A présent, on le salue au haut des, degrés ; c'est de l'orgueil. Contrairement à tout le monde, je m'en tiens à l'ancien usage.

4. Le Maître évitait quatre défauts : il n'avait pas de désir désordonné, ni de détermination irrévocable, ni d'opiniâtreté, ni d'égoïsme.

5. Le Maître se trouvant en péril dans le bourg de K'ouang, dit : « Wenn wang étant mort, la doctrine (la connaissance des cérémonies, des devoirs, de la musique, des lois) n'est elle pas ici (en moi) ? Si le Ciel avait voulu que la doctrine disparût de la terre, il ne me l'aurait pas confiée après la mort de Wenn wang. Le Ciel ne veut pas encore ravir la doctrine à la terre, (par conséquent il ne permettra pas que je périsse). Que peuvent me faire les habitants de K'ouang ? » *Iang Hou avait exercé des cruautés dans le bourg de Kouang. Confucius extérieurement ressemblait à Iang Hou. Les habitants le cernèrent pour le prendre.*

6. Le premier ministre dit à Tzeu koung : « Votre maître est-il un sage parfait ? Que d'arts lui sont familiers ! » Tzeu koung répondit : « Certainement le Ciel lui a prodigué ses dons sans mesure ; il possède à peu près la plus haute sagesse possible et, de plus, une grande habileté dans

beaucoup d'arts. » Le Maître en ayant été informé, dit : « Le premier ministre me connaît il ? Quand j'étais jeune, j'étais d'un condition humble, j'ai appris plusieurs arts, qui sont choses de peu d'importance. Le sage en apprend il beaucoup ? Pas beaucoup. »

Lao dit : « Confucius disait : « J'ai cultivé les arts, parce que je n'ai pas été employé dans les charges publiques. » (Lao, disciple de Confucius. Son nom de famille était K'in, et son surnom Tzeu k'ai ou Tzeu tchang).

7. Le Maître dit : « Est ce que j'ai beaucoup de science ? Je n'ai pas de science. Mais quand un homme de la plus humble condition m'interroge, fût il très ignorant, je discute la question d'un bout à l'autre, sans rien omettre. »

8. Le Maître dit : « Je ne vois ni phénix arriver, ni dessin sortir du fleuve. C'en est fait de moi (de ma doctrine). » *Le phénix est un oiseau qui annonce les choses futures. Au temps de Chouenn, il a été apporté et offert en présent à ce prince. Au temps de Wenn wang, il a chanté sur le mont K'i. Le dessin sorti du fleuve est un dessin qui est sorti du Fleuve Jaune sur le dos d'un cheval dragon au temps de Fou hi. Le phénix et le dessin sorti du fleuve ont annoncé les règnes d'empereurs très sages. Confucius dit : « Il ne paraît aucun présage annonçant le règne d'un empereur très sage ; un tel empereur ne viendra donc pas. Quel empereur se servira de moi pour enseigner le peuple ? C'en est fait de ma doctrine ; elle ne sera pas mise en pratique. »*

9. Lorsque le Maître voyait un homme en deuil, ou un magistrat en costume officiel, ou un aveugle, fût ce un homme moins âgé que lui, aussitôt (par commisération ou par honneur) il se levait (s'il était assis), ou il passait vite.

10. Ien Iuen disait avec un soupir d'admiration : « Plus je considère la doctrine du Maître, plus je la trouve élevée ; plus je la scrute, plus il me semble impossible de la comprendre entièrement ; je crois la voir devant moi, et soudain je m'aperçois qu'elle est derrière moi (je n'arrive pas à la saisir). Heureusement le Maître enseigne avec ordre et méthode, et dirige les hommes avec habileté. Il augmente mes connaissances en m'expliquant les raisons des choses, et il règle ma conduite en m'enseignant mes devoirs. Quand même je voudrais m'arrêter, je ne le pourrai. Mais, après

que j'ai épuisé toutes mes forces, il reste toujours, (dans la doctrine du maître), quelque chose qui semble se dresser devant moi comme une montagne, qu'il m'est impossible de gravir. »

11. Le Maître étant gravement malade, Tzeu Iou engagea les disciples (de Confucius) à lui servir d'intendants (comme si leur maître exerçait encore une charge importante, et à lui préparer de pompeuses funérailles, comme à un haut dignitaire). Le mal ayant un peu diminué, (Confucius qui jusque là était sans connaissance, revint à lui, et voyant ce que Tzeu lou lui avait fait), Confucius dit : « Il y a longtemps que Iou use de faux semblants. je n'ai pas (et je ne dois pas avoir) d'intendants, et cependant je suis comme si j'en avais. Puis je tromper quelqu'un par cette ruse ? Espéré je tromper le Ciel ? D'ailleurs, ne m'est il pas préférable de mourir entre les mains de mes disciples qu'entre les mains d'intendants ? Et quand même je n'aurais pas un pompeux enterrement, (peu importe) ; resterai-je sans sépulture, comme un homme qui meurt dans un chemin ? »

12. Tzeu koung dit à Confucius : « S'il y avait ici une belle pierre précieuse, la mettriez vous dans un coffre, et la tiendriez vous cachée, ou bien chercheriez-vous un acheteur qui en donnât un prix élevé ? » Le Maître répondit : « Je la vendrais, certainement je la vendrais ; mais j'attendrais qu'on m'en offrît un prix convenable. » *Tzeu koung adressa à Confucius cette double question, parce qu'il voyait un homme doué de tant de vertus n'exercer aucune charge. Confucius répondit qu'il fallait vendre la pierre précieuse ; mais qu'il ne convenait pas d'aller chercher les acheteurs. Le sage est toujours disposé à accepter et à exercer une charge ; mais il veut que les principes soient observés. Il attend une invitation régulière, comme la pierre précieuse attend les offres d'un acheteur.*

13. Le Maître aurait voulu aller vivre au milieu des neuf tribus de barbares qui sont à l'orient (le long des côtes de la Mer Jaune). Quelqu'un lui dit : « Ils sont grossiers ; convient il de vivre parmi eux ? » Il répondit : « Si un homme sage demeure au milieu d'eux, (il changera leurs mœurs), qu'auront ils encore de grossier ? » *Confucius, voyant que ses enseignements étaient infructueux, aurait désiré quitter l'empire chinois et se retirer dans une contrée étrangère. Il lui échappait, malgré lui, des gémissements par lesquels il ma-*

nifestait comme le désir de vivre au milieu des neuf tribus des barbares orientaux. Il disait de même qu'il aurait désiré se confier à la mer sur un radeau (et se retirer dans une île déserte). Il n'avait pas réellement le dessein d'aller habiter au milieu des barbares dans l'espoir de les civiliser.

14. Le Maître dit : « Depuis que je suis revenu de la principauté de Wei dans celle de Lou, (par mes soins) la musique a été corrigée, les odes des parties du Cheu king qui sont intitulées *Ia* et *Soung* ont été remises en ordre. »

15. Le Maître dit : « Hors de la maison, remplir mes devoirs envers les grands et les ministres d'État ; à la maison, remplir mes devoirs envers mes parents et ceux de mes frères qui sont plus âgés que moi ; observer le mieux possible toutes les prescriptions du deuil ; éviter l'ivresse ; ces quatre mérites se trouvent ils en moi ? »

Le philosophe, pour instruire les autres en s'abaissant lui-même, dit : « C'est au prix de grands efforts et à grand'peine que j'accomplis ces quatre choses. »

16. Le Maître se trouvant au bord d'un cours d'eau dit : « Tout passe comme cette eau ; rien ne s'arrête ni jour ni nuit. » *Le philosophe, pour instruire les autres en s'abaissant lui-même, dit : « C'est au prix de grands efforts et à grand'peine que j'accomplis ces quatre choses. »*

16. Le Maître se trouvant au bord d'un cours d'eau dit : Tout passe comme cette eau ; rien ne s'arrête ni jour ni nuit. *Le sage imite ce mouvement continuel de l'eau et de toute la nature. Il ne cesse de se faire violence, jusqu'à ce qu'il arrive au sommet de la perfection.*

17. Le Maître dit : « Je n'ai pas encore rencontré un homme qui aimât la vertu autant que l'éclat extérieur. » *L'histoire raconte que, Confucius se trouvant dans la principauté de Wei, le prince Ling, porté sur une même voiture avec sa femme, fit monter Confucius sur une seconde voiture, et, pour frapper les regards, lui fit traverser la place publique. Le philosophe trouva ce procédé de très mauvais goût et dit à cette occasion les paroles qui viennent d'être citées.*

18. Le Maître dit : « Si, après avoir entrepris d'élever un monticule, j'abandonne mon travail, quand il ne manquerait qu'un panier de terre, il

sera vrai de dire que j'ai abandonné mon entreprise. Si, après avoir commencé à faire un remblai, je continue mon travail, quand même je ne mettrais qu'un panier de terre, mon entreprise avancera. » *Si le disciple de la sagesse fait sans cesse des efforts, même en recueillant peu à la fois, il amassera beaucoup ; mais s'il s'arrête à moitié chemin, il perdra tout le fruit du travail qu'il a déjà accompli.*

19. Le Maître dit : « Un homme qui, dès qu'il avait reçu un enseignement utile, le mettait en pratique avec ardeur, c'était Houei (Ien Iuen). »

20. Le Maître parlant de Ien Iuen, disait : « Oh ! que sa perte est regrettable ! je l'ai toujours vu progresser, jamais s'arrêter. »

21. Le Maître dit : « Il est parfois des moissons qui n'arrivent pas à fleurir ; il en est aussi qui, après avoir fleuri, n'ont pas de grain. » *Ainsi en est-il des hommes qui s'adonnent à l'étude de la sagesse, s'ils ne sont pas persévérants.*

22. Le Maître dit : « Nous devons (nous efforcer de faire sans cesse de nouveaux progrès dans la vertu, et) prendre garde que les jeunes gens n'arrivent à nous surpasser. Qui sait si (moyennant des efforts), ils ne parviendront pas à égaler les hommes de notre temps ? A l'âge de quarante ou cinquante ans, s'ils ne se sont pas encore signalés par leur vertu, il n'y aura plus lieu d'avoir la même crainte, (car ils ne pourront plus atteindre la perfection). »

23. Le Maître dit : « Peut on fermer l'oreille à un avis juste et sincère ? Mais l'essentiel c'est de se corriger. Un avis donné doucement et adroitement peut il déplaire ? Mais il faut surtout le méditer. je n'ai rien à faire d'un homme qui aime les avis, mais ne les médite pas, qui prête l'oreille, mais ne se corrige pas. »

24. Le Maître dit : « On peut enlever de force à une armée de trois légions son général en chef ; il est impossible d'arracher de force au moindre particulier sa détermination de pratiquer la vertu. »

25. Le Maître dit : « Iou (Tzeu lou) est homme à ne pas rougir de se trouver vêtu d'une tunique de toile usée au milieu d'hommes vêtus de fourrures de renard et de martre. (On peut lui appliquer ces deux vers du Cheu king) : Celui qui ne fait tort à personne et n'est pas cupide, ne sera-

t-il pas bon envers tout le monde ? » Tzeu lou, flatté de cet éloge, répétait sans cesse les deux vers du Cheu king. Confucius dit : « Ces deux choses (n'être ni injuste ni cupide), suffisent elles pour être parfaitement bon (vertueux) ? »

26. Le Maître dit : « C'est seulement quand le froid de l'hiver est arrivé, qu'on s'aperçoit que le pin et le cyprès perdent leurs feuilles après tous les autres arbres. » *Le froid de l'hiver est l'image d'une époque de trouble. La persistance du feuillage est l'image de la volonté ferme et constante du sage. Quand la tranquillité règne, l'homme vulgaire pourra ne pas se distinguer de l'homme sage. C'est seulement au milieu des avantages ou des désavantages apportés par une révolution, qu'on reconnaît la constance du sage.*

27. Le Maître dit : « Un homme éclairé et prudent n'hésite pas ; un homme parfait est exempt de soucis ; un homme courageux n'a pas peur. »

28. Le Maître dit : « On doit faire avancer son disciple graduellement ; à celui à qui on doit permettre seulement d'étudier avec le maître, on ne doit pas encore permettre d'entrer dans la voie de la vertu ; à celui à qui l'on doit permettre seulement d'entrer dans la voie de la vertu, on ne doit pas encore permettre de s'y fixer solidement ; à celui à qui l'on doit seulement permettre de s'affirmer dans la vertu, on ne doit pas encore permettre de décider si une loi générale oblige ou non dans tel cas particulier. »

29. (Un ancien chant disait) : « Le cerisier sauvage lui-même agite ses fleurs (comme s'il avait du sentiment). Comment ne penserais je pas à vous ? Mais vous demeurez loin d'ici. » Le Maître, après avoir cité cette strophe, disait : « Les hommes ne pensent pas à la vertu. Ont-ils à surmonter la difficulté de la distance ? »

CHAPITRE X. HIANG TANG.

1. Confucius, dans le village où demeurait sa famille, était très simple ; il semblait ne pas savoir parler. Dans le temple des ancêtres et à la cour

du prince, il s'exprimait clairement, mais avec une attention respectueuse.

2. Dans le palais du prince, il parlait aux *tai fou* inférieurs avec fermeté et sans détours, aux *tai fou* supérieurs avec affabilité et franchise. En présence du prince (de Lou), il montrait une crainte presque respectueuse, une noble gravité.

3. Quand il était chargé par le prince de Lou de recevoir les hôtes, l'air de son visage semblait changé et sa démarche embarrassée. Pour saluer les hôtes à leur arrivée, il joignait les mains, (tenait le corps immobile), tournait seulement les mains jointes à droite et à gauche (vers les hôtes qui étaient à ses côtés) ; sa tunique restait bien ajustée par devant et par derrière. En introduisant les hôtes, il marchait d'un pas rapide, tenant (les mains jointes et) les bras un peu étendus, comme les ailes d'un oiseau. Après le départ d'un hôte, il ne manquait pas d'avertir le prince (qui attendait à la porte, où il avait lui-même reconduit l'hôte). Il lui disait : « L'hôte ne tourne plus la tête en arrière, (le prince peut rentrer dans ses appartements).

4. En entrant à la porte du palais, il se courbait comme si la porte avait été trop basse pour le laisser passer. Il ne se tenait pas au milieu de l'entrée ; en marchant, il évitait de mettre le pied sur le seuil. En passant auprès du siège du prince (entre la porte et la cloison intérieure, Confucius éprouvait un sentiment de respect si profond que) l'air de son visage paraissait changé et sa démarche embarrassée ; les paroles remblaient lui manquer. Il montait à la salle, tenant sa tunique relevée, ayant le corps incliné, et retenant son haleine comme s'il ne pouvait plus respirer. En sortant, dès qu'il avait descendu le premier degré, son visage reprenait son air accoutumé ; il paraissait affable et joyeux. Arrivé au bas des degrés, il hâtait le pas, (tenant les mains jointes, et les bras un peu soulevés) comme un oiseau qui étend les ailes. En retournant à sa place, il paraissait éprouver une crainte respectueuse. (D'après Tchou Hi, Confucius exposait ainsi les devoirs de celui qui recevait les hôtes ; peut-être n'a-t-il jamais rempli lui-même cet office).

5. (Lorsque Confucius se présentait comme envoyé dans une cour étrangère), il tenait la tablette de son prince (des deux mains), le corps in-

cliné, comme s'il n'avait pas la force de la soutenir ; il la levait comme s'il avait salué, c'est à dire à la hauteur de la tête ; il l'abaissait comme s'il avait offert un objet, c'est-à dire à la hauteur de la poitrine. Il avait l'air d'un homme qui tremble de peur. Il levait à peine les pieds en marchant, comme s'il avait cherché à suivre les traces de quelqu'un. En offrant au prince étranger les présents de son prince, il avait un air affable et joyeux. En lui offrant ses propres présents dans une visite particulière, il se montrait encore plus affable.

6. Ce grand sage ne portait pas de collet à bordure de couleur rouge tirant sur le bleu (parce que c'était le collet des jours d'abstinence), ni de collet à bordure rouge tirant sur le noir (parce que c'était le collet porté la deuxcième et la troisième année du deuil de trois ans). Il ne prenait pas pour ses vêtements ordinaires la couleur rouge tirant sur le blanc, ni la couleur violette (parce qu'elles ne sont pas rangées au nombre des cinq couleurs simples ou élémentaires, et qu'elles se rapprochent des couleurs des vêtements des femmes). Pendant les chaleurs de l'été, sous une tunique de chanvre d'un tissu peu serré, il portait une autre tunique, (pour cacher parfaitement son corps). (En hiver), il portait une tunique noire sur une tunique doublée de peau d'agneau noir, ou une tunique blanche sur une tunique doublée de peau de cerf blanc, ou une tunique jaune sur une tunique doublée de peau de renard jaune. La tunique doublée de fourrure qu'il portait ordinairement était longue ; mais la manche droite était plus courte que la gauche, (afin que la main droite fût plus libre pour le travail). Les vêtements doublés d'épaisse fourrure de renard ou de martre lui servaient à la maison. Quand il n'était pas en deuil, il portait toujours divers objets suspendus à la ceinture. Quant au vêtement qui lui descendait des reins jusqu'aux pieds, celui qui lui servait à la cour ou dans les temples avait des plis à la ceinture ; pour les autres, l'étoffe était (deux fois) moins large à la ceinture qu'à la partie inférieure. Il ne mettait pas sa tunique doublée de peau d'agneau ni son bonnet noir pour aller pleurer les morts (parce que c'était le costume qu'on revêtait pour faire des offrandes). Le premier jour de la lune, il ne manquait pas de revêtir ses habits de cour et d'aller saluer son prince.

7. Lorsqu'il gardait l'abstinence (pour se purifier avant de faire une offrande), il revêtait une tunique de toile qui était réservée pour les jours de purification. La nuit, il prenait son repos enveloppé dans un vêtement qui avait une fois et demie la longueur de son corps. Il changeait de nourriture et d'appartement. *Lorsque Confucius se préparait à faire une offrande, il gardait l'abstinence prescrite. Après avoir prit un bain, il revêtait (sur ses vêtements ordinaires) la tunique des jours de purification, afin de conserver son corps pur et net de toute souillure. Cette tunique était de toile. Il avait soin de purifier parfaitement, non seulement son cœur et ses intentions, mais aussi son corps. Au temps de l'abstinence, comme il n'est permis de prendre son repos ni déshabillé, ni revêtu de la tunique des jours de purification, il avait un vêtement spécial qu'il mettait la nuit sur ses vêtements ordinaires. Ce vêtement avait une fois et demie la longueur de son corps, afin qu'il servît à couvrir les pieds. Au temps de l'abstinence, il changeait l'ordinaire de sa table. Il ne buvait pas de boisson fermentée, ne mangeait pas de légumes à odeur forte, de crainte que l'odeur n'obscurcit la clarté de son intelligence.*

8. Confucius aimait que sa bouillie fût faite d'un riz très pur, et son hachis composé de viande hachée très fin. Il ne mangeait pas la bouillie qui était moisie et gâtée, ni le poisson ni la viande qui commençaient à se corrompre. Il ne mangeait pas un mets qui avait perdu sa couleur ou son odeur ordinaire. Il ne mangeait pas un mets qui n'était pas cuit convenablement, ni un fruit qui n'était pas assez mûr. Il ne mangeait pas ce qui n'avait pas été coupé d'une manière régulière, ni ce qui n'avait pas été assaisonné avec la sauce convenable. *Le hachis se fait avec de la viande de bœuf ou de mouton, ou de la chair de poisson, que l'on hache très fin. Le riz bien pur nourrit l'homme, le hachis grossièrement préparé lui nuit.* Pou ien, *ces mots signifient que Confucius trouvait ces aliments très bons, mais non qu'il voulût absolument les avoir tels. Il ne mangeait rien de ce qui pouvait nuire à la santé. Il pensait que la viande devait être coupée d'une manière régulière. Quand elle ne l'était pas, il ne la mangeait pas ; il haïssait le manque de régularité.*

Lors même que les viandes abondaient, il ne prenait pas plus de viande que de nourriture végétale. La quantité de boisson fermentée dont il usait n'était pas déterminée ; mais elle n'allait jamais jusqu'à lui troubler la raison. Il ne voulait pas de liqueur fermentée ni de viande séchée qui eussent été achetées (de peur qu'elles ne fussent pas propres). Il avait toujours du gingembre sur sa table. Il ne mangeait pas avec excès. *Les grains doivent faire la partie principale de la nourriture. Pour cette raison, Confucius ne mangeait pas plus de viande que d'autres aliments. Les liqueurs fermentées servent à exciter la joie dans les réunions. Confucius ne se prescrivait pas de règle fixe, seulement il évitait l'ivresse, et n'allait pas jusqu'à avoir la raison troublée. Le gingembre éclaircit l'intelligence, et dissipe toutes les impuretés. Confucius en avait toujours sur sa table.*

Quand il avait aidé le prince à faire une oblation dans le palais, il ne gardait pas même une nuit (mais il distribuait aussitôt) la viande offerte (dont le prince lui faisait présent). Il ne gardait pas plus de trois jours la viande qu'il avait lui-même offerte à ses parents défunts. Au delà de trois jours, il ne l'aurait pas mangée. *Lorsqu'il avait aidé à faire des offrandes aux morts dans le palais du prince de Lou, il recevait sa part des viandes. De retour à la maison, il les distribuait aussitôt, sans attendre au lendemain, par respect pour les faveurs des mânes, et par honneur pour les dons du prince. Quand il avait fait une offrande dans sa maison, bien qu'il lui fût permis d'attendre un peu, quand il n'avait pu distribuer la viande le jour même, il ne la conservait pas plus de trois jours. Car elle aurait été gâtée, et les hommes ne l'auraient pas mangée. C'eût été traiter sans respect les restes du repas des mânes.*

En prenant ses repas, il ne discutait aucune question, lors même qu'on l'interrogeait. La nuit, quand il était couché, il n'entamait aucune discussion. *Ce grand sage, aux heures des repas, s'occupait de manger ; aux heures du repos, il se reposait. Ce n'était pas alors pour lui le temps de discourir ni de répondre aux questions sur la philosophie. Il ne s'occupait alors que d'une seule chose.*

Même quand il n'avait sur sa table qu'une nourriture grossière et du bouillon aux herbes, il ne manquait pas d'offrir quelque chose à ses parents défunts, et il l'offrait toujours avec respect.

9. Il ne s'asseyait pas sur une natte qui n'était pas placée selon les règles.

10. Quand il avait pris part à une réunion où les habitants de son village avaient bu ensemble, il quittait la salle après les vieillards à bâton (par respect pour leur âge). Quand les habitants de son village faisait des

supplications pour écarter les maladies pestilentielles, il se tenait en habits de cour au pied des degrés, au côté oriental de la salle.

11. Quand il envoyait saluer un ami dans une principauté étrangère, il faisait deux salutations (comme s'il avait saulé son ami), puis il conduisait l'envoyé jusqu'à la porte. Ki Kang tzeu (*tai fou* de la principauté de Lou), lui ayant envoyé un remède en présent, le philosophe fit une salutation, reçut le présent, et dit : Je ne connais pas ce remède (je ne connais ni les vertus ni l'emploi de ce remède) ; je n'oserai pas le prendre.

12. Son écurie ayant été incendiée, Confucius, à son retour du palais, dit : Personne n'a t il été atteint par le feu ? Il ne s'informa pas des chevaux.

13. Quand le prince lui envoyait un mets tout préparé, il le goûtait sur une natte convenablement disposée (sans l'offrir aux défunts). Quand le prince lui envoyait de la viande crue, il la faisait cuire, et l'offrait aux défunts. Quand le prince lui donnait un animal vivant, il le nourrissait. Lorsqu'il mangeait au palais à côté du prince, au moment où celui-ci offrait des mets aux défunts, Confucius goûtait les mets (par un sentiment de modestie, comme s'il n'avait pas été le convive du prince, mais seulement un chef de cuisine). Quand il était malade et que le prince annonçait sa visite, il plaçait la tête vers l'orient, (après avoir fait mettre son lit auprès de la fenêtre qui regardait le midi) ; il mettait sur lui ses habits de cour et étendait la ceinture officielle par dessus. Lorsque le prince l'appelait au palais, il s'y rendait à pied, sans attendre que sa voiture fût attelée.

14. A la mort de l'un de ses amis, s'il n'y avait aucun parent pour prendre soin des funérailles, il disait : « Je me charge des obsèques. » Quand il recevait des présents de ses amis, fût ce des voitures et des chevaux, il ne faisait pas de salutation (en signe de remerciement), à moins que ce ne fût de la viande offerte aux défunts.

15. Couché pour prendre son repos, il ne s'étendait pas comme un cadavre. A la maison, son maintien n'avait rien de trop grave. Lorsqu'il voyait un homme en habits de deuil, fût ce un ami intime, (par politesse) il prenait un air de compassion. Lorsqu'il voyait un homme en costume officiel ou un aveugle, même en particulier, il ne manquait pas de lui

donner une marque de respect. Lorsqu'il était en voiture, s'il voyait un homme en grand deuil, il mettait les mains sur l'appui de la voiture et saluait par une inclinaison de tête. S'il rencontrait un homme portant les tablettes du cens, il le saluait de la même manière. Quand on lui avait préparé un grand festin, il se levait et remerciait le maître de la maison. Quand le tonnerre grondait ou que le vent se déchaînait, l'air de son visage (témoignait son respect envers le Ciel irrité).

16. Lorsqu'il montait en voiture, il tenait le corps droit, et prenait de la main le cordon qui aide à monter. Dans la voiture, il ne regardait pas en arrière, ne parlait pas avec précipitation, ne montrait rien du doigt. (Dans la voiture était fixé un cordon qui aidait à monter).

17. Lorsqu'un oiseau voit un homme à l'air menaçant, il s'envole, tournoie, puis se repose. Confucius dit : « Que cette faisane, sur le pont, dans la montagne, sait bien choisir son temps (pour s'envoler et pour se reposer) ! » Tzeu lou s'étant tourné vers elle pour la prendre, elle poussa trois cris, et s'envola (Les interprètes expliquent diversement ce passage. Quelques uns disent Tzeu lou prit, fit cuire et servit cette faisane. Confucius en respira trois fois l'odeur et se leva ; il n'en mangea pas). *Si un oiseau remarque si bien tous les indices, l'homme devrait il aller et venir sans examen ni délibération ?*

CHAPITRE XI. SIEN TSIN.

1. Le Maître dit : En ce qui concerne l'urbanité et la musique, les anciens passent pour des hommes peu civilisés, et les modernes, pour des hommes sages. Dans la pratique, j'imite les anciens. *Confucius appelle anciens les hommes qui vivaient au temps de Wenn wang, de Ou wang, de Tch'eng wang et de K'ang wang ; et modernes, ceux qui vivaient dans les derniers temps de la dynastie des Tcheou. Chez les anciens, l'urbanité et la musique étaient parfaites et pour le fond et pour la forme. Au temps de Confucius, elles étaient considérées comme trop simples, et les anciens eux mêmes passaient pour des hommes grossiers. Plus tard, l'urbanité et la musique eurent plus d'apparence que de réalité. Néanmoins, au temps*

de Confucius, elles étaient considérées comme parfaites pour le fond et pour la forme, et les modernes passaient pour des sages.

2. Le Maître dit : « De tous les disciples qui m'ont accompagné, (et ont partagé mes périls et mes souffrances), dans les principautés de Tch'enn et de Ts'ai, aucun ne fréquente plus mon école. Ien Houei, Min Tzeu k'ien, Jen Pe gniou et Tchoung koung étaient remarquables par leurs vertus ; Tsai Ngo et Tzeu koung, par leur habileté à parler ; Jen Iou et Ki Lou, par leur habileté à gouverner ; Tzeu iou et Tzeu hia, par leur habileté dans les lettres et leur érudition. » *Les uns étaient dans leurs foyers, les autres, dans les charges ; les uns vivaient encore, les autres étaient morts.*

3. Le Maître dit : « Houei ne m'excitait pas à parler ; il était content de tout ce que je disais. » *Il n'avait jamais ni doute ni difficulté et n'interrogeait pas son maître. Comment l'aurait il excité à discourir ?*

4. Le Maître dit : « Que Min Tzeu k'ien était remarquable par sa piété filiale ! Les étrangers n'en parlent pas autrement que son père, sa mère et ses frères (tout le monde s'accorde à le louer). »

5. Nan Ioung, (pour se souvenir qu'il fallait parler avec circonspection), répétait souvent ces mots du Cheu king : *La tablette blanche (peut être polie et ses défauts disparaîtront).* Confucius lui donna en mariage la fille de son frère.

6. Ki K'ang tzeu demanda à Confucius lequel de ses disciples s'appliquait de tout son cœur à l'étude de la sagesse. Le Maître répondit : « Ien Houei s'y appliquait de tout son pouvoir. Malheureusement il a peu vécu. A présent personne ne l'égale. »

7. Ien Iuen étant mort, Ien Lou, (son père, qui était pauvre), demanda la voiture de Confucius, afin d'en employer le prix à acheter un second cercueil au défunt. Le Maître répondit : « Aux yeux d'un père, un fils est toujours un fils, qu'il ait du talent ou non. Quand (mon fils) Li est mort, il a eu un cercueil, mais pas de second cercueil pour contenir et protéger le premier. Je ne suis pas allé à pied, afin de lui procurer un second cercueil. Comme je viens immédiatement après les grands préfets, il ne convient pas que j'aille à pied. » *Li, nommé aussi Pe iu, était le fils de Confucius. Il mourut avant son père. Confucius dit que Li, bien qu'inférieur à Ien Iuen en*

talents et en vertus, était cependant son fils, comme Ien Iuen était le fils de Ien Lou. A cette époque, Confucius n'exerçait plus aucune charge ; mais il avait encore rang parmi les grands préfets. Par modestie, il dit qu'il vient après eux.

8. Ien Iuen étant mort, le Maître dit : « Hélas ! le Ciel m'a ôté la vie ! le Ciel m'a anéanti ! »

9. Le Maître pleura amèrement la mort de Ien Iuen. Ses disciples lui dirent : « Maître, votre douleur est excessive. » Il répondit : « Ma douleur est elle excessive ? S'il y a lieu d'éprouver jamais une grande affliction, n'est ce pas après la perte d'un tel homme ? »

10. Ien Iuen étant mort, les disciples de Confucius voulurent faire de grands frais pour sa sépulture. Le Maître dit : « Cela ne convient pas, (parce qu'il était pauvre). » Les disciples l'enterrèrent néanmoins à grands frais. Le Maître dit : « Houei (Ien Iuen) me considérait comme son père ; moi, je n'ai pu le traiter comme mon fils, c'est à dire l'enterrer pauvrement comme mon fils Li. Ce n'est pas moi qui en suis la cause, mais ces quelques disciples. »

11. Ki lou (Tzeu lou) interrogea Confucius sur la manière d'honorer les esprits. Le Maître répondit : « Celui qui ne sait pas remplir ses devoirs envers les hommes, comment saura-t-il honorer les esprits ? » (Tzeu lou reprit) : « Permettez moi de vous interroger sur la mort. » Le Maître répondit : « Celui qui ne sait pas ce que c'est que la vie, comment saura-t-il ce que c'est que la mort ? » *Le philosophe Tch'eng dit : « Celui qui sait ce que c'est que la vie, sait ce que c'est que la mort. Celui qui remplit parfaitement ses devoirs envers ses supérieurs, remplit parfaitement ses devoirs envers les esprits. »*

12. *Un jour* Min tzeu se tenait auprès de Confucius avec un air ferme et affable, Tzeu lou, avec l'air d'un homme brave et audacieux, Jen Iou et Tzeu koung, avec un air sérieux. Le Maître était content (de voir cette fermeté qui paraissait dans leur maintien). « Un homme comme Iou, dit-il, ne peut mourir de mort naturelle. » (Tzeu lou périt en combattant sous les murs de Ts'i tch'eng, à présent Ts'i tch'ent ts'uenn, situé à huit kilomètres au nord de K'ai tcheou, dans le sud du Tcheu li. On y voit encore sa tombe).

13. Les ministres de la principauté de Lou voulaient reconstruire à neuf le magasin appelé *Tch'ang fou* . Min Tzeu k'ien dit : « Si l'on réparait l'ancien bâtiment, ne serait ce pas bien ? Est il nécessaire d'élever une nouvelle construction ? » Le Maître dit : « Cet homme ne parle pas à la légère ; quand il parle, il parle très bien. »

14. Le Maître dit : « Pourquoi la guitare de Iou (Tzeu lou) se fait-elle entendre dans mon école ? » Les disciples de Confucius, (ayant entendu ces paroles), conçurent du mépris pour Tzeu lou. Le Maître leur dit : « Iou est déjà monté au temple de la sagesse ; mais il n'a pas encore pénétré dans le sanctuaire. » *Tzeu lou était d'un caractère raide et impétueux. Les sons de sa guitare imitaient les cris que poussent les habitants des contrées septentrionales au milieu des combats et des massacres. Le philosophe l'en reprit, en disant : « Dans mon école, le juste milieu et l'harmonie forment la base de l'enseignement. La guitare de Iou manque tout à fait d'harmonie. Pourquoi se fait elle entendre dans mon école ? » Les disciples de Confucius ayant entendu ces paroles, ne témoignèrent plus aucune estime à Tzeu lou. Le Maître, pour les tirer d'erreur, leur dit : « Tzeu lou, dans la voie de la sagesse, a déjà atteint une région pure, spacieuse, élevée, lumineuse ;* seulement, il n'a pas encore pénétré profondément dans les endroits les plus retirés et les plus secrets. Parce qu'il manque encore une chose à sa perfection, on ne doit pas le mépriser. »

15. Tzeu koung demanda lequel des deux était le plus sage, de Cheu (Tzeu tchang) ou de Chang (Tzeu hia). Le Maître répondit « Cheu va au delà des limites ; Chang reste en deçà. » Tzeu koung reprit : « D'après cela, Cheu l'emporte-t-il sur Chang ? » Le Maître répondit : « Dépasser les limites n'est pas un moindre défaut que de rester en deçà. »

16. Ki était devenu plus riche que ne l'avait été Tcheou koung. Cependant, K'iou (Jen lou) levait pour lui des taxes, et augmentait encore son opulence. Le Maître dit : « Jen Iou n'est plus mon disciple. Mes chers enfants, battez le tambour, (dénoncez hautement sa conduite), et attaquez-le, vous ferez bien. »

17. Confucius dit : « Tch'ai (Tzeu kao) est peu instruit, Chenn (Tseng tzen) peu perspicace, Cheu (Tzeu tchang) plus soucieux d'une belle apparence que de la vraie vertu ; Iou n'est pas assez poli. »

18. Le Maître dit : « Houei avait presque atteint la plus haute perfection. Il était ordinairement dans l'indigence, (et n'en éprouvait aucune peine). Seu (Tzeu tchang) ne s'abandonne pas à la Providence ; il amasse des richesses ; mais il est judicieux »

19. Tzeu tchang interrogea Confucius sur la vertu de ceux qui sont naturellement bons. Le Maître répondit : « Ils ne marchent pas sur les traces des sages (puisqu'ils ne connaissent même pas leurs préceptes) ; ils n'entreront pas dans le sanctuaire de la sagesse. »

20. Le Maître dit : « De ce qu'un homme fait des dissertations solides sur la vertu, on ne doit pas juger aussitôt qu'il est vertueux. Il faut examiner s'il est vraiment un sage, ou s'il en a seulement l'apparence. »

21. Tzeu lou dit à Confucius : « Quand je reçois un enseignement utile, dois je le mettre en pratique immédiatement ? » Le Maître répondit : « Vous avez encore votre père et des frères plus âgés que vous (vous devez les consulter, avant de rien faire). Conviendrait il de mettre aussitôt à exécution tout ce que vous apprenez d'utile ? » Jen Iou demanda aussi s'il devait mettre en pratique sans retard tout ce qu'il apprenait de bon. Le Maître répondit : « Faites le tout de suite. » Koung si Houa dit : « Iou a demandé s'il devait mettre aussitôt à exécution tout ce qu'il apprenait d'utile à faire. Le Maître lui a répondu qu'il avait encore son père et des frères plus âgés que lui. K'iou a adressé la même question dans les mêmes termes. Le Maître a répondu qu'il devait mettre en pratique sur le champ ce qu'il apprenait de bon. Moi, Tch'eu, je suis dans l'incertitude (je ne vois pas comment ces deux réponses s'accordent entre elles) ; j'ose vous prier de me l'expliquer. » Confucius dit « K'iou (naturellement timide) n'ose pas avancer ; je l'ai poussé en avant. Iou a autant d'ardeur et de hardiesse que deux ; je l'ai arrêté et tiré en arrière. »

22. Le Maître avait couru un grand danger dans le bourg de K'ouang. Ien Iuen était resté en arrière. Confucius lui dit : « Je vous croyais mort. » Ien Iuen répondit : « Quand vous vivez encore, comment me serais je permis de m'exposer à la mort, (en me jetant au milieu de la mêlée ? Ne devais-je pas prendre tous les moyens de sauver ma vie, afin de recevoir encore vos enseignements) ? »

23. Ki Tzeu jen demanda à Confucius si Tzeu lou et Jen Iou avaient les talents nécessaires pour être de grands ministres. Le Maître répondit : « Je pensais que vous alliez me parler d'hommes extraordinaires, et vous me parlez de Iou et de K'iou. Un grand ministre est celui qui sert son prince selon les règles de la justice, et qui se retire dès qu'il ne peut plus le faire. Iou et K'iou peuvent remplir d'une manière ordinaire les fonctions de ministres. » Ki Tzeu jen ajouta : « Seront ils obéissants à leurs maîtres ? » Confucius répondit : « (Bien qu'ils ne soient pas d'une vertu extraordinaire), leur obéissance n'ira pas jusqu'à tremper dans un parricide ou un régicide. » *Ki Tzeu jen était fils de Ki P'ing tzeu et frère puîné de Ki Houan tzeu. Il croyait que sa famille avait beaucoup gagné en attirant à son service Tzeu lou et Jen Iou. Ki Houan tzeu était le chef de la famille Ki. (Voir Ch. III, 1, 2 et 6.)*

24. Tzeu lou avait nommé Tzeu kao gouverneur de la ville de Pi. Le Maître dit : « C'est faire grand tort à ce jeune homme et à son père. » (Tzeu kao avait beaucoup de talent, mais il n'avait pas encore étudié). Tzeu lou répondit : « Il est chargé de diriger le peuple et les officiers, d'honorer les esprits qui président à la terre et aux moissons. Pour qu'il soit censé avoir appris l'art de gouverner, est il nécessaire qu'il étudie les livres ? » Le Maître répliqua : « Je hais ces beaux parleurs. »

25. Le Maître dit à Tzeu lou, à Tseng Si, à Jen Iou et à Koung si Houan, qui étaient assis à ses côtés : « Parlez moi franchement, sans considérer que je suis un peu plus âgé que vous. Laissés dans la vie privée, vous vous dites : « Les hommes ne me connaissent pas (s'ils connaissaient mes talents, ils me confieraient une charge). » Si les hommes vous connaissaient, que feriez vous ? » (Tseung Si, nommé Tien, était le père de Tseng tzeu).

Tzeu lou se hâta de répondre : « Supposons qu'une principauté, possédant mille chariots de guerre, soit tenue comme en servitude entre deux principautés voisines très puissantes ; que, de plus, elle soit envahie par une armée nombreuse ; qu'ensuite les grains et les légumes viennent à lui manquer ; si j'étais chargé de la gouverner, en trois ans, je pourrais inspirer du courage aux habitants, et leur faire aimer la justice. Le Maître sourit.

« Et vous, K'iou, dit-il, que feriez vous ? » Jen Iou répondit : « Si j'avais à gouverner un petit pays de soixante à soixante dix stades, ou de cinquante à soixante, en trois ans, je pourrais mettre le peuple dans l'aisance. Pour ce qui concerne les cérémonies et la musique, j'attendrais la venue d'un sage. »

(Confucius dit) : « Vous, Tch'eu, que feriez vous ? » Koung si Houa répondit : « Je ne dis pas que j'en sois capable, mais je désirerais l'apprendre. Je désirerais, portant la tunique noirâtre et le bonnet noir, remplir l'office de petit aide dans les cérémonies en l'honneur des ancêtres, et, dans les réceptions à la cour impériale, soit quand les princes s'y réunissent tous ensemble, soit quand ils y sont appelés dans une circonstance particulière. »

(Confucius dit) : « Vous, Tien, que feriez vous ? » Tseng Si cesse de toucher sa guitare ; mais les cordes vibrent encore. Il la dépose, se lève, et répond : « Je ne partage pas les aspirations des trois autres disciples. » Le Maître dit : Quel mal y a-t-il ? Chacun peut exprimer son sentiment. Tseng Si reprit : « A la fin du printemps, quand les vêtements de la saison sont achevés, aller avec cinq ou six jeunes gens de vingt ans ou plus, avec six ou sept autres un peu moins âgés, me laver les mains et les pieds à la source tiède de la rivière I, respirer l'air frais sous les arbres de Ou iu, chanter des vers, et revenir ; voilà ce que j'aimerais. » Le Maître dit en soupirant : « J'approuve le sentiment de Tien. »

Quand les trois autres disciples se furent retirés, Tseng Si, resté seul, dit : « Que faut il penser de ce qu'ont dit ces trois disciples ? » Le Maître répondit : « Chacun d'eux a exprimé son sentiment, et voilà tout. » Tseng Si dit : « Pourquoi le Maître a-t-il souri, après avoir entendu Iou ? » Le Maître répondit : « Celui qui gouverne un État doit montrer de la modestie. Le langage de Iou n'a pas été modeste. Voilà pourquoi j'ai souri. »

Tseng Si dit : « K'iou n'a-t-il pas aussi parlé du gouvernement d'un État (Pourquoi sa réponse ne vous a-t-elle pas fait sourire) ? » Confucius répondit : « Existe-t il un domaine féodal de soixante à soixante dix stades, ou de cinquante à soixante stades qui ne soit pas un État, une principauté (Sans doute, K'iou a parlé d'un État, mais pas avec la même suffisance que Tzeu Lou) ? » Tseng si dit : « Tch'eu n'a t il pas aussi parlé du gouvernement d'un État ? » Confucius répondit : « Les offrandes aux ancêtres des princes, les réunions soit particulières soit générales des princes, qui concernent elles, si ce n'est les princes ? » (Tch'eu a donc parlé du gouvernement d'un État, mais il l'a fait avec modestie ; car) si Tch'eu n'est qu'un petit assistant, qui pourra être grand assistant ? »

CHAPITRE XII. IEN IUEN.

1. Ien Iuen ayant interrogé Confucius sur la vertu parfaite, le Maître répondit : « Se vaincre soi-même (maîtriser ses passions), rendre à son cœur l'honnêteté qu'il tenait de la nature, voilà la vertu parfaite. Si un jour vous parvenez à vous vaincre vous même, à recouvrer entièrement l'honnêteté du cœur, aussitôt tout l'univers dira que votre vertu est parfaite. Il dépend de chacun d'être parfaitement vertueux. Est ce que cela dépend des autres hommes ? » Ien Iuen dit : « Permettez moi de vous demander à quoi se résume la pratique de la vertu parfaite. » Le Maître répondit : « Que vos yeux, vos oreilles, votre langue, tout en vous soit maintenu dans les règles de l'honnêteté. » Ien Iuen dit : « Malgré mon incapacité, j'essaierai, si vous me le permettez, de mettre en pratique ce précepte. »

2. Tchoung koung interrogea Confucius sur la vertu parfaite. Le Maître répondit : « En sortant de la maison, soyez attentif, comme si vous voyiez un hôte distingué ; en commandant au peuple, soyez aussi diligent que si vous présidiez à un sacrifice solennel ; ne faites pas à autrui ce que vous ne voulez pas qu'on vous fasse à vous même. Dans la principauté, personne ne sera mécontent de vous ; dans la famille, personne ne se plaindra de vous. » Tchoung koung dit : « Malgré mon incapacité, si vous me le permettez, j'essaierai de suivre ce précepte. »

3. Seu ma Gniou ayant interrogé Confucius sur la vertu parfaite, le Maître répondit : « Un homme parfait parle difficilement, c'est à dire avec grande retenue, avec circonspection. » Seu ma Gniou dit : « Pour être parfait, suffit-il d'être circonspect dans ses paroles ? » Le Maître répondit : « Celui qui est circonspect dans ses actions, peut il ne l'être pas dans ses paroles ? »

4. Seu ma Gniou demanda à Confucius ce que c'était qu'un homme sage. Le Maître répondit : « L'homme sage est exempt de chagrin et de crainte. » Seu ma Gniou dit : « Pour être un sage, suffit il d'être exempt

de chagrin et de crainte ? » Le Maître répondit : « Celui qui, examinant son cœur, ne reconnaît en lui aucune faute, quel chagrin, quelle crainte aurait il ? »

5. Seu ma Gniou dit avec chagrin : « Les autres hommes ont tous des frères ou plus âgés ou moins âgés qu'eux ; je suis le seul qui n'en aie pas. » Tzeu hia répondit : « J'ai entendu dire que la vie et la mort sont soumises aux décrets de la Providence, que les richesses et les honneurs dépendent du Ciel. L'homme sage veille sans cesse sur sa propre conduite ; il est poli, et remplit exactement ses devoirs envers les autres. Entre les quatre mers, tous les hommes sont ses frères. L'homme sage a t il lieu de s'affliger de n'avoir pas de frères ? » *Seu ma Gniou était de la principauté de Soung. Voyant son second frère Hiang T'ouei exciter une révolte contre le prince de Soung, et ses autres frères Tzeu ki et Tzeu kiu prendre part à ce crime, il éprouvait une grande affliction, et disait : « Les autres hommes ont tous des frères ; je suis le seul qui n'en aie pas. »*

6. Tzeu tchang demanda en quoi consiste la perspicacité. Le Maître répondit : « Ne pas admettre les calomnies qui s'insinuent peu à peu dans les esprits, ni les accusations qui font ressentir à ceux qui les écoutent comme la douleur d'une blessure ou d'une piqûre ; cela peut s'appeler perspicacité. Ne pas admettre les insinuations adroites des calomniateurs, ni les plaintes qui font éprouver comme la douleur d'une blessure ou d'une piqûre ; c'est la perspicacité d'un homme qui voit loin. »

7. Tzeu koung interrogea Confucius sur l'administration des affaires publiques. Le Maître répondit : « (Celui qui administre les affaires publiques), doit avoir soin que les vivres ne manquent pas, que les forces militaires soient suffisantes, que le peuple lui donne sa confiance. » Tzeu koung dit : « S'il est absolument nécessaire de négliger une de ces trois choses, laquelle convient il de négliger ? » « Les forces militaires, répondit Confucius. » Et s'il est absolument nécessaire d'en négliger encore une seconde, dit Tzeu koung, quelle sera-t-elle ? « Les vivres, répondit Confucius, car de tout temps les hommes ont été sujets à la mort, mais si le peuple n'a pas confiance en ceux qui le gouvernent, c'en est fait de lui. »

8. Ki Tzeu tch'eng dit : Que le sage ait des vertus solides, cela suffit. Qu'a t il à faire de l'urbanité et de tout ce qui ne servirait que comme d'ornement à sa personne ? Tzeu koung répondit : « C'est bien dommage ! Vous parlez ordinairement, Seigneur, en homme sage, (mais cette fois vous êtes dans l'erreur). Un attelage de quatre chevaux ne saurait aller aussi vite que la langue (et faire rentrer une parole qui a été dite sans avoir été assez pesée). On doit soigner l'extérieur comme l'intérieur, et l'intérieur comme l'extérieur. Une peau de tigre ou de léopard ne se distingue pas d'une peau de chien ou de brebis, quand le poil est raclé. (Enlevez ce qui fait l'ornement extérieur de la personne; l'homme sage ne se distinguera plus de l'homme vulgaire). »

9. Ngai, prince de Lou, dit à Iou jo : « Cette année les récoltes ont manqué ; je n'ai pas assez pour mes dépenses ; que faut il faire ? » Iou jo répondit : « Pourquoi ne percevez vous pas la dixième partie des produits de la terre ? » Le prince dit : « Les deux dixièmes ne me suffisent pas. Comment puis je n'exiger qu'un dixième ? » Iou jo répliqua : « Quand le peuple a le suffisant, le prince ne l'a-t-il pas aussi avec tous ses sujets ? Quand le peuple manque du suffisant, le prince ne manque t il pas aussi du suffisant ? » (Les impôts onéreux rendent la culture impossible, ruinent le peuple et l'État).

10. Tzeu tchang demanda à Confucius ce qu'il fallait faire pour acquérir une grande vertu et pour reconnaître l'erreur. Le Maître répondit : « Le moyen d'acquérir une grande vertu, c'est de s'appliquer principalement à garder la fidélité et la sincérité, et d'observer la justice. Désirer la conservation de ceux que vous aimez et la mort d'un homme dont vous désiriez auparavant la conservation, c'est vous tromper, (car c'est vouloir une chose qui ne dépend pas de vous, mais du Ciel, à savoir, la vie ou la mort de l'homme). »

11. King, prince de Ts'i, interrogea Confucius sur l'art de gouverner. Confucius répondit : « Que le prince remplisse ses devoirs de prince, le sujet ses devoirs de sujet, le père ses devoirs de père, le fils ses devoirs de fils. » « Très bien, dit le prince. En effet, si le prince ne remplit pas ses devoirs de prince, le sujet ses devoirs de sujet, le père ses devoirs de père,

le fils ses devoirs de fils, quand même les grains ne manqueraient pas, pourrais je en avoir pour vivre ? »

12. Le Maître dit : « Iou (Tzeu lou) est homme à terminer un procès en disant un seul mot. » Tzeu lou exécutait ses promesses sans retard. *Tzeu lou était juste, sincère, perspicace, résolu. Dès qu'il dirait un mot, on se soumettait à sa décision avec confiance.*

13. Le Maître dit : « Entendre les plaideurs et rendre la justice, je le puis, tout comme un autre. L'important serait de faire qu'il n'y eût plus de plaideurs. »

14. Tzeu tchang interrogea Confucius sur l'administration. Le Maître répondit : « Il faut appliquer son esprit aux affaires sans relâche, et les traiter avec justice. »

15. Le Maître dit : « Le sage aide les autres à bien faire, mais non à mal faire. L'homme vulgaire tient une conduite tout opposée. »

16. Ki K'ang tzeu interrogea Confucius sur l'art de gouverner. Confucius répondit : « Gouverner ou diriger les hommes, c'est leur faire suivre la voie droite. Si vous-même, Seigneur, marchez à leur tête dans la voie droite, qui osera ne pas la suivre ? »

17. Ki K'ang tzeu était dans l'embarras à cause des voleurs ; il consulta Confucius. Le philosophe lui répondit : « Seigneur, ne soyez ni cupide ni ambitieux, et il n'y aura plus de voleurs, quand même vous encourageriez le vol par des récompenses. »

18. Ki K'ang tzeu, interrogeant Confucius sur la manière de gouverner, lui dit : « Ne ferais je pas bien de mettre à mort les malfaiteurs, afin de rendre le peuple vertueux ? » Confucius répondit : « Pour gouverner le peuple, Seigneur, avez vous besoin de la peine de mort ? Vous même veuillez sérieusement être vertueux, et votre peuple sera vertueux. La vertu du prince est comme le vent ; celle du peuple est comme l'herbe. Au souffle du vent, l'herbe se courbe toujours. »

19. Tzeu tchang demanda à Confucius ce que devait faire le disciple de la sagesse pour mériter d'être appelé illustre. Le Maître dit : « Qu'appelez vous homme illustre ? » Tzeu tchang répondit : « Celui qui a du renom

auprès de son prince, de ses concitoyens, et de tous ses parents. » Le Maître reprit : « Celui-là a du renom, il n'a pas une gloire véritable. Un homme illustre est simple, droit, ami de la justice. Il fait attention aux paroles qu'il entend, et il observe l'air du visage (afin de connaître ce qu'on approuve et ce qu'on désapprouve de lui). Il a soin de se mettre au dessous des autres. Il est illustre auprès de ses concitoyens et de ses parents. Un homme qui a seulement du renom revêt une apparence de vertu, mais ses actions sont opposées à la vertu. Il se flatte d'être vertueux et s'en tient assuré. Il a du renom auprès de ses concitoyens et de ses parents. » (La renommée et la gloire semblent être la même chose, et ne le sont pas. Elles diffèrent entre elles comme le vrai du faux).

20. Fan Tch'eu, accompagnant Confucius dans une promenade au pied de la colline nommée Ou iu, lui dit : « Permettez moi de vous demander comment on peut acquérir une grande vertu, corriger ses défauts, reconnaître ses erreurs. » Le Maître répondit : « Quelle excellente question ! Avoir en vue la pratique plutôt que la possession de la vertu, n'est ce pas le moyen d'acquérir une grande vertu ? Faire la guerre à ses propres défauts, et non à ceux d'autrui, n'est ce pas le moyen de se corriger ? Dans un moment de colère, mettre en danger sa vie et celle de ses parents, n'est ce pas illusion ? »

21. Fan Tch'eu demanda en quoi consiste la vertu d'humanité. « Elle consiste à aimer les hommes, répondit le Maître. » Fan Tch'eu demanda en quoi consiste la prudence. « Elle consiste à connaître les hommes, répondit Confucius. » Fan Tch'eu ne comprenant pas, le Maître dit : « En élevant aux charges les hommes vertueux, et en laissant de côté les méchants, on peut déterminer les méchants à se corriger. » Fan Tch'eu s'étant retiré, alla trouver Tzeu hia, et lui dit : « Tout à l'heure, j'ai été voir le Maître, et lui ai demandé en quoi consiste la prudence. Il m'a répondu : En élevant aux charges les hommes de bien et en écartant les hommes vicieux, on peut déterminer les méchants à se corriger. Que signifient ces paroles ? » Tzeu hia dit : « Ces paroles sont pleines de sens. Chouenn, devenu maître de l'empire, choisit entre tous ses sujets et promut Kao iao ; les méchants s'en allèrent bien loin. T'ang, parvenu à l'em-

pire, choisit entre tous ses sujets et promut I in ; tous les méchants disparurent. »

22. Tzeu koung ayant interrogé Confucius sur l'amitié, le Maître dit : « Avertissez vos amis avec franchise, et conseillez les avec douceur. S'ils n'approuvent pas vos avis, arrêtez ; craignez de vous attirer un affront, (en perdant leur amitié par votre importunité). »

23. Tseng tzeu dit : « Le sage se fait des amis par son érudition, et l'amitié est un moyen de perfection pour lui et pour eux. »

CHAPITRE XIII. TZEU LOU.

1. Tzeu lou interrogea Confucius sur la manière de gouverner le peuple. Le Maître répondit : « Que le prince donne lui-même l'exemple de toutes les vertus, et prête secours au peuple dans ses travaux. » Tzeu lou pria le Maître de lui en dire davantage. Confucius répondit : « Que le prince s'applique sans relâche à faire les deux choses que je viens de dire. »

2. Tchoung koung était grand intendant du chef de la famille Ki. Il interrogea Confucius sur l'administration. Le Maître dit : « Mettez en avant les préfets, c'est à dire ne faites pas tout par vous même, mais servez vous des préfets, qui sont à vos ordres ; pardonnez les fautes légères ; mettez en charge des hommes sages et habiles. » Tchoung koung dit : « Comment connaîtrai-je les hommes sages et habiles, afin de leur confier les charges ? » Confucius répondit : « Mettez en charge ceux que vous connaissez. Quant à ceux que vous ne connaissez pas, est ce que d'autres ne vous les feront pas connaître ? »

3. Tzeu lou dit : « Si le prince de Wei vous attendait pour régler avec vous les affaires publiques, à quoi donneriez vous votre premier soin ? » « A rendre à chaque chose son vrai nom, répondit le Maître. « Est ce raisonnable ? répliqua Tzeu lou. Maître, vous vous égarez loin du but. A quoi bon cette réforme des noms ? » Le Maître répondit : « Que Iou est

grossier ! Un homme sage se garde de dire ou de faire ce qu'il ne sait pas. »

« Si les noms ne conviennent pas aux choses, il y a confusion dans le langage. S'il y a confusion dans le langage, les choses ne s'exécutent pas. Si les choses ne s'exécutent pas, les bienséances et l'harmonie sont négligées. Les bienséances et l'harmonie étant négligées, les supplices et les autres châtiments ne sont pas proportionnés aux fautes. Les supplices et les autres châtiments n'étant plus proportionnés aux fautes, le peuple ne sait plus où mettre la main ni le pied. »

« Un prince sage donne aux choses les noms qui leur conviennent, et chaque chose doit être traitée d'après la signification du nom qu'il lui donne. Dans le choix des noms il est très attentif. » *K'ouai kouei, héritier présomptif de Ling, prince de Wei, honteux de la conduite déréglée et licencieuse de sa mère Nan tzeu, voulut la tuer. N'ayant pas réussi, il s'enfuit. Le prince Ling voulut nommer Ing son héritier. Ing refusa. A la mort du prince Ling, sa femme Nan tzeu nomma Ing héritier de la principauté. Ing refusa de nouveau. Elle donna la principauté à Tche, fils de K'ouai kouei, afin d'opposer le fils au père. Ainsi, Kouai kouei, en voulant tuer sa mère, avait encouru la disgrâce de son père ; et Tche, en prenant l'autorité princière, faisait opposition à son père K'ouai kouei. Tous deux étaient comme des hommes qui n'auraient pas eu de père. Evidemment, ils étaient indignes de régner. Si Confucius avait été chargé du gouvernement, il aurait commencé par corriger les appellations (celui-là seul aurait porté le nom de père ou de fils qui en aurait rempli les devoirs). Il aurait fait connaître au chef de l'empire l'origine et tous les détails de cette affaire ; il l'aurait prié d'ordonner à tous les seigneurs de la contrée de reconnaître Ing pour héritier de la principauté. Dès lors, la loi des relations entre le père et le fils aurait été remise en vigueur. Les noms auraient repris leur véritable signification, la loi naturelle aurait été observée, le langage aurait été exempt d'ambiguïté, et les choses auraient été exécutées.*

4. Fan Tch'eu pria Confucius de lui enseigner l'agriculture. Le Maître répondit : « Un vieux laboureur vous l'enseignerait mieux que moi. » Fan Tch'eu le pria de lui enseigner l'art de cultiver les jardins potagers. Confucius répondit : « Un vieux jardinier vous l'enseignerait mieux que moi. » Comme Fan Tch'eu se retirait, le Maître lui dit : « Que Fan Siu a

l'esprit petit ! Si le prince aime l'urbanité et les convenances, aucun de ses sujets n'osera les négliger. Si le prince aime la justice, aucun de ses sujets n'osera lui refuser l'obéissance. Si le prince aime la sincérité, aucun de ses sujets n'osera agir de mauvaise foi. Les choses étant ainsi, les habitants de toutes les contrées accourront à lui, avec leurs petits enfants sur leurs épaules. Quel besoin a t il d'apprendre l'agriculture ? »

5. Le Maître dit : « Supposons qu'un homme ait appris les trois cents odes du Cheu king ; qu'ensuite, s'il est chargé d'une partie de l'administration, il manque d'habileté ; s'il est envoyé en mission dans les pays étrangers, il soit incapable de répondre par lui-même ; que lui sert toute sa littérature ? »

6. Le Maître dit : « Si le prince est lui-même vertueux, le peuple remplira ses devoirs, sans qu'on le lui commande ; si le prince n'est pas lui-même vertueux, il aura beau donner des ordres, le peuple ne les suivra pas. »

7. Le Maître dit : « Les deux principautés de Lou et de Wei sont sœurs par leur administration, comme par leur origine. » *La principauté de Lou était gouvernée par les descendants de Tcheou koung, et celle de Wei par les descendants de Kang chou. Les deux dynasties descendaient donc de deux frères. Au temps de Confucius, elles étaient en décadence, et les deux pays étaient également troublés.*

8. Le Maître disait que Koung Tzeu king, *tai fou* de la principauté de Wei, était toujours content de l'état de sa maison ; que, quand il commença à posséder quelque chose, il disait : « J'ai amassé un peu ; » que, quand il eut des ressources suffisantes, il disait : « Je suis presque au comble de l'opulence ; » que, quand il fut devenu riche, il disait : « Je suis presque dans la splendeur. »

9. Le Maître alla dans la principauté de Wei avec Jen Iou, qui conduisait sa voiture. Le Maître dit : « Que les habitants sont nombreux ! » Maintenant qu'ils sont nombreux, dit Jen Iou, que faut il faire pour eux ? Le Maître répondit : « Les rendre riches. » Jen Iou reprit « Quand ils seront devenus riches, que faudra t il faire de plus pour eux ? » « Les instruire, répondit Confucius. »

10. Le Maître dit : « Si un prince me chargeait de l'administration des affaires publiques, au bout d'un an, elle serait assez bien réglée ; au bout de trois ans, elle serait parfaite. »

11. Le Maître dit : « Si des princes vertueux se succédaient sur le trône durant cent ans, (a dit un poète), ils parviendraient à corriger les hommes les plus scélérats, et à ne plus appliquer la peine de mort. Que ces paroles sont véritables ! »

12. Le Maître dit : « S'il paraissait un souverain vraiment digne de ce nom, au bout de trente ans, la vertu fleurirait partout. »

13. Le Maître dit : « Si un homme sait se gouverner lui-même, quelle difficulté aura-t-il à gouverner l'État ? Mais celui qui ne sait pas se gouverner lui-même, comment pourra-t-il gouverner les autres ? »

14. Jen Iou revenant du palais, le Maître lui dit : « Pourquoi revenez vous si tard ? » Jen Iou répondit : « Les affaires publiques m'ont retenu. » Le Maître répliqua : « Vous avez été retenu par les affaires particulières de ce (Ki suenn qui, simple *tai fou* , gouverne en maître la principauté de Lou). S'il y avait eu des affaires publiques, quoique je ne sois plus en charge, j'aurais été appelé à la délibération. »

15. Ting, prince de Lou, demanda à Confucius s'il existait une sentence qu'il suffît de suivre pour gouverner parfaitement. Confucius répondit : « Une sentence ne peut avoir une si grande portée. On dit communément qu'il est malaisé d'être bon souverain, qu'il n'est pas facile d'être bon ministre d'État. Si un prince comprenait bien la difficulté de régner, (il userait d'une extrême vigilance) ; cette seule sentence ne lui serait elle pas presque suffisante pour régler parfaitement son administration ? »

Le prince Ting dit : « Existe-t-il une maxime telle que, si un prince la met en pratique, il perdra ses États ? » Confucius répondit : « Une maxime ne peut avoir une si grande portée. On dit communément : Je ne trouve pas d'agrément dans l'exercice du pouvoir ; une seule chose me plaît, c'est que, quand je parle, per-sonne ne me contredit. Si le prince parle bien, et que personne ne le contredise, ne sera ce pas bien ? Mais s'il parle mal, et que personne ne le contredise, ce seul mauvais principe ne le mettra t il pas en danger de perdre la souveraineté ? »

16. Le prince de Che interrogea Confucius sur la manière de gouverner. Le Maître répondit : « Si ceux qui vivent près du prince sont contents, si ceux qui sont loin viennent d'eux mêmes, (le gouvernement est bien réglé). »

17. Tzeu hia, étant préfet de Kiu fou, interrogea Confucius sur l'administration des préfectures. Le Maître dit : « Ne vous hâtez pas trop ; ne recherchez pas les petits avantages. Qui se hâte n'atteint pas loin ; qui poursuit de petits avantages, néglige les grandes choses. »

18. Le prince de Che dit à Confucius : « Dans mon pays il est des hommes qui font profession de droiture. Parmi eux, si un père vole une brebis, son fils rend témoignage contre lui. » Confucius répondit : « Dans mon pays, les hommes droits agissent autrement. Le père cache les fautes de son fils, et le fils celles de son père. Cette conduite n'est pas opposée à la droiture. »

19. Fan Tch'eu interrogea Confucius sur la vertu parfaite. Le Maître répondit : « Quand vous êtes seul à la maison, veillez sur vous même ; dans le maniement des affaires, soyez diligent ; soyez de bonne foi avec tout le monde. Fussiez vous au milieu des tribus barbares, il ne vous serait pas permis de négliger l'une de ces trois choses. »

20. Tzeu koung demanda ce qu'à fallait faire pour mériter d'être appelé disciple de la sagesse. Le Maître répondit : « Celui-là mérite d'être appelé disciple de la sagesse qui dans sa conduite privée a de la pudeur et, dans les missions qui lui sont confiées en pays étrangers, ne déshonore pas le prince qui l'a envoyé. »

Tzeu koung dit : « Permettez moi de vous demander quel est celui qui vient immédiatement après le disciple de la sagesse. » « C'est, répondit Confucius, celui dont la piété filiale est attestée par tous les membres de la famille, et dont le respect pour les aînés et les supérieurs est loué par tous les habitants du bourg et tous les voisins. » Tzeu koung dit : « Permettez-moi de vous demander quel est celui qui vient au troisième rang. » Confucius répondit : « Un homme sincère dans ses paroles, obstiné dans ses actions, est sans doute un homme opiniâtre, vulgaire ; cependant il peut être placé au troisième rang. »

Tzeu koung dit : « Que faut il penser de ceux qui administrent à présent les affaires publiques ? » Le Maître répondit : « Hélas ! ce sont des hommes d'un esprit étroit. Méritent-ils d'être comptés pour quelque chose ? »

21. Le Maître dit : « Comme je ne trouve pas de disciples capables de se tenir constamment dans le juste milieu, je cherche des hommes qui aient de hautes aspirations, bien qu'ils soient incapables d'arriver si haut, ou des hommes qui, sans être très intelligents, ont l'amour du devoir. Les premiers avancent dans la vertu, et suivent les exemples et les enseignements des sages. Les seconds s'abstiennent de mal faire. »

22. Le Maître dit : « Les habitants du midi disent communément qu'un homme inconstant ne peut pas même devenir habile devin ou bon médecin. Cet adage est très vrai. (On lit dans le I king) : « Celui qui manque de constance sera la risée des autres. » Le Maître dit : « On ne réfléchit pas sur ces paroles, et de là vient tout le mal. »

23. Le Maître dit : « Le sage est accommodant avec tout le monde, mais il n'a pas de complaisance coupable. L'homme vulgaire est complaisant pour le mal, et n'est pas accommodant avec tous. »

24. Tzeu koung demanda ce qu'il fallait penser d'un homme qui est aimé de tous les habitants de son pays. Le Maître répondit : « Cela ne prouve pas suffisamment sa vertu. » Tzeu koung reprit : « Que faut-il penser d'un homme en butte à la haine de tous les habitants de son pays ? » Le Maître répondit : « Ce n'est pas une preuve certaine de sa vertu. On pourrait à plus juste titre estimer vertueux celui qui dans son pays est aimé de tous les hommes de bien et haï de tous les hommes vicieux. »

25. Le Maître dit : « Il est aisé de servir l'homme sage, mais difficile de lui plaire. Si l'on cherche à gagner ses bonnes grâces par une voie peu louable, on n'y réussira pas. Pour ce qui est du service qu'il demande, il considère les aptitudes, (exige de chacun ce qu'il y a lieu d'en attendre, et il est toujours content). Il est difficile de servir l'homme vulgaire, et facile de lui plaire. Si l'on cherche à lui plaire même par des voies peu louables,

on lui plaira. Mais, dans ceux qui sont à son service, il exige la perfection. »

26. Le Maître dit : « Le sage est calme, et n'est pas orgueilleux. L'homme vulgaire est orgueilleux, et n'est pas calme. »

27. Le Maître dit : « Un homme courageux, ou constant, ou simple dans ses manières, ou réservé dans ses paroles, arrivera aisément à la perfection. »

28. Tzeu lou pria Confucius de lui dire ce que doit être un disciple de la sagesse. Le Maître répondit : « Celui qui est dévoué, zélé pour exciter les autres à cultiver la vertu, affable et prévenant dans ses manières, mérite le nom de disciple de la sagesse. Il est dévoué à ses amis et les excite à la pratique de la vertu ; il est affable envers ses frères. »

29. Le Maître dit : « Si un homme vertueux formait le peuple à la vertu pendant sept ans, on pourrait ensuite en tirer des soldats pour la guerre. »

30. Confucius dit : « Conduire le peuple à la guerre, avant de l'avoir formé à la vertu, c'est le mener à sa perte. »

CHAPITRE XIV. HIEN WENN.

1. Ien (Tzeu seu) pria Confucius de lui dire de quoi l'on devait avoir honte. Le Maître répondit : « On doit avoir honte de recevoir un traitement d'officier sous un bon gouvernement (si l'on ne rend aucun service), ou de le recevoir (de remplir une charge) sous un mauvais gouvernement. »

2. (Tzeu Seu dit) : « Un homme qui réprime ses désirs de prévaloir ou de se vanter, ses sentiments d'aversion, sa cupidité, doit il être considéré comme parfait ? » Le Maître répondit : « La répression des passions doit être considérée comme une chose difficile ; mais, à mon avis, ce n'est pas la perfection. »

3. Le Maître dit : « Un disciple de la sagesse qui recherche le bien-être n'est pas un véritable disciple de la sagesse. »

4. Le Maître dit . « Sous un gouvernement bien réglé, parlez franchement et agissez ouvertement (même au péril de vous attirer des inimitiés) ; sous un gouvernement mal réglé, agissez ouvertement, mais modérez votre langage. »

5. Le Maître dit : « Un homme vertueux a certainement de bonnes paroles sur les lèvres ; un homme qui a de bonnes paroles sur les lèvres peut n'être pas vertueux. Un homme parfait est certainement courageux ; un homme courageux peut n'être pas parfait. »

6. Nan Koung kouo (ou Nan Ioung) dit à Confucius : « I était un archer très habile ; Ngao poussait lui seul un navire sur la terre ferme. Tous deux (malgré cette habileté, cette force), ont péri de mort violente. Iu et Heou Tsi ont cultivé la terre de leurs propres mains ; cependant (à cause de leur vertu), ils ont obtenu l'empire. » Le Maître ne répondit pas ; mais, lorsque Nan Koung kouo se fut retiré, il dit de lui : « Cet homme est un sage ; cet homme met la vertu au dessus de tout. » *Chouenn légua l'empire à Iu. Les descendants de Heou tsi l'obtinrent à leur tour en la personne de Ou Wang, prince de Tcheou.*

7. Le Maître dit : « On trouve des disciples de la sagesse qui ne sont pas parfaits ; on n'a jamais vu un homme sans principes qui fût parfait. »

8. Le Maître dit : « Un père qui aime son fils peut-il ne pas lui imposer des exercices pénibles ? Un ministre fidèle peut-il ne pas avertir son prince ? »

9. Le Maître dit : « Quand il fallait écrire une lettre au nom du prince, Pi Chenn en composait le brouillon ; Cheu chou en examinait avec soin le contenu ; Tzeu iu, qui présidait à la réception des hôtes, corrigeait et polissait le style ; Tzeu tch'an, de Toung li lui donnait une tournure élégante. » *Ces quatre hommes étaient grands préfets dans la principauté de Tcheng. Quand le prince de Tcheng avait des lettres à écrire, elles passaient toutes successivement par les mains de ces quatre sages, qui les méditaient et les examinaient avec le plus grand soin, chacun d'eux déployant son talent particulier. Aussi, dans les réponses envoyées aux princes, on trouvait rarement quelque chose à reprendre.*

10. Quelqu'un ayant demandé à Confucius ce qu'il pensait de Tzeu tch'an, le Maître répondit : « C'est un homme bienfaisant. » Le même lui ayant demandé ce qu'il pensait de Tzeu si, il dit : « Oh ! celui-là ! celui-là ! (ne m'en parlez pas). » Le même lui ayant demandé ce qu'il pensait de Kouan tchoung, il répondit : « C'était un homme si vertueux que, le prince de Ts'i lui ayant donné la ville de P'ien qui comptait trois cents familles, le chef de la famille Pe, dépouillé de ce domaine et réduit à se contenter d'une nourriture grossière, n'eut jamais un mot d'indignation contre lui. » *Tzeu si, fils du prince de Tch'ou, s'appelait Chenn. Il refusa la dignité de prince de Tchou, la fit donner au prince Tchao, et réforma l'administration publique. Il fut un sage et habile tai fou. Mais il ne sut pas faire supprimer le titre de Wang, que le prince de Tch'ou s'était arrogé. Le prince Tchao voulut mettre en charge Confucius. Tzeu si l'en détourna et l'en empêcha.*

11. Le Maître dit : « Il est plus difficile de se défendre du chagrin dans la pauvreté que de l'orgueil dans l'opulence. »

12. Le Maître dit : « Meng koung Tch'o, (*tai fou* de la principauté de Lou), excellerait dans la charge d'intendant de la maison de Tchao ou de Wei ; il ne serait pas capable de remplir la charge de *tai fou* dans la principauté de T'eng ou de Sie. »

13. Tzeu lou pria Confucius de lui dire ce que c'est qu'un homme parfait. Le Maître répondit : « Celui qui aurait la prudence de Tsang Ou tchoung, l'intégrité de Koung tch'o, le courage de Tchouang tzeu, préfet de Pien, l'habileté de Jen K'iou, et qui de plus cultiverait les cérémonies et la musique, pourrait être regardé comme un homme parfait. » Confucius ajouta : « A présent, pour être un homme parfait, est il nécessaire de réunir toutes ces qualités ? Celui qui, en présence d'un profit à retirer, craint de violer la justice, qui, en face du danger, s'offre lui-même à la mort, qui, même après de longues années, n'oublie pas les engagements qu'il a pris dans le cours de sa vie ; celui-là peut aussi être considéré comme un homme parfait. »

14. Le Maître, parlant de Koung chou Wenn tzeu (tai fou de la principauté de Wei) à Koung ming Kia (qui était de la même principauté), lui dit : « Est il vrai que votre maître ne parle pas, ne rit pas et n'accepte

rien ? » Koung ming Kia répondit : « Ceux qui lui ont fait cette réputation ont exagéré. Mon maître parle, quand il est temps de parler, et ses paroles ne fatiguent personne. Il rit, quand il est temps de se réjouir, et son rire ne déplaît à personne. Il accepte, quand la justice le permet, et personne n'y trouve à redire. » Le Maître reprit : « Est ce vrai ? Cela peut il être vrai (sa vertu est-elle si parfaite) ? »

15. Le Maître dit : « Tsang Ou tchoung, maître du pays de Fang, a demandé au prince de Lou de lui constituer un héritier et un successeur de sa propre famille. Il a beau dire qu'il n'a pas fait violence à son prince, je n'ajoute pas foi à son affirmation. » *Tsang Ou tchoung, nommé Ho, était grand préfet dans la principauté de Lou Fang, domaine ou fief qui avait été constitué par le prince de Lou et donné à Ou tchoung. Ou tchoung, ayant offensé le prince de Lou, se réfugia dans la principauté de Tchou. Mais, après, il revint de Tchou à Fang et députa au prince de Lou des envoyés pour lui présenter d'humbles excuses, le prier de lui constituer un successeur de sa propre famille et lui promettre de se retirer ensuite. En même temps il laissait voir que, s'il n'obtenait par sa demande, redevenu possesseur de son fief, il se mettrait en révolte. C'était faire violence à son prince.*

16. Le Maître dit : « Wenn, prince de Tsin, était fourbe et manquait de droiture ; Houan, prince de Ts'i, était plein de droiture et sans duplicité. »

17. Tzeu lou dit : « Houan, prince de Ts'i, tua le prince Kiou . Chao Hou ne voulut pas survivre au prince Kiou (son frère puîné, qui lui avait disputé la principauté. Parmi les partisans de Kiou étaient Chao Hou et Kouan Tchoung). Kouan Tchoung ne se donna pas la mort. Il me semble que sa vertu n'a pas été parfaite. » Le Maître répondit : « Le prince Houan réunit sous son autorité tous les princes feudataires, sans employer ni armes ni chariots de guerre ; ce fut l'œuvre de Kouan Tchoung. Quel autre fut aussi parfait que lui, (quel autre rendit autant de services à son pays) ? »

18. Tzeu koung dit : « Kouan Tchoung n'a pas été parfait, ce semble. Le prince Houan ayant tué le prince Kiou, Kouan Tchoung n'a pas eu le courage de se donner la mort ; de plus, il a servi le prince Houan. » Le Maître répondit : « Kouan Tchoung aida le prince Houan à établir son autorité sur tous les princes. Il a réformé le gouvernement de tout l'em-

pire, et jusqu'à présent le peuple jouit de ses bienfaits. Sans Kouan Tchoung, nous aurions les cheveux épars et le bord de la tunique fixé au côté gauche (comme les barbares, dont nous imiterions les mœurs et les usages). Devait il montrer sa fidélité (au prince Kiou) comme un homme vulgaire, s'étrangler lui-même dans un fossé ou un canal et se dérober à la connaissance de la postérité ? »

19. L'intendant de la maison du tai fou Koung chou Wenn tzeu, Tchouen, qui fut lui-même plus tard *tai fou*, montait au palais du prince avec son maître (comme s'ils avaient été de même rang, le maître le voulant ainsi, afin d'honorer la sagesse de son intendant). Le Maître l'ayant appris, dit : « Koung chou est vraiment *Wenn* un homme d'un esprit cultivé. »

20. Le Maître ayant dit que Ling, prince de Wei, ne s'appliquait pas à faire régner la vertu, Ki K'ang tzeu demanda comment il n'avait pas encore perdu ses États. Confucius répondit : « Tchoung chou Iu est chargé de recevoir les hôtes et les étrangers ; T'ouo dirige les cérémonies et prend la parole dans le temple des ancêtres ; Wang suenn Kia s'occupe de l'armée. Comment perdrait-il ses États ? »

21. Le maître dit : « Celui qui ne craint pas de promettre de grandes choses a de la peine à les exécuter. »

22. Tchenn Tch'eng tzeu avait mis à mort le prince Kien. Confucius, après s'être lavé la tête et le corps, alla au palais informer Ngai, prince de Lou. « Tch'enn Heng, dit il, a tué son prince ; je vous prie de le faire châtier. » Le prince répondit : « Adressez vous à ces trois grands seigneurs. » Confucius se dit en lui-même : « Parce que (j'ai éta *tai fou*, et que) j'ai encore rang parmi les *tai fou*, je n'aurais pas osé me dispenser d'avertir. Le prince me répond de m'adresser à ces trois seigneurs ! » Confucius alla faire son rapport aux trois grands seigneurs, qui rejetèrent sa demande. Il leur dit : « Parce que j'ai encorc rang parmi les *tai fou*, je n'aurais pas osé ne pas avertir. » *Trois ministres, chefs de trois grandes familles, s'étaient arrogé tout le pouvoir et gouvernaient en maîtres la principauté de Lou. Le prince n'était pat libre de décider par lui-même. Il répondit* à Confucius : « Vous pouvez vous adres-

ser à ces trois grands seigneurs. » C'étaient les chefs des trois grandes familles Meng suenn, Chou suenn et Ki suenn.

23. Tzeu lou demanda comment un sujet devait servir son prince. Le Maître répondit : « Il doit éviter de le tromper et ne pas craindre de lui résister, (s'il agit mal). »

24. Le Maître dit : « Le sage tend toujours en haut ; un homme sans principes tend toujours en bas. »

25. Le Maître dit : « Anciennement, on s'appliquait à l'étude de la sagesse pour devenir vertueux ; à présent, on s'y livre pour acquérir l'estime des hommes. »

26. K'iu Pe iu envoya saluer Confucius. Le philosophe (par honneur pour K'in Pe iu), invita le messager à s'asseoir, et lui demanda à quoi son maître s'appliquait. « Mon maître, répondit-il, désire diminuer le nombre de ses fautes, et il n'y parvient pas. » Quand l'envoyé se fut retiré, le Maître dit : « O le sage messager ! O le sage messager ! » *K'iu Pe ia, nommé Iuen, était grand préfet dans la principauté de Wei. Confucius avait reçu l'hospitalité dans sa maison. Lorsqu'il fut de retour dans le pays de Lou, Pe iu lui envoya un messager. Pe iu s'examinait lui-même et travaillait à soumettre ses passions, comme s'il craignait sans cesse de ne pouvoir y parvenir. On peut dire que l'envoyé connaissait à fond le cœur de ce sage, et qu'il remplit bien ton mandat. Aussi Confucius dit deux fois : « O le sage messager ! » pour marquer son estime.*

27. Le Maître dit : « Ne vous mêlez pas des affaires publiques dont vous n'avez pas la charge. »

28. Tseng tzeu dit : (On lit dans le I king) : « Les pensées, les projets du sage restent toujours dans les limites de son devoir, de sa condition. »

29. Le Maître dit : « Le sage est modeste dans ses paroles, et il fait plus qu'il ne dit, c'est à dire sa conduite est toujours au dessus de ses préceptes. »

30. Le Maître dit : « Le sage pratique trois vertus, qui me font défaut : parfait, il ne s'afflige de rien ; prudent, il ne tombe pas dans l'erreur ; courageux, il n'a point de crainte. » Tzeu koung dit : « Maître, c'est vous qui le dites, (à cause de votre excessive modestie). »

31. Tzeu koung s'occupait à juger les autres. Le Maître dit : « Seu (Tzeu koung) est donc déjà un grand sage ! Moi, je n'ai pas le temps (de juger les autres ; je m'applique tout entier à me juger et à me corriger moi-même). »

32. Le Maître dit : « Le sage ne s'afflige pas de n'être pas connu des hommes, mais de n'être pas capable de pratiquer parfaitement la vertu. »

33. Le Maître dit : « Celui-là n'est-il pas vraiment sage, qui ne présume pas d'avance que les hommes ou chercheront à le tromper ou seront en défiance contre lui ; mais qui cependant découvre les ruses et les défiances des autres, aussitôt qu'elles existent ? »

34. Wei cheng Meou dit à Confucius : « K'iou, pourquoi enseignez vous avec tant d'assiduité ? Et, pour captiver vos auditeurs, n'avez vous pas recours aux artifices du langage ? » Confucius répondit : « Je ne me permettrais pas de faire le beau parleur ; mais je hais l'opiniâtreté (de ceux qui n'ont pas à cœur de se rendre utiles aux autres). »

35. Le Maître dit : « Dans un excellent cheval, ce qu'on estime, ce n'est pas tant la force que la douceur. »

36. Quelqu'un dit : « Que faut il penser de celui qui rend le bien pour le mal ? » Le Maître répondit : « (Si vous rendez le bien pour le mal), que rendrez vous pour le bien ? Il suffit de répondre à l'injustice par la justice et de rendre le bien pour le bien. »

37. Le Maître dit : « Personne ne me connaît. » Tzeu koung dit : « Maître, pourquoi dites vous que personne ne vous connaît ? » Le Maître reprit : « Je ne me plains pas du Ciel et n'accuse pas les hommes. je m'applique à l'étude de la sagesse, commençant par les principes fondamentaux, et avançant par degrés. Celui qui me connaît, n'est ce pas le Ciel ? » (Les hommes n'estiment pas une vertu qui croît peu à peu et ne cherche pas à briller).

38. Koung pe Leao (de la principauté de Lou), avait parlé mal de Tzeu lou à Ki suenn, (dont Tzeu lou était l'intendant. Il voulait par ce moyen faire obstacle à Confucius). Tzeu fou King pe en informa Confucius et lui dit : « Ki suenn a conçu des soupçons contre Tzeu lou par suite des

accusations de Koung pe Leao. Je suis assez puissant pour obtenir que cet accusateur soit (mis à mort et son cadavre) exposé dans la place publique ou la cour du palais. » Le Maître répondit : « Si ma doctrine doit suivre sa voie, c'est que le Ciel l'a décidé. Si elle doit être arrêtée dans sa marche, c'est que le Ciel le veut. Que peut faire Koung pe Leao contre les décrets du Ciel ? »

39. Le Maître dit : « Parmi les sages, plusieurs vivent retirés du monde, les uns à cause de la corruption des mœurs ; les autres, d'une vertu moins parfaite, à cause des troubles de leur pays ; d'autres, encore moins parfaits, à cause du manque d'urbanité ; d'autres, d'une vertu encore inférieure, à cause du désaccord dans les opinions. »

40. Le Maître dit : De nos jours, sept sages se sont retirés dans la vie privée (On ne connaît pas leurs noms).

41. Tzeu lou passa une nuit à Chenn menn (dans le pays de Ts'i). Le gardien de la porte (qui était un sage) lui dit : « D'où venez vous ? » « De l'école de Confucius, répondit Tzeu lou. » « C'est, reprit le gardien, un homme qui s'applique à faire une chose qu'il sait être impossible (à réformer les mœurs). »

42. Le Maître, dans la principauté de Wei, jouait d'un instrument de musique composé de pierres sonores, (exprimant par des sons plaintifs la douleur que lui causait l'état malheureux de la société). Un lettré, (qui demeurait dans la vie privée), venant à passer devant la porte du philosophe, avec une corbeille sur les épaules, dit : « Les sons de son instrument font connaître qu'il aime beaucoup les hommes. » Peu après il ajouta : « Quelle aveugle opiniâtreté (de vouloir réformer la société) ! Personne ne le connaît (n'estime sa doctrine). Qu'il cesse donc d'enseigner, et voilà tout. (Le sage demeure dans la retraite ou se montre en public selon les circonstances, conformément à cet enseignement du Cheu king) : « Si le gué est profond, je le traverserai les jambes nues ; s'il ne l'est pas, je relèverai mes vêtements seulement jusqu'aux genoux. » Le Maître dit : « Qu'il est cruel (cet homme qui demeure dans la vie privée, et n'a pas compassion des autres) ! Son genre de vie n'a rien de difficile. »

43. Tzeu tchang dit : « Les Annales rapportent que l'empereur Kao tsoung (à la mort de son père) se retira dans une cabane, où il demeura sans parler durant trois ans. Que signifie cette cérémonie ? » Le Maître répondit : « Qu'est il besoin de citer Kao tsoung ? Tous les anciens faisaient la même chose. Quand un souverain mourait, (son successeur gardait le deuil et s'abstenait de parler) ; les officiers remplissaient leurs fonctions sous la direction du premier ministre pendant trois ans. » *La cabane où l'empereur passait les trois années de deuil s'appelait* leang ngan, *parce qu'elle était tournée au nord et ne recevait pas les rayons du soleil.*

44. Le Maître dit : « Si le prince aime à garder l'ordre fixé par les lois et les usages, le peuple est facile à diriger. »

45. Tzeu lou demanda ce que c'est qu'un vrai disciple de la sagesse. Le Maître répondit : « Un disciple de la sagesse se perfectionne en veillant attentivement sur lui-même. » « Cela suffit il ? reprit Tzeu lou. » Confucius répondit : « Il se perfectionne lui-même, puis il travaille à la perfection et à la tranquillité des autres. » « Est ce tout ? » demanda Tzeu lou. » Confucius dit : « Il se perfectionne lui-même, ensuite il fait régner la vertu et la paix parmi le peuple. Se perfectionner soi-même, faire régner la vertu et la paix parmi le peuple, c'est ce que Iao et Chouenn eux mêmes trouvaient très difficile, et croyaient être au dessus de leurs forces. »

46. Iuen Jang attendait Confucius en se tenant accroupi. Le Maître lui dit : « Quand vous étiez jeune, vous ne respectiez pas ceux qui étaient plus âgés que vous. Devenu grand, vous n'avez rien fait de louable. Devenu vieux, vous ne mourez pas. Vos exemples sont très nuisibles. » Confucius avec son bâton lui frappa légèrement les jambes.

47. Confucius employait au service des hôtes et des visiteurs un enfant du village de K'iue tang. Quelqu'un demanda s'il faisait des progrès (dans l'étude de la sagesse). Le Maître répondit : « Je le vois prendre place parmi les hommes faits, et marcher côte à côte avec ceux qui sont plus âgés que lui. Il ne cherche pas à progresser peu à peu ; mais il voudrait être parfait tout de suite. »

CHAPITRE XV. WEI LING KOUNG.

1. Ling, prince de Wei, interrogea Confucius sur l'art de ranger les armées en bataille. Confucius répondit : « On m'a enseigné la manière de ranger les supports et les vases de bois pour les sacrifices ; je n'ai pas appris à commander les armées. » Confucius, (voyant que le prince était peu dis¬posé à étudier la sagesse), s'en alla dès le lendemain. Dans la principauté de Tch'enn, (il fut assiégé durant sept jours, par ordre du prince), les vivres lui manquèrent. Ses compagnons étaient affaiblis par la faim ; aucun d'eux n'avait plus la force de se lever. Tzeu lou indigné se présenta devant lui et dit : « Le sage est il aussi exposé à manquer de tout ? » « Le sage, répondit le Maître, demeure constant et courageux dans la détresse. Un homme vulgaire, dans la détresse, ne connaît plus aucune loi. »

2. Le Maître dit : « Seu, me considérez vous comme un homme qui a beaucoup appris et beaucoup retenu ? » « Oui, répondit Tzeu koung. Suis je dans l'erreur ? » « Vous êtes dans l'erreur, reprit Confucius. (Je n'ai étudié qu'une seule chose, à savoir, la nature de mes facultés intellectuelles et morales ; une seule chose me donne l'intelligence de tout. »

3. Le Maître dit : « Iou, peu d'hommes connaissent la vertu. » *Celui qui ne la possède pas ne peut en connaître ni la nature ni les charmes.*

4. Le Maître dit : « Chouenn était un prince qui, presque sans avoir besoin de rien faire, maintenait l'empire dans un ordre parfait. Que faisait il ? Il veillait attentivement sur lui-même et se tenait gravement le visage tourné vers le midi. »

5. Tzeu tchang demanda quel était le moyen d'agir (d'exercer une action, une influence) sur les autres hommes. Le Maître répondit : « Un homme sincère et véridique dans ses paroles, prudent et circonspect dans ses actions, aura de l'influence, même au milieu des barbares du midi ou du septentrion. Un homme qui n'est ni sincère ni véridique dans ses paroles, ni prudent ni circonspect dans ses actions, aura-t-il quelque influence, même dans une ville ou un village ? Quand vous êtes debout, voyez par la pensée ces quatre vertus (la sincérité, la véracité, la prudence

et la circonspection) se tenant auprès de vous, devant vos yeux. Quand vous êtes en voiture, contemplez les assises sur le joug. Par ce moyen, vous acquerrez de l'influence. » Tzeu tchang écrivit sur sa ceinture ces paroles du Maître.

6. Le Maître dit : « Combien la droiture de l'historiographe Iu est admirable ! Que le gouvernement soit bien ou mal réglé, il suit toujours le droit chemin, comme une flèche. Que K'iu Pe iu est sage ! Quand le gouvernement est bien réglé, il exerce une charge. Quand le gouvernement est mal réglé, il sait se retirer et tenir sa vertu cachée. » *L'historiographe était un annaliste officiel. Iu était* tai fou *dans la principauté de Wei ; il s'appelait Ts'iou. Après sa mort, devenu cadavre, il donna encore des avis à son prince. Malade et sur le point de mourir, il dit à ton fils : « A la cour du prince, je n'ai pu obtenir que les charges fussent confiées aux hommes sages et refusées aux hommes vicieux. Après ma mort, il ne faudra pas faire les cérémonies funèbres. Il suffira de déposer mon corps dans la salle qui est au nord. » Le prince, étant allé faire les lamentations ordinaires, demanda la raison de cette singularité. Le fils du défunt répondit avec un accent de douleur profonde : « Mon père l'a ainsi ordonné. » « Je suis en faute », dit le prince. Aussitôt il ordonna de revêtir le corps du défunt dans l'endroit où l'on rendait cet honneur à ses hôtes. Puis, il mit en charge Kiu Pe iu et éloigna Mi tzeu hia (son indigne ministre).*

7. Le Maître dit : Si vous refusez d'instruire un homme qui a les dispositions requises, vous perdez un homme, c'est à dire vous laissez dans l'ignorance un homme que vous pourriez rendre vertueux et sage. Si vous enseignez un homme qui n'a pas les dispositions nécessaires, vous perdez vos instructions. Un homme prudent ne perd ni les hommes ni ses enseignements. »

8. Le Maître dit : « Un homme qui est parfait ou résolu à le devenir ne cherche jamais à sauver sa vie au détriment de sa vertu. Il est des circonstances où il sacrifie sa vie, et met ainsi le comble à sa vertu. »

9. Tzeu koung demanda ce qu'il fallait faire pour devenir parfait. Le Maître répondit : « L'ouvrier qui veut bien faire son travail doit commencer par aiguiser ses instruments. (Ainsi, celui qui veut se rendre parfait doit d'abord chercher des secours auprès des autres). Dans la contrée où

il demeure, qu'il se mette au service des *tai fou* les meilleurs ; qu'il contracte amitié avec les hommes les plus parfaits. »

10. Ieu Iuen demanda à Confucius ce qu'il fallait faire pour bien gouverner un État. Le Maître répondit : L'empereur doit suivre le calendrier des Hia, (d'après lequel l'année commençait, comme sous les Ts'ing, au deuxième mois lunaire après le solstice d'hiver). Il doit adopter la voiture des In, (parce qu'elle était simple) et porter dans les cérémonies le bonnet des Tcheou, (parce qu'il est très orné). Il doit faire exécuter les chants de Chouenn (parce qu'ils portent à la vertu). Il doit bannir les chants de la principauté de Tcheng et écarter les beaux parleurs. Les chants de Tcheng sont obscènes ; les beaux parleurs (les flatteurs) sont dangereux. »

11. Le Maître dit : « Celui dont la prévoyance ne s'étend pas loin sera bientôt dans l'embarras. »

12. Le Maître dit : « Faut il donc désespérer ? Je n'ai pas encore vu un homme qui aimât la vertu autant qu'on aime une belle apparence. »

13. Le Maître dit : « Tsang Wenn tchoung, (ministre du prince de Lou), n'usa-t-il pas de sa dignité comme un voleur, (lui qui chercha son intérêt et non celui de l'État) ? Il connut la sagesse de Houei de Liou hia et ne le demanda pas pour collègue à la cour du prince. » *Houei de Liou hia était Tchen Houe, nommé K'in, grand préfet de Lou. Il tirait ses appointements de la ville de Liou hia. Il reçut le nom posthume de Houei, qui signifie Bienfaisant.*

14. Le Maître dit : « Celui qui se reproche sévèrement ses fautes à lui-même et reprend les autres avec indulgence évite les mécontentements. »

15. Le Maître dit : « Je n'ai rien à faire pour celui qui ne demande pas : Comment ferai-je ceci ? comment ferai-je cela (car il n'a pas un vrai désir d'apprendre) ? »

16. Confucius dit : « Ceux qui se réunissent en troupe et demeurent ensemble toute la journée, qui ne disent rien de bon et veulent suivre les lumières trompeuses de leur propre prudence, quelle difficulté n'auront ils pas ! » *Ils ne peuvent pas entrer dans la voie de la vertu ; ils auront des chagrins et des peines.*

17. Le Maître dit : « Le sage prend la justice pour base ; il la pratique d'après les règles établies par les anciens ; il la fait paraître modestement ; il la garde toujours sincèrement. Un tel homme mérite le nom de sage. »

18. Le Maître dit : « Le sage s'afflige de ne pouvoir pratiquer la vertu parfaitement. il ne s'afflige pas de n'être pas connu des hommes. »

19. Le Maître dit : « Le sage ne veut pas mourir qu'il ne se soit rendu digne d'éloge. »

20. Le Maître dit : « Le sage attend tout de ses propres efforts ; l'homme vulgaire attend tout de la faveur des autres. »

21. Le Maître dit : « Le sage est maître de lui-même et n'a de contestation avec personne ; il est sociable, mais n'est pas homme de parti. »

22. Le Maître dit : « Le sage n'élève pas un homme aux charges uniquement parce qu'il l'a entendu bien parler ; et il ne rejette pas une bonne parole parce qu'elle a été dite par un méchant homme. »

23. Tzeu koung demanda s'il existait un précepte qui renfermât tous les autres, et qu'on dût observer toute la vie. Le Maître répondit : « N'est ce pas le précepte d'aimer tous les hommes comme soi-même ? Ne faites pas à autrui ce que vous ne voulez pas qu'on vous fasse à vous même. »

24. Le Maître dit : « Quel est celui que j'ai blâmé ou loué avec excès ? Si je loue trop quelqu'un, c'est que j'ai reconnu (qu'il se rendra digne des éloges que je lui donne, et je ne le loue que pour l'encourager). Notre peuple est encore celui que les empereurs des trois dynasties ont traité avec la plus grande justice. (Les empereurs ont récompensé et puni selon la justice ; à leur exemple, je donne à chacun l'éloge ou le blâme qu'il a mérité). »

25. Le Maître dit : « Dans mon enfance, j'ai encore pu voir un historiographe qui n'écrivait rien dont il ne fût certain, un homme riche qui prêtait à d'autres ses chevaux. A présent on n'en voit plus. » (Chaque prince avait des historiographes).

26. Le Maître dit : « Les beaux discours font prendre le vice pour la vertu. Une légère impatience ruine un grand projet. » (Un mouvement d'impatience suffit pour gâcher une affaire importante).

27. Le Maître dit : « Quand la haine ou la faveur de la multitude s'attache à un homme, il faut examiner sa conduite, avant de juger s'il est digne d'affection ou de haine. »

28. Le Maître dit : « L'homme peut développer et perfectionner ses vertus naturelles ; les vertus naturelles ne rendent pas l'homme parfait (s'il ne fait aucun effort). »

29. Le Maître dit : « Ne pas se corriger après une faute involontaire, c'est commettre une faute véritable. »

30. Le Maître dit : « Autrefois je passais des jours entiers sans manger et des nuits entières sans dormir, afin de me livrer à la méditation. J'en ai retiré peu de fruit. Il vaut mieux étudier à l'école d'autrui, (consulter un livre ou un maître). »

31. Le Maître dit : « Le disciple de la sagesse tourne toutes ses pensées vers la vertu, et non vers la nourriture. Le laboureur cultive la terre (pour en tirer sa nourriture ; mais quand la récolte vient à manquer), dans son travail il rencontre la disette et la faim. *Au contraire* , le disciple de la sagesse, (en ne travaillant que pour acquérir la vertu), s'attire des honneurs et des richesses. Il donne tous ses soins à la vertu et n'a aucun souci de la pauvreté. »

32. Le Maître dit : Si quelqu'un connaissait la doctrine des sages (l'art de se diriger soi-même et les autres), et qu'il n'eût pas assez de vertu pour la mettre en pratique, sa science ne lui servirait de rien. Si quelqu'un connaissait la doctrine des sages et pouvait la mettre en pratique, mais manquait de gravité en public, le peuple ne le respecterait pas. Si quelqu'un connaissait la doctrine des sages, était capable de la mettre en pratique, paraissait en public avec gravité, mais ne dirigeait pas le peuple d'après les règles établies, ce ne serait pas encore la perfection. »

33. Le Maître dit : « On ne peut apprécier le sage dans une petite chose (parce qu'il ne peut exceller dans toutes les petites choses), mais on peut lui en confier de grandes. On ne peut confier de grandes choses à l'homme vulgaire ; mais on peut l'apprécier dans les petites (Parce qu'il ne peut exceller que dans les petites choses). »

34. Le Maître dit : « La vertu est plus nécessaire au peuple que l'eau et le feu, (et elle ne nuit jamais). J'ai vu des hommes périr en marchant dans l'eau ou dans le feu ; je n'ai jamais vu personne périr en marchant dans la voie de la vertu. »

35. Le Maître dit : « Celui qui s'applique principalement à pratiquer la vertu peut rivaliser avec un maître, c'est à dire se diriger lui-même et les autres. »

36. Le Maître dit : « Le sage s'attache fortement à la vérité et au devoir ; il ne s'attache pas opiniâtrement à ses idées. »

37. Le Maître dit : « Celui qui est au service de son prince doit remplir sa charge avec grand soin, et ne penser à son salaire qu'en dernier lieu. »

38. Le Maître dit : « Le sage admet à son école tous les hommes, sans distinction (de bons ou de méchants, d'intelligents ou de peu perspicaces, afin que tous cultivent la vertu). » *Les vertus que la nature donne à chaque homme (avec l'existence) sont parfaites en elles mêmes. La différence des bons et des méchants est due à la différence des éléments dont leurs corps sont composés, et des habitudes qu'ils ont contractées. Lorsqu'un rage tient école, tour les hommes peuvent, sous sa direction, recouvrer la perfection primitive de leurs vertus naturelles, et mériter de n'être plus rangés dans la classe des méchants.*

39. Le Maître dit : « Deux hommes qui suivent des voies différentes ne peuvent pas s'entraider par leurs conseils. »

40. Le Maître dit : « Le langage doit exprimer clairement la pensée, cela suffit. »

41. Le préfet de la musique Mien (qui était aveugle) étant allé faire visite à Confucius, lorsqu'il fut arrivé aux degrés de la salle, le Maître lui dit : Voici les degrés ; » Lorsqu'il fut arrivé auprès de la natte, le philosophe lui dit : « Voici la natte. » Quand tout le monde fut assis, le Maître dit au préfet de la musique : « Un tel est ici ; un tel est là. » Lorsque le préfet Mien se fut retiré, Tzeu tchang demanda si c'était un devoir d'avertir ainsi le préfet de la musique. « Certainement, répondit le Maître, c'est un devoir d'aider ainsi les directeurs de la musique (qui sont ordinairement aveugles). »

CHAPITRE XVI. KI CHEU.

1. Le chef de la famille Ki se préparait à envahir Tchouen iu (Petite principauté qui dépendait de celle de Lou, à présent dans le district de Pi hien). Jen Iou et Tzeu lou (qui étaient au service de Ki), allèrent voir Confucius et lui dirent : « Ki prépare une expédition contre Tchouen iu. » « K'iou (Jen lou), répondit Confucius, n'avez vous pas quelque part à ce crime ? Tchouen iu a été choisi par les anciens empereurs (de la dynastie des Tcheou) pour être le lieu ordinaire des sacrifices, au pied du mont Moung oriental. De plus, il fait partie de la principauté de Lou et relève de l'autorité de notre prince. De quel droit Ki irait il l'attaquer ? »

« Notre maître le veut, répondit Jen Iou ; nous, ses ministres, nous ne le voulons ni l'un ni l'autre. » Confucius dit : « K'iou, (l'ancien historien) Tcheou jenn répétait souvent : « Que celui qui peut se dépenser pour le bien du peuple entre dans les rangs de la magistrature ; que celui qui ne peut rendre un vrai service n'accepte pas de charge. A quoi servira ce conducteur d'aveugles, qui ne saura ni affermir celui qui est ébranlé, ni soutenir celui qui tombe ? » (Si vous ne pouvez pas travailler pour le bien public, quittez votre charge). De plus, votre réponse est blâmable. Si un tigre ou un bœuf sauvage s'échappe de sa cage ou de son enclos, si une écaille de tortue ou une pierre précieuse est endommagée dans le coffre, à qui en est la faute ? (La faute en est à celui qui est chargé de garder ces bêtes féroces ou ces objets). »

Jen Iou répliqua : « Tchouen iu est bien fortifié et proche de la ville de Pi (qui appartient à Ki). Si Ki ne s'empare pas à présent de Tchouen iu, dans les temps à venir ses descendants seront dans l'embarras. » « Kiou, répondit Confucius, le sage déteste ces hommes qui ne veulent pas avouer leur cupidité et inventent des prétextes pour l'excuser. J'ai entendu dire que ce qui doit faire le souci des *tchou heou* et des *tai fou* , ce n'est pas le petit nombre de leurs sujets, mais le défaut de justice ; ce n'est pas le manque de ressources, mais le manque d'union et de concorde. La pauvreté n'est pas à craindre, où la justice est observée ; ni le défaut de sujets, où règne la concorde ; ni le bouleversement de l'État, où règne la tranquillité. Si les habitants des contrées éloignées ne reconnaissent pas l'autorité du prince, qu'il fasse fleurir les vertus civiles (l'urbanité, l'harmonie, la pureté des mœurs), afin de les attirer ; après les avoir attirés, qu'il les fasse jouir de la tranquillité. Vous, Iou et K'iou, vous êtes les ministres de Ki. Les habitants des contrées éloignées ne se soumettent pas, et vous ne savez pas les attirer. La principauté de Lou penche vers sa ruine et se divise en plusieurs parties. Vous ne savez pas lui conserver son intégrité ; et vous pensez à exciter une levée de boucliers dans son sein. Je crains bien que la famille de Ki ne rencontre de grands embarras, non pas à Tchouen iu, mais dans l'intérieur même de sa maison, (parce que l'injustice trouble la paix des citoyens, et amène la discorde intestine). Sian, *respectueux* . Ts'iang, *cloison ou petit mur élevé devant la porte d'une habitation pour dérober aux passants la vue de la maison. Dans les visites entre un prince et son sujet, les témoignages de respect commencent auprès de cette cloison. C'est pourquoi elle s'appelle cloison du respect.*

2. Le Maître dit : « Quand l'empire est bien gouverné, l'empereur règle lui-même les cérémonies (les rites, l'urbanité, ...), la musique, les expéditions militaires pour soumettre les feudataires désobéissants. Quand l'empire n'est pas bien gouverné, les *tchou heou* règlent les cérémonies, la musique, les expéditions militaires. Alors (la justice est violée, les lois ne sont plus observées, le trouble est dans l'État), les familles des *tchou heou* conservent rarement leur autorité au delà de dix générations (Elle leur est enlevée par les *tai fou*). Lorsque les *tai fou* s'emparent du pouvoir, ils le conservent rarement plus de cinq générations. Les intendants des princes ou des grands préfets, devenus à leur tour maîtres du pouvoir, le conservent rarement plus de trois générations. Quand l'empire est bien réglé, la haute administration n'est pas entre les mains des *tai fou* ; les particuliers ne sont pas admis à délibérer sur les affaires d'État. »

3. Confucius dit : « Les revenus publics ont passé de la maison du prince de Lou aux maisons des trois puissants *tai fou* Meng Suenn, Chou suenn et Ki Suenn, qui descendent de Houan, prince de Lou, cela depuis cinq générations. La haute administration est entre les mains des *tai fou* depuis quatre générations. Aussi, (parce que les *tai fou* ne peuvent la

conserver au delà de cinq générations), la puissance de ces trois grands seigneurs touche à son terme. » *Parce que les* tai fou *ne peuvent la conserver au delà de cinq générations. A la mort de Wenn, prince de Lou (609 avant notre ère), ses fils avaient mis à mort l'héritier présomptif Tch'eu, et lui avaient substitué le prince Siuen. Celui-ci n'eut qu'une ombre de pouvoir (l'autorité souveraine fut usurpée par Ki Ou, chef de la famille Ki suenn). Siuen, Tch'eng, Siang, Tchao, Ting, en tout cinq princes, s'étaient succédé. Le tai fou Ki Ou, qui avait usurpé le pouvoir, avait eu pour successeurs Tao, Ping et Houan. En tout, quatre tai fou s'étaient succédé l'un à l'autre, et l'autorité passa de leurs mains entre celles de Iang Hou, intendant de leur famille.*

4. Confucius dit : « Trois sortes d'amitié sont avantageuses, et trois sortes d'amitié sont nuisibles. L'amitié avec un homme qui parle sans détours, l'amitié avec un homme sincère, l'amitié avec un homme de grand savoir, ces trois sortes d'amitié sont utiles. L'amitié avec un homme habitué à tromper par une fausse apparence d'honnêteté, l'amitié avec un homme habile à flatter, l'amitié avec un homme qui est grand parleur, ces trois sortes d'amitié sont nuisibles. »

5. Confucius dit : « Il y a trois choses qu'il est utile d'aimer, et trois choses qu'il est nuisible d'aimer. Aimer à étudier les cérémonies et la musique, aimer à dire le bien qu'on a observé dans les autres, aimer à se lier d'amitié avec beaucoup d'hommes sages et vertueux, ces trois choses sont utiles. Aimer à donner libre cours à ses convoitises, aimer à perdre son temps et à courir çà et là, aimer les festins et les plaisirs déshonnêtes, ces trois passions sont nuisibles. »

6. Confucius dit : « Quand vous êtes en présence d'un homme distingué par son rang et sa vertu, vous avez trois défauts à éviter. Si vous lui adressez la parole avant qu'il vous interroge, c'est précipitation. Si, interrogé par lui, vous ne lui répondez pas, c'est dissimulation. Si vous lui parler avant d'avoir vu, à l'air de son visage, qu'il vous prête une oreille attentive, c'est aveuglement. »

7. Confucius dit : « Celui qui s'applique à pratiquer la vertu se tient en garde contre trois choses. Dans la jeunesse, lorsque le sang et les esprits vitaux sont toujours en mouvement, il se tient en garde contre les plaisirs

des sens. Dans l'âge mûr, lorsque le sang et les esprits vitaux sont dans toute leur vigueur, il évite les querelles. Dans la vieillesse, lorsque le sang et les esprits vitaux ont perdu leur énergie, il se tient en garde contre la passion d'acquérir. »

8. Confucius dit : « Le sage respecte trois choses. Il respecte la volonté du Ciel (la loi naturelle) ; il respecte les hommes éminents en vertu et en dignité ; il respecte les maximes des sages. L'homme vulgaire ne connaît pas la loi naturelle et ne la respecte pas ; il traite sans respect les hommes éminents ; il tourne en dérision les maximes des sages. »

9. Confucius dit : « Ceux en qui la connaissance des principes de la sagesse est innée sont des hommes tout à fait supérieurs. Au second rang viennent ceux qui acquièrent cette connaissance par l'étude ; et, au troisième rang, ceux qui, malgré leur peu d'intelligence, travaillent à l'acquérir. Ceux qui n'ont ni intelligence ni volonté d'apprendre forment la dernière classe d'hommes. »

10. Confucius dit : « Le sage donne une attention spéciale à neuf choses. Il s'applique à bien voir ce qu'il regarde, à bien entendre ce qu'il écoute ; il a soin d'avoir un air affable, d'avoir une tenue irréprochable, d'être sincère dans ses paroles, d'être diligent dans ses actions ; dans ses doutes, il a soin d'interroger ; lorsqu'il est mécontent, il pense aux suites fâcheuses de la colère ; en face d'un bien à obtenir, il consulte la justice. »

11. Confucius dit : « A la vue d'un bien à faire, déployer toute son énergie, comme si l'on craignait de ne pouvoir y parvenir ; à la vue d'un mal à éviter, se retirer comme si l'on avait mis la main dans l'eau bouillante ; c'est un principe que j'ai vu mettre en pratique, et que j'ai appris des anciens. Se préparer dans la retraite (par l'étude et la pratique de la vertu) à servir son prince et son pays, (et dans la vie publique) pratiquer la justice, afin d'étendre au loin l'influence de sa vertu, c'est un principe que j'ai appris des ancicns, mais que je n'ai encore vu suivi par personne. »

12. King, prince de Ts'i, avait mille attelages de quatre chevaux. A sa mort, le peuple ne trouva aucune vertu à louer en lui. Pe i et Chou ts'i moururent de faim au pied du mont Cheou iang (Cf C. VII. 14). Le

peuple n'a pas encore cessé de célébrer leurs louanges, « non à cause de leurs richesses, mais seulement à cause de leur rare vertu. » Ces deux vers du Cheu king ne peuvent ils pas leur être appliqués justement ?

13. Tch'enn Kang demanda à Pe iu (fils de Confucius, aussi appelé Li) si son père lui avait donné des enseignements particuliers qu'il ne communiquait pas à ses disciples. Pe iu répondit : « Aucun jusqu'à présent. Un jour qu'il se trouvait seul, comme je traversais la salle d'un pas rapide, il me dit : Avez-vous étudié le Cheu king ? Pas encore, lui dis je. Si vous n'étudiez le Cheu king, me répondit il, vous n'aurez pas de sujets de conversation. « Je me retirai et me mis à étudier le Cheu king. Un autre jour qu'il était encore seul, comme je traversais la salle d'un pas rapide, il me dit : Avez vous étudié le Li ki ? Pas encore, lui répondis-je. Si vous n'étudiez pas le Li ki, dit il, votre vertu n'aura pas de fondement solide. « Je me retirai et me mis à étudier le Livre des Devoirs. Voilà les deux enseignements que j'ai reçus. » Tch'enn Kang se retira satisfait et dit : « J'ai demandé une chose, et j'en ai appris trois ; dont l'une concerne le Cheu king, l'autre concerne le Livre des Devoirs ; et la troisième, c'est que le sage ne donne pas d'enseignements secrets et particuliers à son fils. »

14. Un prince (*tchou heou*) appelle sa femme *fou jenn*, son aide. La femme d'un prince, en parlant d'elle même, s'appelle petite fille. Les habitants de la principauté la désignent sous le nom de Dame qui aide le prince. Quand ils parlent d'elle devant un étranger, ils l'appellent leur petite Dame. Les étrangers lui donnent le nom de Dame qui aide le prince.

CHAPITRE XVII. IANG HOUO.

1. Iang Houo désirait recevoir la visite de Confucius. Confucius n'étant pas allé le voir, Iang Houo lui envoya un jeune cochon. Confucius choisit le moment où Iang Houo n'était pas chez lui et alla à sa maison pour le saluer (et le remercier) ; il le rencontra en chemin. Iang Houo dit à Confucius : « Venez, j'ai à vous parler. » Alors il lui dit : « Celui qui tient son trésor (sa sagesse) caché dans son sein et laisse son pays dans le

trouble, mérite-t-il d'être appelé bienfaisant ? » « Non, répondit Confucius. » Iang Houo reprit : « Celui qui aime à gérer les affaires publiques et laisse souvent passer les occasions de le faire mérite-t-il d'être appelé prudent ? » « Non, répondit Confucius. » Iang Houo continua : « Les jours et les mois passent ; les années ne nous attendent pas. » « Bien, répondit Confucius ; j'exercerai un emploi (quand le temps en sera venu). »

Iang Houo, appelé aussi Iang Hou, était intendant de la famille Ki. Il avait jeté dans les fers Ki Houan, le chef de cette famille, et gouvernait seul en maître la principauté de Lou. (Il avait ainsi rendu à son maître ce que Ki Ou, bisaïeul de celui-ci, avait fait au prince de Lou.) Il voulait déterminer Confucius à lui faire visite ; mais Confucius n'y alla pas. Lorsqu'un grand préfet envoyait un présent à un lettré, si le lettré n'était par chez lui pour le recevoir, il devait, d'après les usager, aller à la maison du grand préfet présenter ses remerciements. Iang Houo, profitant d'un moment où Confucius n'était par chez lui, lui envoya un jeune cochon en présent, afin de l'obliger à venir le saluer et lui faire visite. Confucius, choisissant aurai le moment où Iang Houo était absent, alla à sa maison pour le remercier. Il craignait de tomber dans le piège que ce méchant homme lui avait tendu et de sembler reconnaître son pouvoir absolu ; et il voulait tenir sa première résolution, qui était de ne pas le voir. Contre son attente, il rencontra Iang Houo en chemin. Iang Houo, en critiquant la conduite de Confucius, et en l'engageant à accepter une charge sans délai, n'avait d'autre intention que d'obtenir son appui pour mettre le trouble dans le gouvernement. Confucius était tout disposé à exercer un emploi, mais non à se mettre au service de Iang Houo.

2. Le Maître dit : « Les hommes sont tous semblables par leur nature (par leur constitution physique et leurs facultés naturelles) ; ils différent par les habitudes qu'ils contractent. »

3. Le Maître dit : « Il n'y a que deux classes d'hommes qui ne changent jamais de conduite : les plus sages (qui sont toujours parfaits), et les plus insensés (qui ne veulent ni s'instruire ni se corriger). »

4. Le Maître, arrivant à Ou tcheng, entendit des chants et des sons d'instruments à cordes. Il sourit et dit : « Pour tuer une poule, emploie-t-on le couteau qui sert à dépecer les bœufs ? » Tzeu iou répondit : « Maître, autrefois je vous ai entendu dire que l'étude de la sagesse rend les officiers bienfaisants et les hommes du peuple faciles à gouverner. »

« Mes enfants, reprit le Maître, Ien a dit vrai. Ce que je viens de dire n'était qu'une plaisanterie. » *Ou tch'eng dépendait de la principauté de Lou. Tzeu iou était alors préfet de Ou tcheng et enseignait au peuple les Devoirs et la Musique. Aussi tour les habitants savaient chanter et jouer des instruments à cordes. La joie de Confucius parut sur son visage. Il sourit et dit : « Pour tuer une poule, un petit animal, quelle raison y a t il d'employer le grand couteau qui sert à dépecer les bœufs ? » Il voulait dire que Tzeu iou employait les grands moyens administratifs pour gouverner une petite ville. Il ne le dirait pas sérieusement. Les pays à gouverner n'ont pas tous la même étendue ; mais ceux qui les gouvernent doivent toujours enseigner les devoirs et la musique, et tenir ainsi la même conduite.*

5. Koung chan Fou jao, maître de la ville de Pi, s'était révolté (contre le chef de la famille Ki). Il manda Confucius (pour lui confier une charge). Le philosophe voulait aller le voir. Tzeu lou indigné lui dit : « Il n'est pas d'endroit où il convienne d'aller (puisque les vrais principes sont partout méconnus). Quelle nécessité y a t il d'aller trouver le chef de la famille Koung chan ? » Le Maître répondit : « Celui qui m'a invité l'a-t-il fait sans une intention véritable (de me confier une charge) ? Si l'on me donnait la direction des affaires publiques, ne ferais je pas revivre en Orient les principes des fondateurs de la dynastie des Tcheou ? » *Koung chan Fou jao était intendant du chef de la famille des Ki, qui était grand préfet dans la principauté de Lou. Koung chan était son nom de famille, Fou iao son nom propre, et Tzeu sie son surnom. Avec Iang Houo, il s'était emparé de la personne du tai fou Ki Houan et, maître de la ville de Pi, il soutenait sa révolte contre le grand préfet. Il fit inviter Confucius à se rendre auprès de lui. Confucius voulait y aller. C'est que Koung chan Fou jao était en révolte contre la famille des Ki, et non contre le prince de Lou. Confucius voulait y aller dans l'intérêt du prince de Lou, non dans l'intérêt de Koung chan Fou iao. Si Confucius était parvenu à exécuter son dessein, il aurait retiré l'autorité souveraine des mains des grands préfets pour la rendre au prince ; et, après l'avoir rendue au prince, il l'aurait fait retourner à l'empereur. Il voulait se rendre auprès de Koung chan Fou iao parce que tels étaient ses principes. Cependant, il n'y alla pas, parce qu'il lui serait impossible d'exécuter son dessein.*

6. Tzeu tchang demanda à Confucius en quoi consiste la vertu parfaite. Confucius répondit : « Celui-là est parfait qui est capable de pratiquer cinq choses partout et toujours. » Tzeu tchang dit : Permettez moi de

vous demander quelles sont ces cinq choses ? » « Ce sont, répondit Confucius, la gravité du maintien, la grandeur d'âme, la sincérité, la diligence et la bienfaisance. La gravité du maintien inspire le respect ; la grandeur d'âme gagne les cœurs ; la sincérité obtient la confiance ; la diligence exécute des œuvres utiles ; la bienfaisance rend facile la direction des hommes. »

7. Pi Hi invita Confucius à aller le voir. Le Maître voulait s'y rendre. Tzeu lou dit : « Maître, autrefois je vous ai entendu dire que le sage ne faisait pas société avec un homme engagé dans une entreprise coupable, (de peur que ce contact ne nuisît à sa vertu). Pi Hi, maître de Tchoung meou, a levé l'étendard de la révolte. Convient il que vous alliez le voir ? » Le Maître répondit : « Il est vrai, j'ai dit ces paroles. Mais ne dit on pas aussi qu'un objet très dur n'est pas entamé par le frottement ? Ne dit on pas aussi qu'un objet essentiellement blanc ne devient pas noir par la teinture ? Suis je donc une courge ventrue, qui peut être suspendue, et ne pas manger ou n'être pas mangée ? » *Pi hi était gouverneur de la ville de Tchoung meou, qui appartenait au chef de la famille Tchao, grand préfet dans la principauté de Tsin. Tchoung meou est à présent dans le T'ang in hien, préfecture de Tchang te, province du Ho nan. Confucius dit : « Ma vertu est si ferme et si pure que je puis sans danger l'exposer au contact des hommes vicieux. Pourquoi ne répondrais je pas à l'invitation de Pi Hi, par crainte de me souiller moi-même ? Suis je donc une courge ? M'est il permis de me rendre inutile aux hommes, comme une courge qui reste suspendue toujours dans un même endroit, et ne peut rien faire, pas même boire ou manger ?*

8. Le Maître dit : « Iou (Tzeu lou), connaissez-vous les six paroles (les six vertus) et les six ombres (les six défauts dans lesquels tombe celui qui veut pratiquer ces six vertus et ne cherche pas à les bien connaître) ? » Tzeu lou se levant, répondit : « Pas encore. » « Asseyez vous, reprit Confucius, je vous les dirai. Le défaut de celui qui aime à se montrer bienfaisant, et n'aime pas à apprendre, c'est le manque de discernement. Le défaut de celui qui aime la science, et n'aime pas l'étude, c'est de tomber dans l'erreur. Le défaut de celui qui aime à tenir ses promesses, et n'aime pas à apprendre, c'est de nuire aux autres (en leur promettant et en leur accordant des choses nuisibles). Le défaut de celui qui aime la

franchise, et n'aime pas à apprendre, c'est d'avertir et de reprendre trop librement sans aucun égard pour les personnes. Le défaut de celui qui aime à montrer du courage et n'aime pas à apprendre, c'est de troubler l'ordre. Le défaut de celui qui aime la fermeté d'âme, et n'aime pas à apprendre, c'est la témérité. »

9. Le Maître dit : « Mes enfants, pourquoi n'étudiez-vous pas le Cheu king ? Il nous sert à nous exciter à la pratique de la vertu, à nous examiner nous mêmes. Il nous apprend à traiter convenablement avec les hommes, à nous indigner justement, à remplir nos devoirs envers nos parents et envers notre prince. Il nous fait connaître beaucoup d'oiseaux, de quadrupèdes et de plantes. »

10. Le Maître dit à son fils Pe iu : « Étudiez vous le Tcheou nan et le Chao nan (les deux premiers chapitres du Cheu king) ? Celui qui n'a pas étudié le Tcheou nan et le Chao nan n'est-il pas comme un homme qui se tiendrait le visage tourné vers un mur (ne voyant rien, et ne pouvant faire un pas) ? »

11. Le Maître dit : « Quand on parle d'urbanité, et qu'on vante l'urbanité, veut on parler seulement des pierres précieuses et des soieries (qu'on a coutume d'offrir en présent) ? Quand on parle de musique, et qu'on vante la musique, veut on parler seulement des cloches et des tambours ? » *L'urbanité exige avant tout le respect, et la musique a pour objet principal l'harmonie (la concorde). Les pierres précieuses, les soieries, les cloches, les tambours ne sont que des accessoires.*

12. Le Maître dit : « Ceux qui en apparence sont rigides observateurs des préceptes de la sagesse et, au fond, n'ont aucune énergie, ne ressemblent ils pas à ces hommes de la lie du peuple qui (la nuit) passent à travers ou par dessus les murs pour voler, (et le jour, paraissent honnêtes) ? »

13. Le Maître dit : « Ceux qui passent pour hommes de bien aux yeux des villageois (et ne le sont pas) ruinent la vertu (ils en donnent une fausse idée). »

14. Le Maître dit : « Répéter en chemin à tous les passants ce que l'on a appris de bon en chemin, (sans se donner la peine de le méditer ni de le

mettre en pratique), c'est jeter la vertu au vent. »

15. Le Maître dit : « Convient-il (de faire admettre à la cour) des hommes abjects, et de servir le prince avec eux ? Avant d'avoir obtenu les charges, ils sont en peine de les obtenir. Après les avoir obtenues, ils sont en peine de les conserver. Alors, ils ne reculent devant aucun crime pour ne pas les perdre. »

16. Le Maître dit : « Les anciens étaient sujets à trois défauts, qui n'existent peut être plus à présent (mais qui ont fait place à d'autres beaucoup plus graves). Anciennement, ceux qui avaient de grandes aspirations négligeaient les petites choses ; à présent, ils s'abandonnent à la licence. Anciennement, ceux qui étaient constants dans leurs résolutions se montraient peu accessibles ; à présent, ils sont colères et intraitables. Anciennement, les ignorants étaient simples et droits ; à présent, ils sont fourbes. »

17. Le Maître dit : « Je n'aime pas la couleur pourpre, parce qu'elle est plus foncée que le rouge (qui est une couleur naturelle). Je déteste la musique de Tcheng, parce qu'elle est plus brillante que la bonne musique. Je hais les langues bavardes, parce qu'elles troublent les États et les familles. »

18. Le Maître dit : « Je voudrais ne plus parler. » « Maître, dit Tzeu koung, si vous ne parlez pas, quels enseignements vos disciples transmettront-ils à la postérité ? » Le Maître répondit : « Est ce que le Ciel parle ? Les quatre saisons suivent leur cours ; tous les êtres reçoivent l'existence. Est ce que le Ciel parle jamais ? » *Dans la conduite du sage par excellence, tout, jusqu'aux moindres mouvements, est la claire manifestation de la plus haute raison ; de même que le cours des saisons, la production des différents êtres, tout dans la nature est un écoulement de la puissance céleste. Est ce que le Ciel a besoin de parler pour manifester sa vertu ?*

19. Jou Pei désirait voir Confucius. Confucius s'excusa sous prétexte de maladie. Lorsque celui qui porta cette réponse au visiteur eut passé la porte de la maison, Confucius, prenant son luth, se mit à jouer et à chanter, afin que jou Pei l'entendît, (comprît qu'il s'était attiré ce refus par quelque faute, et changeât de conduite).

20. Tsai Ngo interrogeant Confucius sur le deuil de trois ans, dit : « Une année est déjà un temps assez long. Si le sage s'abstient de remplir les devoirs de convenance durant trois années, ces devoirs tomberont en désuétude ; s'il abandonne la musique pendant trois années, la musique sera en décadence. Dans le courant d'une année, les grains anciens sont consumés, les nouveaux sont recueillis ; les différentes sortes de bois ont tour à tour donné du feu nouveau. Il convient que le deuil ne dure pas plus d'un an. »

Le Maître répondit : « Au bout d'un an de deuil, pourriez vous bien vous résoudre à manger du riz et à porter des vêtements de soie ? » « Je le pourrais, dit Tsai Ngo. » Si vous le pouvez, reprit Confucius, faites le. Le sage, en temps de deuil, ne trouve aucune saveur aux mets les plus exquis, n'aime pas à entendre la musique, et ne goûte aucun repos dans ses appartements ordinaires (il demeure retiré dans une cabane, V. page 236). Aussi ne le ferait il pas, (Pour vous, si vous pouvez vous résoudre à le faire, faites le. Tsai Ngo se retirant, le Maître dit : « Iu a mauvais cœur. Les parents portent leur enfant sur leur sein durant trois années ; c'est pour reconnaître ce bienfait que le deuil de trois ans a été adopté partout. Iu n'a t il pas été l'objet de la tendresse de ses parents durant trois années ? » *Les anciens tiraient le feu nouveau d'un instrument de bois, qu'ils faisaient tourner comme une tarière. Le bois employé était, au printemps, l'orme ou le saule ; au commencement de l'été, le jujubier ou l'abricotier ; vers la fin de l'été, le mûrier ordinaire ou le mûrier des teinturiers ; en automne, le chêne ou le iou ; en hiver, le sophora ou le t'an. Un fils, après la mort de son père ou de sa mère, durant trois ans, ne prenait qu'une nour-riture grossière, portait des vêtements de chanvre, et couchait sur la paille, la tête appuyée sur une motte de terre.*

21. Le Maître dit : « Quand on ne fait que boire et manger toute la journée, sans appliquer son esprit à aucune occupation, qu'il est difficile de devenir vertueux ! N'a t on pas des tablettes et des échecs ? Mieux vaudrait se livrer à ces jeux que de rester à ne rien faire. »

22. Tzeu lou dit : « Le sage n'a-t-il pas en grande estime la bravoure ? » Le Maître répondit : « Le sage met la justice au dessus de tout. Un homme élevé en dignité qui a de la bravoure et ne respecte pas la justice

trouble le bon ordre. Un homme privé qui a de la bravoure et manque de justice devient brigand. »

23. Tzeu koung dit : « Est-il des hommes qui soient odieux au sage ? » Le Maître répondit : « Oui. Le sage hait ceux qui publient les défauts ou les fautes d'autrui ; il hait les hommes de basse condition qui dénigrent ceux qui sont d'une condition plus élevée ; il hait les hommes entreprenants qui violent les lois ; il hait les hommes audacieux qui ont l'intelligence étroite. » Le Maître ajouta : « Et vous, Seu, avez vous aussi de l'aversion pour certains hommes ? » « Je hais, répondit Tzeu koung, ceux qui observent la conduite des autres, croyant que c'est prudence ; je hais ceux qui ne veulent jamais céder, s'imaginant que c'est courage ; je hais ceux qui reprochent aux autres des fautes secrètes, pensant que c'est franchise. »

24. Le Maître dit : « Les femmes de second rang et les hommes de service sont les personnes les moins maniables. Si vous les traitez familièrement, ils vous manqueront de respect ; si vous les tenez à distance, ils seront mécontents. »

25. Le Maître dit : « Celui qui, à quarante ans, conserve encore des défauts qui le rendent odieux, ne se corrigera jamais. »

CHAPITRE XVIII. WEI TZEU.

1. Le prince de Wei quitta la cour ; le prince de Ki fut réduit en esclavage ; Pi kan, pour avoir adressé des remontrances, fut mis à mort. Confucius dit : « Sous la dynastie des In, il y eut trois hommes d'une vertu parfaite. » Wei, Ki, *noms de deux domaines féodaux.* Tzeu, *l'un des cinq titres de noblesse. Le prince de Wei était le frère du tyran Tcheou, mais il était né d'une femme de second rang. Le prince de Ki et Pi kan étaient princes du sang, d'une génération antérieure à celle de Tcheou. Le prince de Wei, voyant la mauvaise conduite de Tcheou, quitta la cour. Le prince de Ki et Pi kan adressèrent tous deux des remontrances au tyran. Tcheou mit à mort Pi kan, jeta dans les fers le prince de Ki et le réduisit en esclavage. Le prince de Ki contrefit l'insensé et fut accablé d'outrages.*

2. Houei de Liou hia était préposé à la justice (dans la principauté de Lou) ; il fut plusieurs fois destitué de sa charge. Quelqu'un lui dit : « Le moment n'est-il pas encore venu de quitter ce pays (et d'aller dans un autre, où vos services seraient mieux appréciés) ? » « Si je veux servir le public en observant toutes les règles de l'honnêteté, répondit il, où irai-je pour n'être pas destitué plusieurs fois ? Si je veux servir le public en faisant fléchir les lois de la probité, qu'ai-je besoin de quitter ma patrie ? »

3. King, prince de Ts'i, se préparant à recevoir Confucius, dit à ses ministres : « Je ne puis le traiter avec autant d'honneur que le prince de Lou traite le chef de la famille Ki. je le traiterai moins honorablement que le prince de Lou ne traite le chef de la famille Ki, mais plus honorablement qu'il ne traite le chef de la famille Meng. » Puis il ajouta : « Je suis vieux ; je ne pourrai mettre en pratique ses enseignements. » Confucius (à qui ces paroles furent rapportées) quitta la principauté de Ts'i, (voyant qu'il n'y rendrait aucun service).

4. Le prince de Ts'i et ses ministres envoyèrent au prince de Lou une bande de musiciennes. Ki Houan les reçut ; au palais, durant trois jours, le soin des affaires fut abandonné. Confucius s'en alla. *Ki Houan, nommé Seu, était grand préfet dans la principauté dé Lou. Sous le règne de Ting, prince de Lou, Confucius exerça la charge de ministre de la justice. En trois mois, il avait établi l'ordre le plus parfait dans le gouvernement. Le prince de Ts'i et ses ministres l'ayant appris, et craignant la puissance de Lou, envoyèrent en présent une bande de quatre-vingts filles, qui, vêtues d'habits magnifiques, et montées sur des chevaux richement ornés, exécutèrent des chants avec pantomime, et se donnèrent en spectacle hors de la ville, près de la porte méridionale. Houan exerçait le pouvoir souverain. Le prince Ting ne conservait plus qu'un vain titre. Il finit par accepter la bande de musiciennes. Le prince de Lou et ses ministres tombèrent ainsi dans le piège tendu par ceux de Ts'i. Entièrement occupés à entendre des chants et à voir des spectacles lascifs, les oreilles et les yeux fascinés, ils négligèrent les affaires publiques, et n'eurent plus d'estime pour les hommes vertueux et capables. Confucius aurait voulu adresser des remontrances au prince ; mais il ne le pouvait pas (ou bien, il voyait qu'elles auraient été sans effet). Il quitta le pays. (Ce fut la quatorzième année du règne de Ting, en 496 av. J. C.).*

5. Un sage de la principauté de Tch'ou, qui contrefaisait l'insensé, nommé Tsie iu, passa devant la voiture de Confucius, en chantant : « O phénix ! ô phénix ! Que ta vertu est diminuée ! Il n'est plus temps d'empêcher par des avis tes égarements passés ; mais tes fautes futures peuvent encore être prévenues. Cesse donc (de te produire et d'enseigner). Ceux qui maintenant sont à la tête des affaires sont en grand danger. » Confucius descendit de voiture pour lui parler. Mais Tsie iu s'en alla d'un pas rapide. Confucius ne put converser avec lui. *La dynastie des Tcheou étant sur son déclin, les hommes de mérite pratiquaient la vertu dans la retraite. Tsie iu dit : Quand la société est bien réglée, le phénix apparaît ; quand elle est troublée, il demeure caché. Tant il aime la vertu ! Maintenant, en quels temps est il venu ? Comment ne va-t-il pas encore replier ses ailes et se cacher ? Tsie iu compare Confucius au phénix. Il le blâme de ce qu'il ne se décide pas à vivre dans la retraite, et prétend que sa vertu a beaucoup diminué. Tes fautes futures peuvent encore être prévenues, c'est-à dire il est encore temps de te retirer dans la vie privée.*

6. Tch'ang Ts'iu et Kie Gni s'étaient associés pour cultiver la terre. Confucius, passant en voiture auprès d'eux, envoya Tzeu lou leur demander où était le gué (pour passer la rivière). Tch'ang Ts'iu dit : « Quel est celui qui est dans la voiture et tient les rênes ? » « C'est K'oung K'iou (Confucius), répondit Tzeu lou. » « Est ce K'oung K'iou de la principauté de Lou ? reprit Tch'ang Ts'iu. » « C'est lui, dit Tzeu lou. » « (Puisqu'il a parcouru plusieurs fois tout le pays), dit Tch'ang Ts'iu, lui-même connaît le gué, (il n'a pas besoin d'interroger). »

Tzeu lou interrogea Kie Gni. « Qui êtes vous ? dit Kie Gni. » « Je suis Tchoung Iou, répondit Tzeu lou. » Kie Gni dit : « N'êtes vous pas l'un des disciples de K'oung K'iou de Lou ? » « Oui, répondit Tzeu lou. » « Tout l'empire, dit Kie Gni, est comme un torrent qui se précipite. Qui vous aidera à le réformer ? Au lieu de suivre un philosophe qui fuit les hommes (qui cherche par¬tout des princes et des ministres amis de la vertu, et qui, n'en trouvant pas, passe sans cesse d'une principauté dans une autre), ne feriez-vous pas mieux de suivre (d'imiter) les sages qui fuient le monde et vivent dans la retraite ? » Kie Gni continua à recouvrir avec sa herse la semence qu'il avait déposée dans la terre.

Tzeu lou alla porter à Confucius les réponses de ces deux hommes. Le Maître dit avec un accent de douleur : « Nous ne pouvons pas faire société avec les animaux. Si je fuis la société de ces hommes (des princes et de leurs sujets), avec qui ferai-je société ? Si le bon ordre régnait dans l'empire, je n'aurais pas lieu de travailler à le réformer. » *Autrefois, sur les confins des principautés de Tch'ou et de Ts'ai (dans le Ho nan actuel), deux lettrés qui menaient la vie privée s'étaient associés pour cultiver leurs champs. Leurs noms n'ont pas été transmis à la postérité. Les annalistes ont appelé l'un Ts'iu, Qui s'arrête et ne sort pas du repos, et l'autre, Gui, Qui reste au fond de l'eau et n'émerge jamais.*

7. Tzeu lou, voyageant avec Confucius, resta en arrière (et le perdit de vue). Il rencontra un vieillard qui à l'aide d'un bâton portait sur son épaule une corbeille pour recueillir de l'herbe. Il lui demanda s'il avait vu son maître. Le vieillard lui dit : « Vous ne remuez ni pieds ni mains (vous ne cultivez pas la terre) ; vous ne savez pas même distinguer les cinq espèces de grains. Quel est votre maître ? » Puis, ayant enfoncé en terre son bâton, il arracha de l'herbe. Tzeu lou joignit les mains (en signe de repect) et attendit. Le vieillard l'invita à passer la nuit dans sa maison. Il tua un poulet, prépara du millet, et servit à manger à son hôte. Il lui présenta aussi ses deux fils.

Le lendemain, Tzeu lou s'en alla et raconta ce fait à Confucius. Le Maître dit : « C'est un sage qui vit caché. » Il ordonna à Tzeu lou d'aller le voir de nouveau. Quand Tzeu lou arriva, le vieillard était déjà parti. Tzeu lou dit (à ses deux fils) : « Refuser les charges, c'est manquer à un devoir. S'il n'est pas permis de négliger les égards dus à ceux qui sont plus âgés que nous, quelqu'un a-t-il le droit de ne pas remplir les importants devoirs d'un sujet envers son prince ? En voulant se conserver sans tache, il violerait les grandes lois des relations sociales. Le sage accepte les charges, (non pour avoir des honneurs et des richesses, mais) pour remplir le devoir qu'il a de servir son prince. Le bon ordre ne règne pas ; c'est ce que nous savons depuis longtemps. » *Le vieillard dit à Tzeu lou : « A présent, c'est le moment de se livrer aux travaux des champs. Voua entreprenez des voyages lointains à la suite de votre maître. Quelle utilité en revient-il aux hommes de notre siècle ? Qui connaît seulement votre maître ? » Les cinq espèces de*

144

grains sont deux sortes de millets à panicules, les haricots et les pois, le blé et l'orge, le riz. Les cinq relations sociales sont celles qui existent entre le prince et le sujet, entre le père et le fils, entre le frère aîné et le frère puîné, entre le mari et la femme, entre les amis.

8. Pe i, Chou ts'i, Iu tchoung, I i, Tchou Tchang, Houei de Liou hia et Chao lien ont vécu en simples particuliers. Le Maître dit : « Pe i et Chou ts'i n'ont ils pas tenu invariablement leur résolution (de pratiquer la vertu la plus par¬faite, et de ne jamais rien accorder aux hommes ni aux circonstances) de peur de se souiller ? » Confucius dit que Houei de Liou hia et Chao lien faisaient fléchir leur résolution et s'abaissaient eux mêmes ; que leur langage avait été conforme à la droite raison, et leur conduite, d'accord avec le sentiment commun des hommes ; qu'ils avaient eu cela de bon, et rien de plus. Il dit que I tchoung et I i avaient vécu dans la retraite, donné des avis avec une liberté excessive ; mais qu'ils avaient pratiqué la vertu la plus pure, et que le sacrifice des dignités leur était permis à cause des circonstances. « Pour moi, ajouta-t-il, je ne suis pas du sentiment de ces sages, je ne veux ni ne rejette rien absolument, (mais je consulte toujours les circonstances). »

9. Tcheu, chef de tous les musiciens du prince de Lou, s'en alla dans la principauté de Ts'i. Kan, chef des musiciens qui jouaient pendant le deuxième repas, s'en alla dans la principauté de Tch'ou. Leao, chef de ceux qui jouaient au troisième repas, s'en alla dans la principauté de Ts'ai. K'iue, chef de ceux qui jouaient au quatrième repas, s'en alla dans la principauté de Ts'in. Fang chou, qui battait le tambour, se retira au bord du Fleuve jaune. Ou, qui agitait le petit tambour à manche, se retira au bord de la Han. Iang, aide du directeur en chef, et Siang, qui frappait le *k'ing* , se retirèrent au bord de la mer (dans une île). *L'empereur et tous les princes avaient des musiciens qui jouaient pendant leurs repas, pour les exciter à manger. Les morceaux de musique et les directeurs de musique étaient différents pour les différents repas. La dynastie des Tcheou venant à déchoir, la musique tomba en décadence. Confucius, en revenant de Wei dans sa patrie, restaura la musique. Dès lors, tous les musiciens, depuis les premiers jusqu'aux derniers, connurent parfaitement les règles de leur art. L'autorité du prince de Lou devint de plus en plus faible ; les trois fils de Houan s'emparèrent du pouvoir et l'exercèrent arbitrairement. Alors tous les musi-*

ciens, depuis le directeur en chef jusqu'aux derniers, furent assez sages pour se disper-
ser dans toutes les directions. Ils traversèrent les fleuves et passèrent les mers, fuyant
loin de leur patrie troublée.

10. Tcheou koung, instruisant le prince de Lou (son fils Pe k'in), lui dit : « Un prince sage ne néglige pas ceux qui lui sont unis par le sang. Il a soin que les grands officiers ne puissent pas se plaindre (de n'avoir pas sa confiance, et) de n'être pas employés. A moins d'une raison grave, il ne rejette pas les membres des anciennes familles qui ont servi l'État de génération en génération. Il n'exige pas qu'un officier possède à lui seul tous les talents et toutes les qualités. » (Tcheou koung, créé prince de Lou, envoya son fils gouverner la principauté à sa place).

11. La dynastie des Tcheou eut huit hommes remarquables : Pe ta, Pe kouo, Tchoung tou, Tchoung hou, Chou ie, Chou hia, Ki souei, Ki koua. *Dans les temps prospères, au commencement de la dynastie des Tcheou, parurent huit hommes d'un grand talent et d'une rare vertu, qu'on appela les huit hommes remar-* *quables. Ils étaient nés d'une même mère, deux à la fois d'une même couche.*

CHAPITRE XIX. TZEU TCHANG.

1. Tzeu tchang dit : « Celui-là est un vrai disciple de la sagesse, qui, en face du péril, expose sa vie, en face d'un avantage à recueillir, consulte la justice, dans les cérémonies en l'honneur des esprits, a soin d'être respectueux et, dans le deuil, ne pense qu'à sa douleur. »

2. Tzeu tchang dit : « Celui qui entreprend de pratiquer la vertu, mais dans des limites étroites, qui croit aux principes de la sagesse, mais avec hésitation, doit il être compté pour quelque chose ? doit il être compté pour rien ? »

3. Les disciples de Tzeu hia ayant interrogé Tzeu tchang sur l'amitié, Tzeu tchang leur demanda ce qu'en disait Tzeu hia. « Il dit, répondirent ils, qu'on doit faire société avec les hommes dont l'amitié peut être utile, et qu'il faut repousser les autres. » Tzeu tchang répliqua : « Ce principe ne s'accorde pas avec les enseignements que j'ai reçus. Le sage honore les

hommes vertueux, et ne rejette personne ; il encourage par des éloges ceux qui sont avancés dans la vertu et a compassion de ceux qui sont encore faibles. Suis je un grand sage ? Quel est l'homme que je devrai repousser ? Suis je dépourvu de sagesse ? Les hommes sages me repousseront ! Convient il de repousser quelqu'un ? » *Le principe de Tzeu hia est trop étroit. Tzeu tchang a raison de le blâmer. Mais ce qu'il dit lui-même a le défaut d'être trop large. Sans doute le sage ne rejette personne ! mais il doit repousser toute amitié nuisible.*

4. Tzeu hia dit : « Les métiers, les arts, même les plus humbles (comme la culture des champs ou des jardins, la médecine, la divination), ne sont nullement à mépriser. Mais si quelqu'un les exerçait en vue de plus grandes choses (pour se perfectionner lui-même et les autres), cette occupation lui serait peut être un obstacle, au lieu d'être un secours. Pour cette raison le sage n'exerce pas ces métiers. »

5. Tzeu hia dit : « Celui qui chaque jour examine, étudie ce qu'il n'a pas encore pu comprendre ou pratiquer parfaitement, et qui chaque mois examine s'il n'a rien oublié ou négligé de ce qu'il a appris, celui-là désire vraiment apprendre. »

6. Tzeu hia dit : « Étendez vos connaissances et ayez une volonté ferme ; interrogez sur les choses pratiques (et non sur celles qui sont purement curieuses et inutiles) ; pensez aux choses qui vous touchent de près (et non à celles qui vous sont étrangères). Là se trouve la vertu parfaite. »

7. Tzeu hia dit : « Les artisans demeurent *constamment* dans leurs ateliers sur la place publique, afin (de ne pas distraits dans leurs travaux et) de faire des ouvrages parfaits. De même, le disciple de la sagesse apprend et s'exerce assidûment, afin de rendre sa vertu parfaite. »

8. Tzeu hia dit : « L'homme vulgaire colore toujours d'une belle apparence les fautes qu'il a commises. »

9. Tzeu hia dit : « L'apparence du sage est sujette à trois changements. Vu de loin, il paraît grave et sérieux ; vu de près, il paraît affable ; quand il parle, il paraît inflexible dans ses principes. »

10. Tzeu hia dit : « Il faut qu'un officier gagne la confiance de ceux qui sont soumis à son autorité, avant de leur imposer des charges. Sinon, ils croiront qu'il veut les vexer. Il faut qu'il se concilie la confiance de son prince, avant de lui adresser des remontrances. Sinon, le prince le considérera comme un homme qui l'accuse faussement. »

11. Tzeu hia dit : « Celui qui dans les grandes choses ne dépasse pas les limites peut dans les petites choses aller au delà ou rester en deçà, *sans grand dommage pour sa vertu.* »

12. Tzeu iou dit : « Les disciples de Tzeu hia savent très bien arroser et balayer la terre, répondre à ceux qui les appellent ou les interrogent, avancer ou se retirer. Mais ce sont des choses accessoires. Ils ignorent les plus importantes. Peut on les considérer comme de vrais disciples de la sagesse ? »

Ces paroles ayant été rapportées à Tzeu hia, il dit : « Ah ! Ien Iou (Tzeu iou) est dans l'erreur. Qu'est ce que le sage met au premier rang et enseigne à ses disciples ? Qu'est ce qu'il met au dernier rang et néglige ? Les disciples sont comme les plantes, dont chaque espèce exige une culture particulière. Est ce que le sage se permettrait de tromper ses disciples (en négligeant de leur enseigner les choses les plus nécessaires) ? Le sage par excellence, n'est ce pas celui qui embrasse toutes choses, non pas à la fois, mais par ordre ? »

13. Tzeu hia dit : « Que celui qui est en charge remplisse d'abord les devoirs de sa charge ; puis, s'il a du temps et des forces de reste, qu'il étudie. Que celui qui étudie apprenne d'abord parfaitement ; puis, si ses forces le lui permettent, qu'il exerce une charge. » *Celui qui se livre à une occupation doit d'abord faire parfaitement tout ce qui s'y rapporte, et il peut ensuite étendre ses soins à d'autres choses. Pour un officier, l'exercice de sa charge est la chose importante, et l'étude n'est pas absolument nécessaire ; il doit donc avant tout remplir les devoirs de sa charge. Pour un étudiant, l'étude est la chose principale, et l'exercice d'une charge n'est pas nécessaire ; il doit donc avant tout étudier parfaitement. Toutefois, un officier trouve dans l'étude un moyen d'établir ses œuvres plus solidement ; et un étudiant trouve dans l'exercice d'une charge un moyen de confirmer et d'étendre ses connaissances.*

14. Tzeu iou dit : « Le deuil est parfait, si le cœur éprouve une affliction parfaite ; tout le reste est secondaire. »

15. Tzeu iou dit : « Mon compagnon Tchang fait des choses qu'un autre ferait difficilement. Cependant, sa vertu n'est pas encore parfaite. »

16. Tseng tzeu dit : « Que Tchang est admirable dans les choses extérieures ! Mais il est difficile dé pratiquer avec lui la vertu parfaite. » *Tzeu tchang donnait son principal soin aux choses extérieures. Hautain dans ses manières, il ne pouvait ni être aidé ni aider les autres dans la pratique de la vraie vertu.*

17. Tseng tzeu disait : « J'ai entendu dire à notre maître que, quand même les hommes ne feraient pas tout leur possible dans les autres circonstances, ils devraient le faire à la mort de leurs parents. »

18. Tseng tzeu dit : « Au sujet de la piété filiale de Meng Tchouang tzeu, j'ai entendu dire à notre maître qu'on pouvait aisément imiter tous les exemples de ce grand préfet, hormis celui qu'il a donné en ne changeant ni les serviteurs ni l'administration de son père. »

19. Iang Fou, ayant été nommé directeur des tribunaux par le chef de la famille Meng, demanda des conseils à son maître Tseng tzeu. Tseng tzeu lui dit : « Ceux qui dirigent la société s'écartant du droit chemin, depuis longtemps le peuple se divise (et la discorde amène beaucoup de crimes). Si vous reconnaissez la vérité des accusations portées devant les tribunaux, ayez compassion des coupables, et ne vous réjouissez pas (de votre habileté à les découvrir). »

20. Tzeu koung dit : « La scélératesse de l'empereur Tcheou (a été grande, mais elle) n'a pas été si extrême qu'on le dit. Le sage craint beaucoup de descendre le courant et de s'arrêter dans l'endroit où toutes les eaux de l'empire se déversent, c'est à dire de tomber enfin si bas qu'on lui impute tous les crimes de l'univers, comme il est arrivé au tyran Tcheou. »

21. Tzeu koung dit : « Les fautes involontaires d'un prince sage sont comme les éclipses du soleil et de la lune. Quand il s'égare, tous les yeux le voient. Quand il se corrige, tous les regards le contemplent. »

22. Koung suenn Tch'ao (grand préfet de la principauté) de Wei demanda à Tzeu koung de quel maître Confucius tenait ses connaissances. Tzeu koung répondit : « Les institutions de Wenn wang et de Ou wang ne sont pas encore tombées dans l'oubli ; elles vivent toujours dans la mémoire des hommes. Les hommes de talent et de vertu en ont appris (et en comprennent) les grands principes. Les hommes ordinaires en ont appris quelques principes particuliers. Les enseignements de Wenn wang et de Ou wang subsistent encore partout. De quelle source mon maître n'a-t-il pas tiré quelque connaissance ? Et quel besoin avait-il de s'attacher à un maître déterminé ? »

23. Chou suenn Ou chou (grand préfet dans la principauté de Lou) dit aux grands préfets réunis dans le palais du prince : « Tzeu koung est plus sage que Confucius. » (L'un d'entre eux) Tzeu fou King pe rapporta cette parole à Tzeu koung. Tzeu koung répondit : « Permettez moi d'employer une comparaison tirée d'une maison et de son mur d'enceinte. Mon mur d'enceinte ne s'élève qu'à la hauteur des épaules d'un homme. Chacun peut regarder et voir du dehors tout ce que la maison a de beau. Le mur du Maître est plusieurs fois plus haut que la taille d'un homme. A moins de trouver la porte du palais et d'y entrer, on ne voit pas la magnificence du temple des ancêtres ni l'appareil pompeux des officiers. Peu savent en trouver la porte. L'assertion de Chou suenn Ou chou n'est elle pas contraire à la vérité ? »

24. Chou suenn On chou dépréciait Confucius. Tzeu koung dit : « Toutes ses paroles n'auront aucun effet. La détraction ne saurait diminuer la réputation de Tchoung gni. La sagesse des autres hommes est comme une colline ou un monticule qu'il est possible de gravir. Tchoung gni est comme le soleil et la lune ; personne ne peut s'élever au dessus de lui. Quand même on se séparerait de lui en rejetant sa doctrine, quel tort ferait on à celui qui brille comme le soleil et la lune ? On montrerait seulement qu'on ne se connaît pas soi-même. »

25. Tch'enn Tzeu k'in dit à Tzeu koung : « C'est par modestie que vous mettez Tchoung gni au dessus de vous. Est ce qu'il est plus sage que vous ? » Tzeu koung répondit : « Une parole d'un disciple de la sa-

gesse suffit pour faire juger qu'il est prudent ; une parole dite inconsidérément suffit pour faire juger qu'il manque de prudence. Il faut faire attention à ses paroles. (Ce que vous venez de dire ne paraît pas assez réfléchi). Personne ne peut égaler notre maître, de même que personne ne peut s'élever jusqu'au ciel avec des échelles. Si notre maître avait eu un État à gouverner, il aurait, comme on dit, pourvu à la nourriture du peuple, et le peuple aurait trouvé la nourriture ; il aurait dirigé le peuple, et le peuple aurait marché en avant ; il aurait procuré la tranquillité au peuple, et le peuple l'aurait aimé et respecté ; il aurait excité le peuple à la vertu, et le peuple aurait vécu en bonne intelligence ; il aurait été honoré pendant sa vie, et pleuré après sa mort. Qui peut l'égaler ? »

CHAPITRE XX. IAO IUE.

1. L'empereur Iao dit : « Eh bien ! Chouenn, voici le temps fixé par le Ciel pour votre avènement à l'empire. Appliquez vous à garder en toutes choses le juste milieu. Si (par votre négligence) le peuple manquait de ressources, le Ciel vous retirerait pour jamais le pouvoir et les trésors royaux. » Chouenn donna les mêmes avis à Iu, son successeur.

Tch'eng T'ang, fondateur de la dynastie des Chang, après avoir chassé Kie, le dernier empereur de la dynastie des Hia, dit : « Moi Li, qui suis comme un faible enfant, j'ai osé immoler un taureau noir (comme les empereurs de la dynastie des Hia). J'ai osé déclarer solennellement, en face de l'auguste Souverain et Seigneur du Ciel, que je ne me permettrais pas d'épargner le coupable (l'empereur Kie) et que je ne laisserais pas ensevelis dans la vie privée les serviteurs du Souverain Roi (les hommes sages), parce que les cruautés du tyran et les vertus des sages étaient inscrites dans le cœur du Maître suprême. Si je commets une faute, le peuple n'en sera pas responsable. Si le peuple commet une faute, j'en serai responsable (en qualité de chef du peuple). » *Ces expressions, l'auguste Souverain et Seigneur du Ciel, sont des termes respectueux pour désigner le Souverain Maître. Tous les hommes sages sont les ministres du Souverain Maître. Avant de marcher contre Kie, Tch'eng t'ang dit : « Toutes les actions bonnet ou mauvaises sont inscrites et se lisent dans le cœur du Souverain Seigneur. En attaquant Kie, je ne ferai qu'obéir aux ordres du Souverain Roi. »*

Ou Wang, fondateur de la dynastie des Tcheou, répandit ses bienfaits dans tout l'empire. Il n'enrichit que les hommes vertueux. « Bien que le tyran Tcheou ait beaucoup de proches parents, dit il, ils ne valent pas mes hommes, qui sont très vertueux. (Si je ne le renverse pas), toutes les plaintes du peuple se tourneront contre moi seul. » Il régla les poids et les mesures, révisa les lois et les ordonnances, rétablit les charges qui avaient été abolies par *Tcheou* ; et, dans tout l'empire, l'administration reprit son cours régulier. Il reconstitua les principautés supprimées, donna une postérité adoptive aux chefs des grandes familles morts sans enfant mâle ; éleva aux charges les hommes capables qui avaient été laissés dans la vie privée ; et tous les cœurs furent à lui. Il attachait une grande importance à la subsistance du peuple, aux funérailles et aux sacrifices. Si un prince fait du bien à tous ses sujets, il se conciliera tous les cœurs ; s'il est diligent, il mènera toutes ses œuvres à bonne fin ; s'il est juste, il fera la joie du peuple.

2. Tzeu tchang demanda à Confucius ce qu'il fallait faire pour bien gouverner. Le Maître répondit : « Il faut avoir en estime cinq qualités, et éviter quatre défauts ; cela suffit. » « Quelles sont ces cinq qualités ? dit Tzeu tchang. » Le Maître répondit : « Un prince sage exerce la bienfaisance, sans rien dépenser ; il impose des charges au peuple, sans le mécontenter ; il a des désirs, sans être cupide ; il est heureux et calme, sans orgueil ni négligence ; il a de la dignité, sans avoir rien de dur. »

Tzeu tchang dit : « Comment exerce-t-il la bienfaisance sans rien dépenser ? » Le Maître répondit : « Il favorise tout ce qui procure des ressources au peuple ; par ce moyen, n'exerce-t-il pas la bienfaisance sans rien dépenser ? Il n'impose ni travaux ni autres charges qu'aux époques convenables et pour les choses nécessaires ; dès lors, qui serait mécontent ? Il désire que son administration soit bienfaisante, et il l'obtient ; comment serait-il cupide ? Un prince sage, sans considérer si les personnes sont peu ou beaucoup, ni si les affaires sont importantes ou non, ne se permet jamais la moindre négligence. N'est-il pas tranquille, sans orgueil ni manque de soin ? Un prince sage prend garde que ses vêtements et son bonnet soient bien ajustés, que ses regards aient de la dignité. Sa gravité inspire le respect. N'est-il pas majestueux, sans être dur ? »

Tzeu tchang demanda ensuite quels étaient les quatre défauts à éviter. Le Maître répondit : « Ne pas instruire ses sujets, et les punir de mort, quand ils enfreignent les lois, c'est de la cruauté. Sans avoir averti d'avance, exiger que le travail imposé soit terminé tout de suite, c'est de la précipitation et de la violence. Donner des ordres peu pressants (avec préméditation) et urger ensuite l'exécution, c'est assassiner le peuple. Quand il est absolument nécessaire de donner quelque chose tôt ou tard, calculer avec parcimonie ce que l'on reçoit et ce que l'on donne, c'est agir comme un intendant (qui n'ose rien accorder de son propre chef). »

3. Le Maître dit : « Celui qui ne connaît pas la volonté du Ciel (la loi naturelle) ne sera jamais un sage. Celui qui ne connaît pas les règles et les usages ne sera pas constant dans sa conduite. Celui qui ne sait pas discerner le vrai du faux dans les discours des hommes ne peut connaître les hommes. »

ŒUVRES
DE
MENG TZEU

———

Les œuvres de Meng tzeu se divisent en deux parties. La première, **Cháng Méng** 上孟 comprend trois livres **kiuén** , et la deuxième, quatre. Chaque livre se divise en deux chapitres. 章句 **Tchāng kiú** signifie *chapitre* et *phrases* .

ŒUVRES
DE

MENG TZEU

———

Les œuvres de Meng tzeu se divisent en deux parties. La première, **Cháng Méng** 上孟 comprend trois livres **kiuén** , et la deuxième, quatre. Chaque livre se divise en deux chapitres. 章句 **Tchāng kiú** signifie *chapitre* et *phrases* .

Meng était le nom de famille de Meng tzeu, K'o son nom propre, et Tzeu iu son surnom. Il naquit dans la principauté de Tcheou. Il était de la famille des Meng suenn, qui descendaient de Houan, prince de Lou. Son père s'appelait Ki Koung i ; le nom de famille de sa mère était Tchang. Meng tzeu perdit son père à l'âge de trois ans. Sa mère, femme d'une grande sagesse, s'appliqua à faire son éducation. Elle se donna la peine de changer trois fois d'habitation.

Dans l'Histoire des Femmes Célèbres, Liou Hiang dit: « La mère de Meng K'o habitait près d'un cimetière. Meng tzeu encore enfant allait au milieu des tombes, et imitait par amusement les cérémonies et les lamentations qui s'y faisaient. Sa mère se dit : « Ce n'est pas un endroit convenable pour la demeure de mon fils. » Elle alla demeurer auprès d'un lieu de marché. Son fils imita par jeu les marchands qui criaient et vendaient leurs marchandises. Elle se dit encore : « Ce n'est pas un endroit convenable pour la demeure de mon fils. » Elle changea de nouveau, et alla demeurer auprès d'une école. Son fils imita par jeu les écoliers qui apprenaient à disposer les supports et les vases de bois pour les offrandes, à saluer, à témoigner du respect, à se présenter et à se retirer avec politesse. Elle se dit : « Cet endroit est vraiment convenable pour la demeure de mon fils. » Elle s'y fixa.

« Lorsqu'il commença à étudier, un jour qu'il revenait de l'école, elle lui demanda où en étaient ses études. Voyant qu'il s'abandonnait à la paresse, elle prit un couteau, brisa son métier à tisser, et dit : « Mon fils traite ses études comme je traite mon métier à tisser. » Meng tzeu, plein de crainte, se mit à étudier avec ardeur et sans relâche du matin au soir. »

Dans le Cheu ki, Seu ma Ts'ien dit : « Meng K'o eut pour maîtres les disciples de Tzeu seu. » Il vécut quatre vingt quatre ans (372-288).

LIVRE I. LEANG HOUEI WANG.

CHAPITRE I

1. Meng tzeu alla voir Houei, roi de Leang. *Houei, roi de Leang, était Ing, prince de Wei : Il établit sa cour à T'ai leang, (ville qui donnait son nom au pays environnant), et usurpa le titre de roi : Il reçut le nom posthume de Houei, Bienfaisant.* Le roi lui dit : « Maître, vous n'avez pas craint de faire un voyage de mille stades pour venir ici. Ne m'enseignerez vous pas un moyen d'augmenter les richesses et la puissance de mon royaume ? »

Meng tzeu répondit : Prince, pourquoi parler de richesses et de puissance ? Parlons de bienfaisance et de justice ; cela suffit. Si le prince dit : « Par quel moyen augmenterai-je les richesses et la puissance de mon royaume ? » les grands préfets diront : « Par quel moyen augmenterons nous les richesses et la puissance de nos maisons ? » les lettrés et les hommes du peuple diront : « Par quel moyen augmenterons nous nos richesses et notre influence particulières ? ». Les grands et les petits se disputeront entre eux les richesses et la puissance ; le royaume sera en péril.

« Dans le domaine qui entretient dix mille chariots de guerre (dans le domaine particulier de l'empereur), celui qui mettra à mort son souverain (l'empereur), ce sera le chef d'une famille qui entretient mille chariots de guerre (un ministre d'État de l'empereur). Dans un fief qui possède mille chariots de guerre, celui qui mettra à mort son prince de tchou heou), ce sera le chef d'une famille qui entretient cent chariots de guerre (un grand préfct). Avoir mille sur dix mille, et cent sur mille, ce n'est pas peu : Cependant, si les richesses et la puissance passent avant la justice, les inférieurs ne seront satisfaits que quand ils auront tout enlevé à leurs supérieurs. *Le royaume qui entretient dix mille chariots de guerre est le territoire particulier de l'empereur ; il a mille stades en tous sens, et fournit dix mille chariots pour la guerre. Une famille qui entretient mille chariots, est celle d'un ministre d'État de l'empereur ; son domaine a cent stades en tous sens, et fournit mille chariots pour la guerre. Une principauté qui entretient mille chariots, est celle d'un tchou heou. Une famille qui entretient cent chariots, est celle d'un tai fou dans la principauté d'un tchou heou.*

« Jamais un homme bienfaisant n'a abandonné ses parents, ni un homme juste préféré son intérêt à ses devoirs envers son prince. Parlez donc d'humanité et de justice ; cela suffit. Qu'est il besoin de parler de richesses et de puissance ?

2. Meng tzeu étant allé voir Houei, roi de Leang, le trouva au bord d'un bassin, occupé à regarder des oies sauvages de différentes tailles et des cerfs de plusieurs espèces. Le prince lui dit : Un prince sage trouve-t-il aussi du plaisir à ces sortes de choses ? Meng tzeu répondit : Celui qui est déjà sage, y trouve un vrai plaisir ; celui qui n'est pas sage, n'y trouve pas de plaisir réel. Dans le Cheu King, il est dit : « On se mit à mesurer l'emplacement pour élever la Tour des Esprits ; on le mesura, on le dessina. Tout le peuple travailla ; en moins d'un jour (en très peu de temps), la construction fut terminée. Quand on mesura l'emplacement, Wenn wang dit : Ne vous pressez pas. Mais tous ses sujets accoururent comme des fils à leur père. Le prince, dans le Parc des Esprits, regardait les cerfs et les biches se reposant sur l'herbe, les cerfs et les biches luisant de graisse, et les oiseaux d'une blancheur éclatante. Le prince, au bord du Bassin des Esprits, considérait les nombreux poissons prenant leurs ébats. »

« Wenn wang avait fait faire cette tour et ce bassin au prix des fatigues du peuple, et cependant le peuple en était très content. Le peuple appela cette tour la Tour des Esprits, et ce bassin le Bassin des Esprits. Il se réjouissait de ce que Wenn wang avait des cerfs, des poissons et des tortues. Les anciens princes faisaient partager au peuple leurs satisfactions ; aussi goûtaient ils un vrai contentement.

« Dans l'Avis de T'ang, il est dit : Quand donc ce soleil périra-t-il ? (Pourvu que tu périsses), nous périrons volontiers avec toi, (s'il le faut). » *Kie disait lui-même : « Je suis dans l'empire comme le soleil dans le ciel. Je ne périrai que quand le soleil périra. » Le peuple, qui détestait sa cruelle tyrannie, prenant ses propres paroles, et le regardant avec indignation, disait : « Quand donc ce soleil péri-*

ra-t-il ? Pourvu qu'il périsse, nous serons heureux de périr tous avec lui. » (Pourvu que le tyran eût péri), le peuple aurait volontiers péri avec lui. Quand même Kie aurait eu des tours, des étangs, des oiseaux, des quadrupèdes, aurait il pu trouver seul de la satisfaction, quand tout le peuple était mécontent ? »

3. Houei, roi de Leang, dit : « Je donne au gouvernement toute l'application dont je suis capable. Quand la moisson manque dans le Ho nei, j'en transfère les habitants (un peu plus à l'est) dans le Ho toung, et je fais transporter des grains du Ho toung dans le Ho nei. Quand la moisson manque dans le Ho toung, j'emploie encore le même expédient. Je considère l'administration des principautés voisines ; aucun prince ne paraît donner aux affaires autant d'application que moi. Cependant la population des principautés voisines ne diminue pas, celle de la mienne n'augmente pas ; quelle en est la raison ? »

Meng tzeu répondit : « Prince, vous aimez la guerre ; permettez moi d'employer une comparaison tirée de la guerre. Le tambour donne le signal du combat, et la bataille s'engage. Bientôt les soldats de l'une des deux armées jettent leurs cuirasses, et traînant leurs armes derrière eux, fuient, les uns jusqu'à une distance de cent pas, les autres jusqu'à une distance de cinquante : Ces derniers, parce qu'ils n'ont fui que jusqu'à une distance de cinquante pas, se moquent de ceux qui ont fui jusqu'à une distance de cent pas. Ont ils raison de s'en moquer ? » « Ils n'ont pas raison, répondit le roi. Ils n'ont pas fui jusqu'à une distance de cent pas ; mais de fait eux aussi ont fui. »

Meng tzeu reprit : « Prince, si vous admettez cela, n'espérez pas que la population augmente plus dans votre principauté que dans les principautés voisines. (Car, bien que vous négligiez moins votre peuple que les autres princes ne négligent les leurs, vous ne lui donnez pas encore assez de soins). Ne prenez pas sur le temps des travaux des champs (pour les travaux et les autres services publics) ; on récoltera plus de grains qu'on n'en pourra consommer. Qu'il soit défendu de pêcher dans les étangs et les viviers avec des filets à mailles serrées ; on aura plus de poissons et de tortues qu'on n'en pourra manger. Que sur les montagnes et dans les vallées, la cognée et la hache ne touchent pas aux arbres des forêts en dehors de certaines époques ; on aura plus de bois qu'on n'en pourra employer. Si l'on a plus de grains, de poissons et de tortues qu'on n'en peut manger, et plus de bois qu'on n'en peut employer, on nourrira les vivants, on rendra les derniers devoirs aux morts, sans que personne ait la douleur de manquer des choses nécessaires. Que le peuple ait tout ce qu'il faut pour l'entretien des vivants et les obsèques des morts, c'est le fondement indispensable d'un gouvernement vraiment royal.

« Si une famille, dont l'habitation occupe cinq arpents, plante des mûriers (autour de la maison), les hommes de cinquante ans porteront des vêtements de soie. Si l'on observe les temps convenables pour la reproduction et l'élevage des poules, des chiens, des cochons mâles et femelles, les vieillards de soixante-dix ans mangeront de la viande. Si le prince ne prend pas le temps des laboureurs aux époques des travaux des champs, une famille de plusieurs personnes, avec cent arpents de terre, n'aura pas à souffrir de la faim. S'il veille sur l'éducation donnée dans les écoles, principale-ment en ce qui concerne la piété filiale et le respect dû à l'âge, on ne verra pas dans les chemins les hommes à cheveux gris porter des fardeaux ni sur les épaules ni sur la tête. Un prince aux soins duquel les vieillards de soixante dix ans doivent de porter des vêtements de soie et de manger de la viande, et ceux qui n'ont pas dépassé l'âge mûr, doivent de ne souffrir ni de la faim ni du froid ; Un tel prince obtient infailliblement l'empire.

« Vos chiens et vos pourceaux mangent la nourriture des hommes, à savoir, les grains du tribut ; et vous ne savez pas diminuer vos exactions. Sur les chemins on trouve des hommes morts de faim ; et vous ne savez pas ouvrir vos greniers aux indigents : Les hommes périssent, et vous dites : Ce n'est pas moi qui les fais périr, mais le manque de récolte. N'est-ce pas comme si quelqu'un, après avoir tué un homme en le perçant d'un glaive, disait : Ce n'est pas moi qui l'ai tué, mais mon arme ? Prince, cessez de prétexter le manque de récolte ; on viendra de toutes les contrées de l'empire, (la population de votre principauté augmentera). »

4. Houei, roi de Leang, dit : « Je désirerais vous entendre à loisir développer vos principes sur l'art de gouverner. » Meng tzeu dit : « Y a-t-il une différence entre tuer un homme avec un bâton et le tuer avec une épée ? » « Il n'y en a aucune, dit le prince. » Meng tzeu reprit : « Y a-t-il une différence entre faire périr les hommes par l'épée et les faire périr par une mauvaise administration ? » « Il n'y en a pas, répondit le roi. » Meng tzeu dit : « Vous avez des viandes grasses dans votre cuisine, et des chevaux gras dans vos écuries. Cependant, vos sujets ont l'air de faméliques, et dans les champs on trouve des hommes morts de faim. (Exiger du peuple un tribut très onéreux pour nourrir et engraisser des animaux domestiques), c'est en quelque sorte faire dévorer les hommes par les animaux. Les hommes ont horreur de voir les animaux se dévorer entre eux. Si celui qui est le père du peuple, se permet, par une administration tyrannique, de livrer les hommes en pâture aux animaux, où est son amour paternel envers ses sujets ?

« Confucius dit : « Celui qui le premier a fait des statuettes de bois pour les enterrer avec les morts dans les tombeaux, n'a-t-il pas été privé de descendants, c'est-à-dire n'a-t-il pas mérité de mourir sans postérité ? Parce que cet inventeur avait fait et enterré des statuettes, (qui n'avaient de l'homme que la forme, Confucius le trouvait cruel). Que doit on penser d'un prince qui réduit ses sujets à mourir de faim ? *Dans la haute antiquité, on enterrait avec les morts des mannequins de paille, en guise de suivants et de gardes du corps. On les appelait Mânes de paille. Ils avaient à peine la forme d'un homme. Plus tard, ils furent remplacés par des statuettes de bois, qui avaient un visage et des yeux, pouvaient sauter au moyen d'un mécanisme, et pour cette raison s'appelaient* ioung.

5. Houei, roi de Leang, dit : « Autrefois, la principauté de Tsin était la plus puissante de tout l'empire, comme vous le savez. Depuis qu'elle m'est échue, à l'est, elle a été battue par Ts'i, et mon fils aîné a perdu la vie. A l'ouest, elle a été forcée de céder à Ts'in sept cents stades de terrain. Au midi, elle a subi les outrages de Tch'ou. Je suis un objet de honte pour mes prédécesseurs. Pour l'honneur des défunts, je désire laver cet affront. Par quel moyen pourrai-je y réussir ? »

Meng tzeu répondit : « Un prince n'aurait-il à gouverner qu'un espace carré ayant cent stades de chaque côté ; (si son administration est bienfaisante), il obtiendra l'empire. Prince, si vous gouvernez votre peuple avec bonté, si vous avez rarement recours aux supplices, si vous diminuez les impôts et les taxes, les laboureurs défonceront le sol profondément, et nettoieront soigneusement la terre des mauvaises herbes. Les jeunes gens, aux jours de repos, apprendront à aimer leurs parents, à respecter ceux qui sont au dessus d'eux par l'âge où la dignité, à se montrer dignes de confiance, à parler avec sincérité. Par suite, dans la famille, ils aideront leurs parents et ceux de leurs frères qui sont plus âgés qu'eux ; hors de la famille, ils aideront ceux qui sont au dessus d'eux. Ils seront tels que vous pourrez leur dire de préparer des bâtons, et les envoyer avec cette seule arme repousser les cuirasses épaisses et les armes bien affilées des soldats de Ts'in et de Tch'ou.

« Les princes de Ts'in et de Tch'ou ne laissent pas à leurs sujets le temps de labourer la terre ni de la débarrasser des mauvaises herbes, pour en tirer les choses nécessaires à l'entretien de leurs parents. Les parents souffrent du froid et de la faim. Les frères, la femme et les enfants se séparent et se dispersent. Ces princes ruinent leurs peuples. Si vous alliez les attaquer, qui combattrait, pour eux contre vous ? On dit communément qu'un prince bienfaisant ne rencontre aucune résistance. Prince, cela est vrai ; n'en doutez pas, je vous prie. »

6. Meng tzeu alla voir Siang, prince de Leang (fils de Houei). En sortant du palais, il dit : « En le considérant de loin, je n'ai pas vu en lui l'air majestueux d'un prince ; en le regardant de près, je n'ai trouvé en lui rien qui m'inspirât le respect. Il m'a demandé brusquement par quel moyen l'empire pourrait recouvrer la tranquillité. Je lui ai répondu : « Il trouvera la tranquillité dans l'unité de gouvernement ». « Qui pourra, dit le prince, lui donner l'unité ? » « Ce sera, lui ai-je répondu, celui qui n'aimera pas à faire périr les hommes. » Le prince dit : « Qui pourra (se soustraire à la tyrannie des princes cruels et) se donner à lui ? »

« Je lui ai répondu : « Tout le monde sans exception se donnera à lui. Prince, ne savez vous pas ce qui a lieu pour les moissons ? Si, au septième ou au huitième mois de l'année, la terre est aride, les moissons se dessèchent. Si le ciel se charge d'épais nuages et qu'il tombe une pluie abondante, les plantes prennent leur essor et grandissent rapidement : Qui pourrait les arrêter dans leur croissance ? À présent, dans tout l'empire, parmi les pasteurs des peuples, il n'en est pas un qui n'aime à faire périr les hommes. S'il s'en trouvait un qui eût des sentiments contraires, tous les habitants de l'empire se tourneraient vers lui, et mettraient en lui leur espoir. Dès lors, les peuples iraient à lui aussi naturellement que l'eau descend dans les vallées. Ils courraient à lui avec l'impétuosité d'un torrent : Qui pourrait les arrêter ? » (Le septième et le huitième mois des Tcheou correspondaient au cinquième et au sixième mois du calendrier des Hia et du calendrier actuel).

7. Siuen, prince de Ts'i, dit à Meng tzeu : « Pourrais je avoir le bonheur d'entendre de votre bouche le récit des actions de Houan, prince de Ts'i, et de Wenn, prince de Tsin ? » *Siuen, roi de Ts'i, dont le nom de famille était Tien et le nom propre P'i kiang, n'était que prince, et avait usurpé le titre de roi.. Houan, prince de Ts'i, et Wenn, prince de Tsin, avaient tous deux soumis à leur autorité les autres princes.* Meng tzeu répondit : « Les disciples de Confucius n'ont raconté ni les actions du prince Houan ni celles du prince Wenn ; (Ils ont eu honte de parler des cinq tyrans qui ont usurpé les droits de l'empereur, et se sont arrogé le pouvoir de commander à tous les autres princes). Pour cette raison, leur histoire n'a pas été transmise aux générations suivantes ; et moi, votre serviteur, je ne la connais pas. Mais, si vous voulez absolument que je parle, pourquoi ne vous dirais je pas le moyen de parvenir à gouverner tout l'empire ? »

Le roi dit : « Quelles qualités doit avoir la vertu d'un prince pour qu'il réunisse tout l'empire sous son autorité ? » Meng tzeu répondit : « Il faut qu'il aime et protège le peuple, et il obtiendra l'empire ; personne ne pourra l'en empêcher. » « Un homme tel que moi, dit le prince, est il capable d'aimer et de protéger le peuple ? » « Vous en êtes capable, répondit Meng tzeu. » « Comment savez vous que j'en suis capable, demanda le roi ? » Meng tzeu répondit : « J'ai entendu raconter à (votre ministre) Hou He le fait suivant. Pendant que le roi siégeait au haut (à l'extrémité septentrionale) de la cour ou salle d'audience, des hommes traînant un bœuf à l'aide d'une corde vinrent à passer à l'autre extrémité de la cour ou de la salle. Le roi les ayant vus, dit : Où menez vous ce bœuf ? Ils répondirent : On va l'immoler, pour frotter de son sang les ouvertures d'une cloche. Laissez le aller, dit le roi ; je ne puis supporter de le voir trembler comme un innocent qui serait conduit au supplice. Faudra-t-il donc, répliquèrent-ils, omettre de frotter de sang les ouvertures de la cloche ? » « Conviendrait-il d'omettre cette cérémonie, dit le roi ? Prenez une brebis à la place du bœuf. » (Meng tzeu ajouta) : « Je ne sais si ce fait est vrai. » « Il est vrai, dit le roi. »

Meng tzeu reprit : « Cette bonté de cœur, (qui se manifeste même à l'égard des animaux), vous suffit pour (gagner tous les cœurs et) vous rendre maître de l'empire. Tout le peuple a cru que vous aviez obéi à un sentiment d'avarice, (en ordonnant d'immoler une brebis à la place d'un bœuf). Moi, je sais bien que vous avez été mû par un sentiment de compassion. » « Vous ne vous trompez pas, dit le roi. Sans doute le soupçon du peuple paraissait fondé ; mais, bien que la principauté de Ts'i soit petite, comment aurais je été assez avare pour refuser de sacrifier un bœuf ? Je n'ai pu supporter de le voir trembler, comme un innocent qu'on traîne au supplice. Voilà pourquoi j'ai ordonné d'immoler une brebis à sa place. »

« Prince, dit Meng tzeu, ne vous étonnez pas que le peuple vous ait taxé d'avarice. Vous avez offert un petit animal au lieu d'un grand. Comment le peuple aurait-il deviné vos véritables sentiments ? Mais, prince, si vous avez eu compassion d'une victime innocente qui allait à l'immolation, pourquoi avez vous mis une différence entre le bœuf et la brebis ? » Le prince sourit, et dit : « Quel sentiment a donc déterminé ma préférence ? Certainement, ce n'a pas été par avarice, et en considération de la valeur du bœuf, que je lui ai substitué une brebis. Néanmoins, le peuple devait penser et dire que c'était par avarice. » « Peu importe le dire du peuple, reprit Meng tzeu ; c'est votre bon cœur qui vous a suggéré cet expédient. Si vous avez eu compassion du bœuf, et non de la brebis, c'est que vous aviez devant les yeux le bœuf, et non la brebis. Le sage, après avoir vu les animaux vivants, ne peut souffrir de les voir mourir ; après avoir entendu les cris de ceux qu'on égorge, il ne peut se résoudre à

162

manger leur chair. Pour cette raison, il place loin de ses appartements la boucherie et la cuisine. »

Le prince tout joyeux dit : « On lit dans le Cheu King : Un autre a-t-il une pensée ; je parviens à la deviner. Maître, ces paroles du Cheu King peuvent vous être appliquées justement. J'avais fait cette action, (j'avais ordonné d'immoler une brebis au lieu d'un bœuf). Faisant un retour sur moi-même, je cherchais quel sentiment m'avait poussé, et je ne parvenais pas à le découvrir. Vous, Maître, vous l'avez exprimé. En même temps, mon premier sentiment de compassion s'est renouvelé dans mon cœur. Mais quelle relation ce sentiment a-t-il avec l'empire universel ? »

Meng tzeu répondit : « Supposons que quelqu'un vienne vous dire : Je suis assez fort pour soulever un poids de trente mille livres, mais je n'ai pas la force de soulever une plume ; j'ai la vue assez perçante pour voir l'extrémité d'un poil d'automne, mais je n'aperçois pas une voiture chargée de chauffage. Prince, admettriez vous ces affirmations ? » « Non, dit le roi. » (En automne, l'extrémité du poil des animaux est très fine). Meng tzeu reprit : « Comment se fait-il que votre bienfaisance soit assez grande pour s'étendre jusqu'aux oiseaux et aux quadrupèdes, et que vos sujets soient les seuls qui n'en ressentent pas les effets ? Vous êtes comme un homme qui ne soulève pas une plume, parce qu'il n'y applique pas ses forces, qui ne voit pas une voiture chargée de chauffage, parce qu'il n'y applique pas sa vue. Votre peuple ne reçoit pas les soins nécessaires, parce que vous n'exercez pas envers lui votre bienfaisance : Ainsi, prince, si vous ne régnez pas sur tout l'empire, c'est parce que vous n'agissez pas, et non parce que vous ne le pouvez pas. »

« A quels signes, demanda le roi, peut on distinguer le manque d'action ou de volonté du manque de pouvoir ? » Meng tzeu répondit : « Quelqu'un dit qu'il n'est pas capable de traverser la mer du nord avec le mont T'ai chan sous le bras ; voilà une impossibilité véritable. Le même dit qu'il n'a pas la force de casser une branche d'arbre pour son supérieur ; voilà un manque de volonté, et non un manque de pouvoir. Si vous n'étendez pas votre empire sur toute la Chine, ce n'est pas par impuissance, comme s'il s'agissait de prendre sous le bras le mont T'ai chan et de traverser la mer du nord ; c'est par défaut de volonté, comme s'il s'agissait de casser une branche d'arbre.

« Si je respecte les vieillards de ma famille, et que peu à peu je fasse respecter les vieillards des autres familles ; si je donne des soins affectueux aux enfants et aux jeunes gens de ma famille, et que peu à peu je fasse donner les mêmes soins à ceux des autres familles ; je pourrai faire tourner l'univers sur ma main. Il est dit dans le Cheu King : « Wenn wang fut un modèle pour son épouse ; il forma ses frères à son exemple ; enfin il régla toutes les familles et le royaume. » Ces paroles signifient que Wenn wang montra sa bienfaisance, qu'il l'exerça envers sa femme, ses frères et tout le peuple, et ne fit rien de plus.

« Ainsi, il suffit d'étendre sa bienfaisance toujours de plus en plus, pour établir et maintenir le bon ordre dans tout l'empire. Celui qui n'étend pas sa bienfaisance, est incapable de donner les soins nécessaires à sa femme et à ses enfants. Une seule chose mettait les anciens princes au dessus des autres hommes : ils excellaient à étendre, à faire imiter partout leur bienfaisance. Quelle est la raison spéciale pour laquelle votre bonté s'étend jusqu'aux animaux, et votre action n'atteint pas vos sujets ? On connaît le poids d'un objet en le pesant, et sa longueur en le mesurant. Il en est ainsi pour toute chose ; mais il importe surtout de peser les sentiments de notre cœur. Prince, examinez, je vous prie, s'il est juste d'aimer les animaux plus que vos sujets.

« D'un autre côté, vous entreprenez des guerres ; vous mettez en péril la vie des chefs et des soldats, vous vous attirez l'inimitié des princes. Votre cœur y trouve t il la joie ? » « Non, dit le prince. Comment pourrais je y mettre mon plaisir ? Je m'en sers seulement pour arriver au terme de mon grand désir. » « Prince, demanda Meng tzeu, pourrais-je savoir quel est votre grand désir ? » Le roi sourit et garda le silence. Meng tzeu reprit : « Est ce que vous n'auriez pas assez de viandes succulentes ni de mets savoureux pour satisfaire votre palais, assez de vêtements à la fois légers et chauds pour couvrir votre corps ; ou bien, est ce que vous n'auriez pas assez de belles choses pour réjouir vos yeux, assez de concerts de musique pour charmer vos oreilles, assez de familiers et de favoris pour vous servir dans le palais ? Vos nombreux ministres suffisent amplement pour vous procurer ces cinq avantages. Comment auriez vous quelque désir à ce sujet ? » Non, dit le roi, là n'est pas l'objet de mon grand désir.

« S'il en est ainsi, dit Meng tzeu, il est facile de deviner ce que vous désirez tant. Vous désirez étendre les limites de vos États, recevoir à votre cour les hommages des princes de Ts'in et de Tch'ou, gouverner l'empire, et tenir sous vos lois tous les étrangers. Mais par des moyens semblables à ceux que vous employez, poursuivre un but comme le vôtre, c'est monter sur les arbres pour trouver des poissons. »

« Mon erreur est elle si grave, dit le roi ? » « Elle est plus grave encore, répondit Meng tzeu. Si quelqu'un cherchait des poissons sur les arbres, sans doute il n'en trouverait pas, mais il ne s'en suivrait aucun malheur. En poursuivant votre but par les moyens que vous employez, non seulement vous dépensez en pure perte les forces de votre intelligence et toutes vos ressources, mais certainement vous attirerez de grands maux. »

« Voudriez vous me dire quels sont ces maux, demanda le roi ? » Meng tzeu répondit : « Si le prince de Tcheou attaquait celui de Tch'ou, lequel des deux croyez vous devoir être vainqueur ? » « Le prince de Tch'ou serait vainqueur, dit le roi. Ainsi, vous l'admettez, reprit Meng tzeu, une petite principauté ne peut lutter contre une grande, un petit nombre contre un grand nombre, un faible contre un fort. L'empire compte neuf contrées qui ont chacune mille stades en tous sens. Le prince de Ts'i possède une de ces contrées. Ne serait il pas aussi impossible de soumettre les huit autres avec une seule, qu'il le serait au prince de Tcheou de lutter contre celui de Tch'ou ? Entrez donc dans la voie qui seule peut vous conduire au terme de vos désirs.

« Si dans votre administration vous vous appliquez à exercer la bienfaisance, tous les officiers de l'empire voudront avoir des charges dans votre palais ; tous les laboureurs voudront cultiver la terre dans vos campagnes ; tous les marchands, soit ambulants soit à poste fixe, voudront déposer leurs marchandises dans votre marché ; tous les étrangers en voyage voudront passer par vos routes ; tous ceux qui désireront la répression de leurs mauvais princes, voudront aller porter plainte auprès de vous. S'ils sont ainsi disposés, qui pourra les arrêter ? »

Le roi dit : « Mon esprit n'est que ténèbres ; je ne puis marcher dans cette voie. Je vous prie de venir en aide à ma bonne volonté, et de me donner des explications claires. Alors, malgré mon défaut de perspicacité, j'essaierai de suivre votre conseil. »

Meng tzeu dit : « Seul le disciple de la sagesse peut demeurer stable dans la vertu, sans avoir de biens stables. Les hommes ordinaires ne sont pas stables dans la vertu, quand ils n'ont pas de biens stables. S'ils ne sont pas stables dans la vertu, ils se permettent toutes sortes de licences, de désordres, d'injustices et d'excès. Après qu'ils sont tombés dans le crime, les poursuivre et les punir de mort, c'est prendre le peuple dans un filet, (c'est faire que le peuple n'ayant pas de biens stables, ne puisse éviter ni le crime ni le châtiment). Si, un homme bienfaisant était revêtu de la dignité souveraine., le peuple serait il exposé à être comme enveloppé dans un filet ?

« Un prince sage, en distribuant les terres à cultiver, fait en sorte que chacun ait de quoi entretenir ses parents et nourrir sa femme et ses enfants, que dans les années de fertilité il ait toujours des vivres en abondance, et que dans les mauvaises années il ne meure pas de faim. Ensuite il excite ses sujets à cultiver la vertu ; et tous pratiquent la vertu sans difficulté.

« A présent, les terres sont partagées du telle sorte que vos sujets n'ont pas de quoi entretenir leurs parents ni nourrir leurs femmes et leurs enfants, que dans les bonnes années ils sont toujours malheureux, et dans les mauvaises années ils n'échappent pas à la mort : Par suite, ils ne s'appliquent qu'à éviter la mort, et craignent de n'avoir pas le nécessaire pour cela : Comment auraient-ils le temps d'apprendre les lois de l'urbanité et de la justice (dans les écoles) ? Prince, si vous désirez bien gouverner, que ne posez-vous le fondement d'une administration bienfaisante (en procurant des biens stables à vos sujets) ?

« Si une famille dont l'habitation occupe cinq arpents, plante des mûriers (auprès de la maison) ; les hommes de cinquante ans pourront avoir des vêtements de soie. Si à l'égard des poules, des chiens, des cochons mâles et femelles, on observe les temps convenables pour la reproduction et l'élevage de ces animaux, les vieillards de soixante dix ans pourront manger de la viande. Si le prince ne prend pas le temps des laboureurs aux époques des travaux des champs, une famille de huit personnes, avec cent arpents de terre, pourra n'avoir pas à souffrir de la faim.

« S'il veille sur l'enseignement donné dans les écoles, principalement en ce qui concerne les devoirs de la piété filiale et les égards dus à l'âge et à la dignité, les hommes à cheveux gris ne porteront pas de fardeaux par les chemins ni sur les épaules ni sur la tête. Quand les vieillards portent des vêtements de soie et mangent de la viande, et que ceux qui n'ont pas encore blanchi par l'âge, ne souffrent ni de la faim ni du froid, le prince (qui leur a procuré ce bonheur) obtient toujours l'empire sur tous les peuples. »

CHAPITRE II.

1. Tchouang Pao (officier de Siuen, roi de Ts'i) alla voir Meng tzeu et lui dit : « Le roi, dans une audience, m'a parlé de son amour pour la musique : Je n'ai rien trouvé à lui répondre. Dites moi, je vous prie, cet amour de la musique nuit-il au gouvernement ? » Meng tzeu répondit : « Si le roi aime la musique extrêmement (pour lui et pour tous ses sujets), le gouvernement de Ts'i n'est pas loin d'être parfait. »

Un autre jour, Meng tzeu étant devant le roi, lui dit : « Est il vrai que vous ayez parlé à Tchouang de votre amour pour la musique ? » Le visage du roi changea de couleur. « Je ne saurais, dit-il, aimer et cultiver la musique des anciens empereurs ; je n'aime que la musique populaire. » « Si le roi porte l'amour de la musique au plus haut degré, reprit Meng tzeu, le gouvernement de Ts'i n'est pas loin d'être parfait. La musique actuelle a les mêmes effets que l'ancienne. »

« Voudriez vous m'expliquer, demanda le roi, ce que vous venez dire de la puissance de la musique ? » Meng tzeu répondit : « Lequel est le plus agréable, de jouir seul d'un concert de musique, ou de partager ce plaisir avec d'autres ? » « Il est plus agréable de le partager avec d'autres, dit le roi. » « Lequel est le plus agréable, dit Meng tzeu, de prendre ce plaisir avec un petit nombre de personnes, ou de le prendre avec un grand nombre ? » « Il est plus agréable de le prendre avec un grand nombre, répondit le roi. » Meng tzeu reprit : « Veuillez me permettre, dans votre intérêt, de vous exposer mon avis sur la musique. »

« Supposons que le roi ordonne de faire un concert de musique, et que ses sujets, entendant le son des cloches et des tambours, l'harmonie des différentes flûtes, en aient mal à la tête, contractent les sourcils, et se disent les uns aux autres : « Notre roi aime les concerts de musique. (Ne ferait-il pas mieux de penser à nous secourir) ? Pourquoi nous a-t-il réduits à cette extrémité ? Le père et le fils sont privés de se voir ; le frère est séparé du frère, et la femme est séparée des enfants. »

« Supposons encore que le roi se livre au plaisir de la chasse, et que les habitants, entendant le bruit des voitures et des chevaux du roi, et voyant l'éclat brillant des étendards, en aient tous mal à la tête, froncent les sourcils, et se disent entre eux : « Notre roi aime la chasse. (Il ne pense qu'à s'amuser, et ne cherche pas à soulager nos maux). Pourquoi nous a-t-il réduits à cette extrémité ? Le père et le fils sont privés de se voir ; le frère est séparé du frère, et la femme est séparée des enfants. » De telles plaintes proviendraient uniquement de ce que entre le prince et les sujets les joies ne seraient pas communes.

« Au contraire, supposons que le roi ordonne de faire un concert de musique, et que les habitants, entendant le son des cloches et des tambours, l'harmonie des différentes flûtes, manifestent tous la plus grande joie sur leurs visages, et se disent entre eux : « N'est ce pas une marque que par bonheur notre prince est en bonne santé ? S'il était malade, pourrait il assister à un concert ? »

« Supposons encore que le roi se livre au plaisir de la chasse ; et que les habitants, entendant le bruit des voitures et des chevaux, et voyant l'éclat brillant des étendards, manifestent une grande joie sur leurs visages, et se disent entre eux : « N'est ce pas un signe que par bonheur notre roi n'est pas malade ? S'il l'était, comment pourrait il diriger une chasse ? » Cette satisfaction de tout le peuple viendrait uniquement de ce que les joies seraient communes entre le roi et ses sujets. Prince, que les joies soient communes entre vous et vos sujets ; vous commanderez à toute la Chine. »

2. Siuen, roi de Ts'i, demanda s'il était vrai que le parc de Wenn wang eût soixante dix stades de longueur et autant de largeur. « Les mémoires l'affirment, répondit Meng tzeu. » Était il si grand, dit le roi ? « Le peuple le trouvait encore trop petit, répondit Meng tzeu. » Mon parc, dit le roi, a quarante stades en tous sens. Le peuple le trouve encore trop grand. Comment cela ? » Meng tzeu répondit : Le parc de Wenn wang avait soixante dix stades d'étendue en tous sens. Il était ouvert à ceux qui voulaient ramasser du foin ou du chauffage, chasser aux faisans ou aux lièvres. Wenn wang en partageait l'usage avec le peuple. Le peuple trouvait ce parc trop petit. N'avait-il pas raison ? (Les mots *tch'ōu, jaô, tchèu, t'ou* sont employés ici comme verbes).

« En arrivant à la frontière de votre principauté, avant de me permettre d'y entrer, j'ai demandé quelles étaient les choses qui étaient le plus sévèrement défendues, dans le pays. On m'a dit que dans l'intérieur se trouvait un parc de quarante stades ; que, si quelqu'un tuait un cerf dans ce parc, il serait condamné à la même peine que s'il avait tué un homme. Cet espace carré de quarante stades est comme une fosse creusée au milieu de vos États pour faire périr vos sujets. Le peuple le trouve trop grand. N'a-t il pas raison ? »

3. Siuen, roi de Ts'i, demanda s'il y avait une règle à suivre dans les relations avec les princes voisins. « Oui, répondit Meng tzeu. Seul un prince humain sait rendre de bons offices à une principauté plus petite que la sienne. C'est ainsi que Tch'eng T'ang rendit service au prince de Ko, et Wenn wang aux Kouenn i, barbares de l'occident. Seul un prince prudent sait rendre obéissance à un plus puissant que lui. C'est ainsi que

T'ai wang obéit aux Hiun iu, barbares du nord, et Keou tsien, prince de Iue, obéit au prince de Ou.

« Un prince qui rend service à un plus faible que lui, aime le Ciel ; un prince qui rend obéissance à un plus puissant que lui, respecte le Ciel. Celui qui aime le Ciel, conserve son pouvoir sur tout l'empire ; celui qui respecte le Ciel, conserve son pouvoir sur sa principauté. On lit dans le Cheu King : Je respecterai la Majesté céleste, et par là je conserverai le pouvoir souverain. »

« C'est une doctrine très élevée, dit le roi. (Mais il m'est impossible de la mettre en pratique, et d'user de douceur). J'ai un défaut : j'aime à déployer de la bravoure. » « Prince, répondit Meng tzeu, évitez de vouloir déployer une bravoure sans grandeur. Porter la main à l'épée, lancer un regard plein de colère, et dire : « Celui-là osera t il donc me résister ? » c'est la bravoure d'un homme vulgaire qui s'attaque à un particulier. Prince, que votre courage soit vraiment grand. On lit dans le Cheu King : « Le roi (Wenn wang) enflammé de colère, dispose ses cohortes ; pour arrêter la marche des soldats de Kin, affermir la puissance des Tcheou, et répondre aux désirs de tout l'empire. » Telle a été la bravoure de Wenn wang. Wenn wang a fait éclater sa colère une seule fois, et il a procuré la paix à tout l'empire.

« Dans le Chou King, (Ou wang) dit : « Le Ciel, en donnant l'existence aux hommes ici-bas, leur constitue des princes et des précepteurs, dont il fait les ministres, les aides du Souverain Seigneur, et auxquels il accorde des marques d'honneur particulières dans tout l'empire. Le sort du coupable et celui de l'innocent dépendent de moi seul. Dans l'empire, qui osera former le dessein de se révolter ? » Un homme (le tyran Tcheou, dernier empereur de la dynastie des Chang). troublait l'ordre dans l'empire ; Ou wang crut que c'était une honte de le souffrir. Telle a été la valeur de Ou wang. Ou wang s'est irrité une fois, et il a rendu la tranquillité à tout l'empire. Prince, si vous aussi, donnant une fois libre cours à votre colère, vous pouviez rendre la paix à tous les peuples, les peuples ne craindraient qu'une chose ; Ils craindraient que vous n'eussiez pas le désir de déployer votre bravoure. »

4. Siuen, roi de Ts'i, alla voir Meng tzeu dans le Palais de la Neige, où il lui donnait l'hospitalité. Il lui demanda si le sage goûtait aussi ce plaisir (d'habiter un palais agréable). « Oui, répondit Meng tzeu. Tout sujet qui est privé de ce plaisir (qui n'a pas une habitation commode), blâme son prince. Celui qui, privé de ce plaisir, blâme son prince, commet une faute ; le prince qui ne partage pas ses agréments avec son peuple, est aussi en faute. Si le prince se réjouit des joies du peuple, le peuple se réjouira des joies du prince ; si le prince s'afflige des tristesses du peuple, le peuple s'affligera des tristesses du prince. Un prince qui se réjouit avec tout l'empire et s'afflige avec tout l'empire, commande toujours à tout l'empire.

« Autrefois King, prince de Ts'i, dit à Ien tzeu (l'un de ses officiers) : « Je veux faire un voyage d'agrément aux monts Tchouen fou et Tch'ao ou, suivre le bord de la mer, et aller vers le midi jusqu'à Lang ie. Que dois je faire pour imiter les anciens empereurs dans leurs voyages de plaisir ? » (Les monts Tchouen fou et Tch'ao ou devaient être près du golfe du Tcheu li).

« Ien tzeu répondit : « Oh ! l'excellente question ! Lorsque l'empereur se rendait auprès des princes, on disait qu'il visitait les pays gardés, c'est à dire, les pays que les princes étaient chargés de garder. Lorsque les princes allaient à la cour de l'empereur, on disait qu'ils rendaient compte de leur administration, c'est à dire, de leurs actes administratifs. L'empereur et les princes ne voyageaient jamais que pour des affaires. Au printemps, ils visitaient les laboureurs, (l'empereur dans son domaine particulier, chaque prince dans sa principauté), et ils donnaient des grains à ceux qui n'en avaient pas assez. En automne, ils visitaient les moissonneurs, et distribuaient des vivres à ceux qui en manquaient. Sous les Hia, (dans le domaine particulier de l'empereur), on disait communément : « Si notre empereur ne voyage pas, comment pourrons-nous jouir du bien être ? Si notre empereur ne se donne le plaisir de visiter le pays, qui nous donnera des secours ? » Chaque année les princes faisaient un voyage et une promenade ; c'était leur règle.

« A présent, les usages ont changé. Une escorte nombreuse accompagne le prince, et les vivres sont fournis par le peuple. Les habitants mourant de faim, n'ont plus à manger ; accablés de travaux (pour le service du prince), ils n'ont pas de repos. Le regard tourné de côté, ils murmurent entre eux. Peu à peu le peuple déteste son prince (ou bien, se met à faire le mal). Les grands princes transgressent les ordres de l'empereur, oppriment le peuple, absorbent la boisson et la nourriture comme des gouffres, suivent le courant, vont sans cesse contre le courant, perdent le temps, négligent les affaires, et font le tourment des princes subalternes.

« Descendre avec le courant et ne pas se mettre en peine de retourner en arrière, c'est-à-dire s'abandonner à ses mauvaises inclinations et ne jamais vouloir leur résister, cela s'appelle suivre le courant. Remonter le courant, et ne pas songer à revenir (poursuivre sans cesse l'accomplissement de ses désirs), cela s'appelle aller sans cesse contre le courant. Se livrer à la chasse sans avoir jamais assez de ce plaisir, c'est perdre le temps. S'abandonner à la passion du vin sans éprouver jamais de satiété, c'est ruiner l'administration. Les anciens empereurs ne prenaient pas plaisir à suivre le courant ni à marcher contre le courant ; ils ne se permettaient ni de perdre le temps ni de ruiner l'administration. Prince, c'est à vous de décider quelle conduite vous tiendrez. »

« Le prince King fut très content des avis de Ien tzeu. Il publia un édit dans toute la principauté, quitta la capitale, et fixa sa demeure à la campagne. Dès lors, il fit distribuer des grains à ceux qui n'en avaient pas assez. Il fit appeler le directeur en chef des musiciens, et lui dit : Composez pour moi des chants sur la joie commune du prince et des sujets. » Ces chants sont ceux qu'on appelle Tcheu chao et Kio chao. Il y est dit : « Celui qui empêche son prince de mal faire, quelle faute commet il ? Celui qui empêche son prince de mal faire, aime véritablement son prince. »

5. Siuen, prince de Ts'i, dit à Meng tzeu : « Tout le monde m'engage à détruire le Ming t'ang. Dois je le détruire ou non ? » *Ce palais, appelé Ming t'ang, était au pied du Tai chan. Sous les Tcheou, l'empereur y recevait les princes, quand il visitait les principautés de l'est. Sous les Han, on en voyait encore les ruines.*

Les ministres de Ts'i voulaient détruire ce palais, parce que, l'empereur ne visitant plus les principautés, les princes n'avaient plus besoin d'y demeurer. « C'est, répondit Meng tzeu, le palais des grands empereurs de l'antiquité. Prince, si vous désirez gouverner comme eux, ne le détruisez pas. »

« Voudriez vous me dire, demanda le roi, comment les anciens empereurs gouvernaient le peuple ? » Meng tzeu répondit : « (Wenn wang a été le plus parfait modèle des empereurs, sans en avoir le titre). Lorsque Wenn wang gouvernait K'i (la principauté particulière des Tcheou), les laboureurs donnaient à l'État la neuvième partie des fruits de la terre ; les officiers obtenaient des traitements héréditaires. *Les anciens empereurs faisaient instruire les descendants des officiers qui avaient des charges héréditaires. Puis, ils confiaient des emplois à ceux qui étaient capables de les remplir. Aux autres ils n'en donnaient pas ; ils leur conservaient néanmoins leurs traitements.* Aux barrières et dans le marché, on visitait les marchandises, mais on n'exigeait pas de droits. Dans les lacs et aux barrages établis dans les rivières, chacun pouvait pêcher librement. Le châtiment d'un coupable ne s'étendait pas à sa femme ni à ses enfants.

« Les hommes âgés qui n'ont pas de femmes et qu'on appelle veufs, les femmes âgées qui n'ont pas de maris et qu'on appelle veuves, les personnes âgées qui n'ont pas d'enfants et qu'on appelle solitaires, les enfants qui n'ont plus de pères et qu'on appelle orphelins ; ces quatre classes de personnes sont les plus dépourvues de ressources, et n'ont pas à qui elles puissent avoir recours. Lorsque Wenn wang établit son gouvernement et étendit son action bienfaisante, ce fut à ces infortunés qu'il donna ses premiers soins : Dans le Cheu King il est dit : « Le sort des riches est encore assez heureux ; mais ceux là sont à plaindre qui sont seuls et sans secours. »

Le roi dit : « Quels bons enseignements vous me donnez ! » « Si vous les trouvez bons, répondit Meng tzeu, pourquoi ne les mettriez vous pas en pratique ? » « J'ai un défaut, dit le roi. J'aime les richesses. » Meng tzeu reprit : Koung Liou (arrière petit fils de Heou tsi) aimait les richesses. On lit dans le Cheu King : (Lorsque Koung Liou demeurait parmi les barbares occidentaux), « Il avait des amas de grains dans les champs, et des greniers remplis auprès des habitations. Il fit mettre des aliments secs dans des enveloppes et dans des sacs. Voulant réunir son peuple dans une autre contrée et rendre ainsi sa famille illustre, il ordonna de prendre les arcs, les flèches, les boucliers, les lan-ces, les haches de guerre, puis se mit en marche » (pour aller fonder une principauté dans le pays de Pin).

« Ainsi quand ceux des sujets de Koung Liou qui voulurent rester au milieu des barbares, eurent des amas de grains en plein air et des greniers auprès des habitations, et que les autres, décidés à partir, eurent des vivres dans des sacs ; alors seulement ces derniers se mirent en marche. Prince, si vous aimez les richesses, (aimez les comme Koung Liou), faites part de vos trésors à votre peuple ; et alors vous sera t il difficile de régner sur tout l'empire ? »

« J'ai un autre défaut, dit le roi, j'aime les femmes. » Meng tzeu répondit : « Anciennement T'ai wang, aimait les femmes : il aimait sa propre femme. On lit dans le Cheu King : L'ancien prince Tan fou (T'ai wang) partit le matin, pressant la course de ses chevaux ; il suivit le bord des rivières de l'ouest (de la Ts'i et de la Tsiu), et alla jusqu'au pied du mont K'i. Puis, avec son épouse issue de la famille des Kiang, il vint choisir un lieu pour sa demeure. » A cette époque, il ne restait à la maison aucune fille qui eut la douleur de n'être pas mariée, au dehors, aucun homme qui n'eut pas de femme. Prince, si vous aimez les femmes, faites en sorte que tous vos sujets aient la même satisfaction que vous (qu'aucun d'eux ne soit privé des joies du mariage) ; et alors, vous sera-t-il difficile de régner sur toute la Chine ? » (T'ai wang changea de lieu pour échapper aux incursions des barbares. Voy. plus loin page 350).

6. Meng tzeu dit à Siuen, roi de Ts'i : « Je suppose que l'un de vos sujets, partant pour un voyage dans la principauté de Tch'ou, confie à un ami sa femme et ses enfants, et qu'à son retour, il trouve que son ami a laissé souffrir du froid et de la faim sa femme et ses enfants, que ferait il ? » « Il rompra avec cet ami, répondit le roi. » « Supposons, dit Meng tzeu, que le chef de la justice ne soit pas capable de diriger les juges ; que feriez vous ? » « Je le destituerais, répondit le roi. » « Je suppose, continua Meng tzeu, que tout le royaume soit mal gouverné ; que faudrait-il

faire ? » Le roi (pour éviter des questions qui l'auraient fait rougir) regarda à droite et à gauche, et parla d'autre chose.

7. Meng tzeu alla voir Siuen, prince de Ts'i, et lui dit : « On appelle ancien royaume, non pas celui qui a des arbres anciens et très élevés, mais celui ont les ministres se sont succédé de père en fils depuis longtemps. Prince, vous n'avez pas de ministre qui vous soit uni d'affection. Ceux que vous avez choisis hier sont déjà partis aujourd'hui, sans que vous le sachiez. » Le roi dit : « Comment pourrais je reconnaître les hommes qui manquent de talents, afin de ne pas les élever aux charges ? » Meng tzeu répondit : « Un prince doit promouvoir les hommes capables, comme s'il y était en quelque sorte forcé, (comme s'il ne pouvait refuser cet honneur à leurs talents, à leurs mérites). Ne faut il pas qu'il soit très circonspect, lorsqu'il doit faire passer des hommes de basse condition avant d'autres d'une condition élevée, et des étrangers avant ses parents ou ses amis ?

« Quand même la probité et l'habileté d'un homme seraient attestées par tous ceux qui vous entourent, ce n'est pas suffisant. Quand même elles seraient attestées par tous les grands préfets ; ce n'est pas suffisant. Si elles sont attestées par tous les habitants du royaume, examinez ; et si vous reconnaissez que cet homme est vertueux et capable, donnez lui un emploi, Quand l'incapacité d'un homme est attestée par tous ceux qui vous entourent, ne les écoutez pas (ne les croyez pas). Quand elle est attestée par tous les grands préfets, ne les écoutez pas. Quand elle est attestée par tout le peuple, examinez sérieusement ; et si vous reconnaissez que cet homme est incapable, écartez le des charges.

« Si tous ceux qui vous entourent disent que tel homme a mérité la mort, ne les écoutez pas. Si tous les grands préfets le disent, ne les écoutez pas. Si tous les habitants du royaume le disent, faites une enquête ; et si vous reconnaissez que cet homme a mérité la mort, faites-le mourir. Alors on dira que c'est le peuple (et non le prince) qui l'a condamné à mort. Si vous agissez ainsi, vous mériterez le titre de père du peuple.

8. Siuen, roi de Ts'i, demanda s'il était certain que T'ang eût exilé Kie, et que Ou wang eût attaqué. Tcheou ? Les annales le racontent, répondit

Meng tzeu . Le roi reprit : Est il permis à un sujet de tuer son prince ? Meng tzeu répondit : Celui qui viole la vertu d'humanité, s'appelle malfaiteur ; celui qui viole la justice, s'appelle scélérat. Un malfaiteur, un scélérat (eût-il le titre de roi) n'est qu'un simple particulier. J'ai entendu dire que Ou wang punit de mort Tcheou (qui devait être traité comme) un simple particulier ; je n'ai pas entendu dire qu'il eût tué son prince. (Kie et Tcheou étaient empereurs ; T'ang et Ou wang n'étaient encore que *tchou heou*).

9. Meng tzeu, dans une audience, dit à Siuen, roi de Ts'i : Prince, si vous vouliez élever un grand édifice, vous ordonneriez au directeur des travaux de chercher de grands arbres. S'il les trouvait, vous seriez content, parce que vous les jugeriez capables de supporter le poids de la toiture. Si les ouvriers les amincissaient avec la hache, vous seriez indigné, parce que vous ne les jugeriez plus capables de porter le poids de la toiture. (Les hommes vertueux et capables sont comme les poutres et les colonnes de l'État). Dès l'enfance ils ont étudié l'art de se gouverner eux mêmes et les autres. Arrivés à l'âge mûr, ils désirent exercer cet art dans les emplois publics. Si le roi leur disait : « Pour le moment, laissez là ce que vous avez appris (la bienfaisance, la justice et les autres vertus), et suivez moi (à la recherche des richesses et des plaisirs) », que faudrait il penser de cette conduite ? (Ne serait ce pas amoindrir la vertu et l'habileté des hommes sages, comme un ouvrier mal avisé amincirait les poutres et les colonnes d'un grand édifice) ?

« S'il y avait ici une pierre précieuse, valût elle quinze mille livres d'argent, (pour augmenter encore sa valeur) vous chargeriez un lapidaire de la tailler et de la polir, (vous n'oseriez pas faire ce travail vous même). En ce qui concerne le gouvernement, vous dites (aux hommes vertueux et capables) : Laissez là pour le moment ce que vous avez appris et suivez moi. Pourquoi ne faites vous pas comme pour une pierre précieuse, que vous donneriez à tailler et à polir à un lapidaire ? »

10. Les habitants de Ts'i avaient attaqué ceux de Ien et remporté la victoire. Le roi Siuen dit à Meng tzeu : « Les uns me conseillent de ne pas prendre la principauté de Ien ; les autres me disent de m'en emparer.

Avec dix mille chariots de guerre attaquer un ennemi qui en a aussi dix mille, et en cinquante jours remporter une victoire complète, c'est ce qui surpasse les forces de l'homme. (Le Ciel m'a donc aidé, et veut que je prenne la principauté de Ien). Si je ne la prends pas, certainement le Ciel enverra des châtiments. Ferai-je bien de m'en emparer ? »

Meng tzeu répondit : « Si les habitants de Ien désirent que vous la preniez, prenez la. Dans l'antiquité, un prince en a donné l'exemple ; ce fut Ou wang, (qui pour se conformer aux désirs du peuple, ravit l'empire à Tcheou). Si les habitants de Ien ne veulent pas que vous la preniez, ne la prenez pas. Dans l'antiquité un prince en donna l'exemple ; ce fut Wenn wang, (qui laissa l'empire à Tcheou, parce que ce tyran ne s'était pas encore aliéné tous les esprits).

« Quand avec dix mille chariots de guerre vous avez attaqué cette principauté qui avait aussi dix mille chariots de guerre ; les habitants sont allés au devant de vos soldats, et leur ont offert des vivres et de la boisson ; qu'ont ils voulu ? Ils ont voulu échapper à l'eau et au feu ; c'est à dire, ils se sont donnés à vous, afin d'être délivrés d'un gouvernement tyrannique. Si l'eau devient plus profonde et le feu plus ardent, c'est-à-dire si le roi de Ts'i les opprime encore plus que ne l'ont fait leurs princes, ils se tourneront de nouveau vers un autre souverain. »

11. Les habitants de Ts'i avaient attaqué et pris la principauté de Ien. Les princes voisins délibérèrent pour lui rendre son indépendance. Le roi Siuen dit à Meng tzeu : « Un grand nombre de princes forment des plans pour m'attaquer. » Que dois je faire pour me prémunir contre eux ? Meng tzeu répondit : « J'ai entendu dire qu'un prince, dont la principauté n'avait que soixante-dix stades, parvint à gouverner tout l'empire ; ce fut Tch'eng T'ang. Je n'ai jamais entendu dire qu'un prince, régnant (comme le roi de Ts'i) sur une étendue de mille stades, craignît les autres princes.

« On lit dans le Chou King : T'ang commença ses expéditions par la principauté de Ko. Tout l'empire eut confiance en lui. Lorsqu'il faisait la guerre dans les contrées orientales, les barbares de l'occident se plaignaient, et quand il la faisait dans le midi, les barbares du nord se plaignaient. (Les uns et les autres se plaignaient) en disant : Pourquoi nous laisse-t-il après les autres (pourquoi n'occupe-t-il pas notre pays en premier lieu) ? » Les peuples avaient les regards tournés vers lui, comme en temps de grande sécheresse on observe les nuages et l'arc-en-ciel. (Dans les pays où Tch'eng T'ang portait la guerre, même durant les hostilités), les habitants continuèrent d'aller au marché, les laboureurs ne furent pas inquiétés. Il châtia les princes et consola les peuples. Les peuples éprouvèrent une grande joie, comme lorsque la pluie tombe en temps opportun. Le Chou King dit : « Nous avons attendu notre roi ; notre roi est venu, nous avons retrouvé la vie. »

« Le prince de Ien opprimait ses sujets. Vous avez été l'attaquer. Les habitants, heureux de votre arrivée comme si vous aviez été les sauver du milieu de l'eau ou du feu, ont couru au devant de votre armée avec des corbeilles pleines de vivres et des jarres pleines de boisson. Si vous mettez à mort les vieillards et les hommes faits, si vous jetez dans les fers les enfants et les jeunes gens, si vous détruisez la salle des ancêtres des princes, si vous enlevez les objets précieux, votre conduite ne sera-t elle pas blâmable ?

« Tous les princes de l'empire craignent la puissance de Ts'i. A présent, si vous doublez l'étendue de votre territoire (en gardant la principauté de Ien), et que votre administration ne soit pas bienfaisante, tout l'empire prendra les armes contre vous. Prince, hâtez vous de publier un édit, déclarant que vous renvoyez les vieillards et les enfants de Ien, et lui laissez ses objets précieux. Après délibération en présence du peuple, donnez lui un prince, et retirez-vous. Par ce moyen vous pourrez encore éviter la guerre dont les princes vous menacent. »

12. Une mêlée avait eu lieu entre les habitants de Tcheou et ceux de Lou. Mou (prince de Tcheou) dit à Meng tzeu : « Trente-trois de mes officiers ont péri dans le combat ; aucun soldat n'a exposé sa vie pour les sauver. Si je veux punir de mort ceux qui n'ont pas voulu défendre leurs chefs, ils sont si nombreux que je ne pourrai les faire mourir tous : Si je ne les punis pas, les hommes du peuple, qui haïssent leurs chefs, les verront périr et ne leur porteront pas secours. Quelle conduite convient il de tenir ? »

Meng tzeu répondit : « Dans les temps de calamité, dans les années de disette, plusieurs milliers de personnes âgées ou infirmes sont mortes en se roulant dans les canaux et les fossés ; plusieurs milliers de personnes robustes se sont dispersées dans toutes les directions. Cependant, les greniers et les magasins du prince étaient pleins. Aucun de vos officiers ne vous a averti. Le prince et ses ministres ont été insouciants et sans pitié à l'égard du peuple. Tseng tzeu dit : « Prenez y garde, ce que vous faites à autrui vous sera rendu. » Désormais votre peuple a le moyen de vous rendre, à vous et à vos officiers, ce qu'il a reçu de vous. Prince, n'accusez pas le peuple. Si votre administration devient bienfaisante, le peuple aimera ses supérieurs et mourra pour ses chefs.

13. Wenn, prince de T'eng, dit à Meng tzeu : « La principauté de T'eng est petite, et se trouve entre celle de Ts'i et celle de Tch'ou (qui sont puissantes). (T'eng, à présent T'eng hien dans le Ien tcheou fou, n'avait que cinquante stades d'étendue). Dois je me mettre sous la dépendance de Ts'i ou sous celle de Tch'ou ? » Meng tzeu répondit : « Le projet de sacrifier votre liberté ne peut entrer dans ma pensée. Si vous voulez absolument connaître mon avis, je vous dirai qu'il y a un moyen de conserver votre indépendance. Faites creuser plus profondément les fossés de vos remparts, élever plus haut les murs de vos places fortes, et gardez les avec votre peuple. (En face du danger) bravez la mort, et le peuple ne reculera pas. Voilà un bon expédient. »

14. Wenn, prince de T'eng, dit à Meng tzeu : « Le prince de Ts'i veut élever des fortifications dans la principauté de Sie. Je crains beaucoup. Que dois je faire ? » (Ts'i s'était annexé Sie, pays à présent compris dans le Ien tcheou fou). Meng tzeu répondit : « Autrefois, lorsque T'ai wang habitait la terre de Pin, les barbares du nord faisaient des incursions. T'ai wang alla demeurer au pied du mont K'i. Ce ne fut pas par son choix, mais par nécessité qu'il y transporta sa demeure. (Bien qu'il eût été dépossédé de son premier domaine, sa vertu mérita l'empire à ses descendants).

« Si vous faites le bien, tôt ou tard l'un de vos descendants commandera à tout l'empire. Un prince qui fonde un État ou une dynastie, fait en sorte que ses descendants puissent continuer et développer son œuvre. Son but final sera-t-il atteint ? Le Ciel en décidera. Prince, que pouvez vous faire pour résister au roi de Ts'i ? Appliquez vous à faire le bien ; cela suffira. »

15. Wenn, prince de T'eng, dit à Meng tzeu : « La principauté de T'eng est petite. Quand même elle servirait avec le plus entier dévouement les grandes principautés voisines, elle n'évitera pas leurs injustes agressions. Que dois-je faire pour prévenir ce malheur ? Meng tzeu répondit : « Autrefois, lorsque T'ai wang habitait la terre de Pin, les barbares du nord y faisaient des incursions. Il leur offrit en tribut des fourrures et des soieries ; il eut encore à souffrir de leurs incursions. Il leur donna en tribut des chiens et des chevaux ; il n'arrêta pas leurs incursions. Il leur donna en tribut des perles et des pierres précieuses ; leurs incursions continuèrent encore.

« Alors il réunit les vieillards, et (pour leur inspirer le désir d'aller s'établir avec lui dans un autre pays), il leur parla en ces termes : « J'ai entendu dire qu'un prince sage évite de rendre nuisible à ses sujets ce qui doit lui servir à les nourrir. (La terre de Pin m'a servi à nourrir mes sujets. Elle leur deviendrait fatale, si, pour la défendre, j'allais exposer leur vie dans les combats). Mes chers enfants, pourquoi auriez vous la douleur de perdre votre prince (de me voir tué par les barbares) ? (Pour vous épargner ce chagrin) je vais m'éloigner d'ici. » (Selon d'autres interprètes : Pourquoi craindriez vous de n'avoir plus de prince ? Il vous sera facile d'en trouver un autre pour me remplacer). Il quitta Pin, passa le mont Leang, fonda une ville et demeura au pied du mont K'i. Après son départ, les habitants de Pin dirent : C'est un homme très bienfaisant ; ce serait dommage de perdre un si bon prince. » Ils allèrent en foule se joindre à lui dans sa nouvelle ville, marchant comme une multitude de personnes allant à la foire.

« (T'ai wang fut d'avis que, pour échapper aux ravages des barbares, il fallait changer de lieu. Mais l'avis contraire a aussi ses partisans). Ils prétendent qu'un homme n'est pas libre de disposer du lieu que ses pères ont gardé depuis plusieurs générations ; qu'il doit plutôt mourir que de l'abandonner. De ces deux sentiments, prince, choisissez, je vous prie, celui qui vous plaira le plus. » (La lettre *wéi* a la même signification que la lettre *tchouën*, disposer en maître).

16. P'ing, prince de Lou, se préparant à sortir du palais, Tsang Ts'ang, l'un de ses favoris, lui dit : « Les autres jours, avant de sortir, vous n'avez jamais manqué de dire à vos officiers où vous alliez. A présent, votre voiture est déjà attelée, et vos officiers ne savent pas encore où vous allez. J'ose vous prier de me le dire. » « Je vais faire visite à Meng tzeu, répondit le prince. » « Eh quoi ! dit Tsang Ts'ang. Vous vous abaissez au point de prévenir un homme vulgaire ; est ce parce que vous le croyez sage ? Les sages enseignent aux autres les usages et les devoirs qu'il faut observer. Or, les honneurs funèbres que Meng tzeu à rendus à sa mère, ont surpassé ceux qui avaient été rendus précédemment à son père (ce qui ne convient nullement). Prince, n'allez pas le voir. » « Soit, dit le prince. »

Io tcheng tzeu (disciple de Meng tzeu) alla trouver le prince, et lui dit : « Prince, pourquoi n'avez vous pas été voir Meng tzeu ? » Le prince répondit : « On m'a dit que Meng tzeu avait fait à sa mère des funérailles plus pompeuses que celles qu'il avait faites précédemment à son père. C'est pour cette raison que je ne suis pas allé le voir. » Io tcheng tzeu répliqua : « Eh quoi ! Dites vous cela, parce que Meng tzeu, n'étant que simple lettré, a fait les funérailles de son père selon les usages des lettrés, que plus tard, étant devenu grand préfet, il a fait les funérailles de sa mère selon les usages des grands préfets ; qu'il a offert aux mânes de son père trois chaudières de mets, et que plus tard il en a offert cinq aux mânes de sa mère ? » *Les officiers inférieurs et les simples lettrés offraient trois* sortes de mets : du poisson, de la viande de porc et de la viande séchée. Les grands préfets offraient cinq sortes de mets : du mouton, du porc, du poisson, de la viande séchée et de la viande hachée.

« Non, dit le prince. Je veux parler de la beauté du double cercueil, des vêtements et de la couverture. » Io tcheng tzeu répliqua : « Ce n'est pas une raison suffisante pour dire que les funérailles de la mère de Meng tzeu aient été plus pompeuses que celles de son père. (A la mort de son père, il était pauvre ; à la mort de sa mère, il était riche). Les pauvres n'ensevelissent pas leurs morts avec le même luxe que les riches. »

Io tcheng tzeu alla voir Meng tzeu, et lui dit : « Moi K'o, j'avais parlé de votre sagesse au prince. Le prince se préparait à venir vous voir. Un favori, Tsang Ts'ang l'en a dissuadé ; et le prince n'est pas venu ». Meng tzeu répondit : « Si un homme avance dans sa voie (obtient la faveur du prince ou du peuple), c'est que quelqu'un l'a aidé (l'a recommandé). S'il s'arrête dans sa voie, c'est que quelqu'un lui a fait obstacle. Son progrès ou son arrêt (semble être l'œuvre des hom-mes, et cependant) ne peut être attribué à aucune force humaine. Si je n'ai pas obtenu la faveur du prince de Lou, le Ciel en est la cause. Est ce que le fils et la famille Tsang aurait pu m'empêcher d'avoir les bonnes grâces du prince ? »

LIVRE II. KOUNG SUENN TCHÉOU.

CHAPITRE I

1. Koung suenn Tch'eou (habitant de Ts'i et disciple de Meng tzeu) dit : « Maître, si vous occupiez un poste élevé dans la principauté de Ts'i, pourriez-vous promettre de renouveler les œuvres de Kouan Tchoung et de Ien tzeu ? » Meng tzeu répondit : « Vous êtes vraiment un habitant de Ts'i ; vous ne connaissez que Kouan Tchoung et Ien tzeu. (Kouan Tchoung fut ministre de Houan, prince de Ts'i, pendant plus de quarante ans. Koung suenn, petit-fils ou descendant de prince, est un nom de famille que prenait la branche cadette d'une famille princière).

« Quelqu'un demanda à Tseng si : « Maître, lequel des deux l'emporte sur l'autre ; de vous ou de Tzeu lou ? » Tseng Si, troublé par cette question, répondit : « Tzeu lou était un sage que mon aïeul Tseng tzeu avait en grand honneur. » Le même reprit : « (Vous n'osez pas vous mettre en parallèle avec Tzeu fou), soit ; mais dites moi, je vous prie, lequel des deux l'emporte sur l'autre, de vous ou de Kouan Tchoung ? » Le visage de Tseng Si changea de couleur, et prit un air de mécontentement. « Pourquoi me comparez vous à Kouan Tchoung, répondit il ? Kouan Tchoung a obtenu les bonnes grâces de son prince, et il les a eues d'une manière si particulière ; il a pris part au gouvernement de la principauté, et cela durant si longtemps ; ses œuvres ont eu de l'éclat, mais il les a accomplies d'une manière si méprisable (par la ruse et la violence) ! Pourquoi me comparez-vous avec lui ? » Meng tzeu ajouta : « Tseng Si n'aurait pas voulu imiter Kouan Tchoung ; me souhaitez vous donc de l'imiter ? »

« Kouan Tchoung, dit Koung suenn Tch'eou, a soumis à son prince tous les princes de l'empire ; Ien tzeu a rendu son prince illustre : Après cela, Kouan Tchoung et Ien tzeu ne sont ils donc pas encore dignes d'être imités ? » Meng tzeu répondit : « Faire du prince de Ts'i un empereur parfait me serait aussi facile que de tourner la main. » Koung suenn Tch'eou dit : « Maître, je vous comprends de moins en moins. Wenn wang, avec toute sa vertu et cent ans de vie, n'est pas encore arrivé à répandre ses bienfaits (à établir le bon ordre) dans tout l'empire : Ou wang et Tcheou Koung lui ont succédé ; alors enfin la vertu et le bon ordre ont régné partout. A présent vous dites qu'il est si facile de faire un empereur parfait. Wenn wang n'est donc pas digne de servir de modèle. »

Meng tzeu répondit : « Qui pourrait égaler Wenn wang ? Depuis Tch'eng T'ang jusqu'à Ou ting, l'empire avait eu six ou sept souverains d'une sagesse extraordinaire ou d'une vertu et d'une habileté insignes. Il avait été gouverné depuis longtemps par les In ; un changement de dynastie était difficile. Ou ting avait reçu dans son palais les hommages de tous les princes, et gouverné l'empire avec la même facilité qu'il aurait tourné la main (ou fait tourner un objet dans sa main). Tcheou avait succédé l'empire peu de temps après Ou ting. Les anciennes familles, les traditions, les usages, les coutumes et les bonnes institutions des ancêtres n'avaient pas encore entièrement disparu. De plus, le prince de Wei et son second fils, deux princes du sang impérial Pi kan et le prince de Ki, et Kiao ko, ces hommes remarquables par leur vertu et leur habileté le secondaient et l'aidaient d'un commun accord. Aussi conserva-t-il l'empire longtemps. Il n'y avait pas un pouce de terre qui ne fût à lui, pas un homme qui ne fût son sujet. Au contraire, Wenn wang n'avait qu'une petite principauté de cent stades. Il lui était donc difficile (impossible) de régner sur tout l'empire. (Kiao ko vendait du poisson et du sel. Wenn wang découvrit sa sagesse, le recommanda à la cour des In, et le fit nommer ministre).

« Les habitants de Ts'i ont un adage : La prudence et la perspicacité servent peu, si l'on ne saisit pas l'occasion ; la houe et le sarcloir servent peu, si l'on n'attend pas l'époque favorable. A présent, il est facile d'arriver à gouverner tout l'empire. Quand les dynasties des Hia, des In et des Tcheou étaient le plus florissantes, le territoire propre de l'empereur n'a jamais dépassé mille stades. Or le territoire de Ts'i a cette étendue. Les coqs et les chiens s'entendent et se répondent d'un endroit à l'autre dans toute l'étendue de la principauté. Tant la population de Ts'i est dense et nombreuse ! Son territoire est déjà assez étendu, sans qu'il soit besoin de l'accroître, et sa population assez serrée, sans qu'il soit besoin de l'augmenter. Que l'administration du prince de Ts'i soit bienfaisante, et il régnera sur tout l'empire ; personne ne pourra l'en empêcher.

« De plus, l'empire n'a jamais été si longtemps sans avoir un sage souverain ; jamais les misères et les souffrances du peuple sous un gouvernement tyrannique n'ont été plus grandes que de nos jours. Celui qui a faim n'est pas difficile sur le choix de la nourriture ; ni celui qui a soif, sur le choix de la boisson. (Ainsi le peuple, opprimé depuis longtemps par des princes cruels accepterait sans peine un souverain bienfaisant).

« Confucius dit : « L'influence d'un bon gouvernement est plus rapide qu'un courrier impérial, soit à pied soit à cheval. » A notre époque, si un prince qui a dix mille chariots de guerre, gouvernait ses sujets avec bonté, les peuples l'accueilleraient avec la même joie qu'un homme, qui serait suspendu la tête en bas, accueillerait son sauveur. Aussi, avec un travail moitié moindre que celui des anciens, on obtiendrait un effet deux fois plus grand ; cela, uniquement parce que le moment est favorable. »

2. Koung suenn Tch'eou dit : « Maître, si vous étiez élevé à la dignité de ministre dans la principauté de Ts'i, et qu'il vous fût permis d'appliquer vos principes, il ne serait pas étonnant que par vos soins le prince de Ts'i soumît tous les princes à son autorité, ou même gouvernât parfaitement tout l'empire. Si vous étiez appelé à faire de si grandes choses, éprouveriez vous quelque émotion, (quelque crainte, quelque perplexité) ? » « Non, répondit Meng tzeu ; dès l'âge de quarante ans, je n'avais plus aucune émotion. » « S'il en est ainsi, reprit Koung suenn Tch'eou, vous surpassez de beaucoup Meng Penn. » « Ce n'est pas difficile, répondit Meng tzeu. Kao tzeu était exempt d'émotions avant moi (avant l'âge de quarante ans). » (Meng Penn en voyage ne craignait ni les tigres ni les loups ni les crocodiles ni les dragons. Il était si fort qu'il pouvait arracher les cornes à un bœuf).

« Cette impassibilité de l'âme est elle soumise à des règles, demanda Koung suenn Tch'eou ? » « Oui, répondit Meng tzeu. Voici comment Pe koung Iou entendait la force d'âme. Il n'aurait pas fait un mouvement, ni cligné l'œil (pour éviter un coup). S'il avait reçu de quelqu'un le moindre tort, la moindre injure, il en aurait été outré, comme s'il avait été battu de verges dans la place publique. Il n'aurait rien supporté, ni de la part d'un villageois en large vêtement de laine, ni de la part d'un prince possesseur de dix mille chariots de guerre. A ses yeux, tuer un prince possesseur de dix mille chariots de guerre, c'eût été la même chose que de tuer un villageois vêtu d'une grossière étoffe de laine. Il ne craignait pas les princes. Entendait-il une parole dite contre lui ; aussitôt il la rendait.

« Meng Cheu che faisait connaître en quoi consistait sa force d'âme, lorsqu'il disait : « Je considère du même œil la victoire et la défaite. Calculer les forces de l'ennemi avant de marcher contre lui, n'engager la bataille qu'avec la certitude de la victoire, c'est craindre une armée nombreuse (c'est manquer de bravoure). Moi Che, comment pourrais-je avoir l'assurance de la victoire ? Je puis n'avoir pas peur ; et voilà tout.

« Meng Cheu che ressemblait à Tseng tzeu, et Pe koung Iou à Tzeu hia. Je ne sais lequel des deux l'emportait sur l'autre en bravoure. Mais Meng Cheu che donnait son application au point important. (*Ché* était le nom propre de Meng Cheu che. *Chēu* est comme une particule additionnelle. La famille de Pe koung Iou descendait d'un prince de Wei). *Iou s'appliquait surtout à l'emporter sur les autres, et Che, à veiller sur lui-même, à bannir toute crainte. Tzeu hia mettait toute sa confiance en Confucius ; Tseng tzeu se demandait compte de tout à lui-même. Bien que Iou et Che fussent inférieurs pour la vertu à Tseng tzeu et à Tzeu hia, ils cultivaient davantage la partie sensible de l'âme.*

« Un jour Tseng tzeu dit à Tzeu siang (son disciple) : « Aimez vous à cultiver la force d'âme ? J'ai entendu mon maître *Confucius* parler de la vraie force d'âme. *Il disait* : « Si, m'examinant moi-même, je trouve que j'ai tort, quand même mon adversaire serait un villageois couvert d'un large vêtement de laine, comment ne craindrais je pas ? Si, m'examinant moi-même, je trouve que j'ai raison, mes adversaires fussent-ils mille ou même dix mille, je marcherais contre eux. Meng Cheu che cultivait la partie sensible de son âme. Tseng tzeu faisait mieux ; il observait l'essentiel (il obéissait à la droite raison). (*Kì*, la partie inférieure de l'âme, la sensibilité, le siège des appétits et de toutes les passions. *Sīn* ou *Tchéu* , la partie supérieure de l'âme, l'intelligence et la volonté).

« Maître, dit Koung suenn Tch'eou, permettez moi de vous demander des explications sur votre impassibilité et sur celle de Kao tzeu. » Meng tzeu répondit : « Kao tzeu dit : « Ce qui fait défaut dans vos paroles, ne le cherchez pas dans votre esprit » c'est-à-dire ce qu'en parlant vous n'exprimez pas clairement, ne cherchez pas à le mieux comprendre par la réflexion, de peur que le doute et le trouble n'envahissent vôtre esprit ; ce que vous ne trouvez pas dans votre esprit (ce que votre intelligence ne comprend pas), ne le demandez pas à la sensibilité. Il est louable de ne pas demander à la sensibilité ce qui ne se trouve pas dans l'esprit ; mais il ne l'est pas, de ne pas chercher dans l'esprit ce qui fait défaut dans les paroles. L'esprit doit commander à la sensibilité ; la sensibilité est répandue dans tout le corps. L'esprit est la partie supérieure de l'âme, la sensibilité est la partie inférieure. Aussi je dis que l'homme doit veiller avec soin sur son esprit (sur ses facultés intellectuelles et morales) et ne pas léser sa sensibilité. » (Tchou Hi dit : L'esprit est le maître et doit commander ; la sensibilité qui, répandue dans tout le corps, donne lieu aux impressions, aux passions, est une servante qui doit obéir à l'esprit et lui venir en aide).

Koung suenn Tch'eou reprit : Après avoir dit que l'esprit est la partie supérieure de l'âme, et la sensibilité, la partie inférieure, vous avez ajouté qu'il faut veiller avec soin sur l'esprit, et ne pas léser la sensibilité. Comment cela ? Meng tzeu répondit : « Lorsque l'esprit s'applique tout entier à une chose ; il excite la sensibilité. Lorsque celle ci est tout entière à une chose, elle trouble l'esprit. Ainsi, lorsqu'un homme trébuche ou court ; la sensibilité est excitée, et à son tour elle agite et trouble l'esprit. »

« Maître, dit Koung suenn Tch'eou, permettez moi de vous demander en quoi vous surpassez Kao tzeu. » Meng tzeu répondit : « Moi, je comprends les paroles (que j'entends dire) ; j'entretiens (je cultive et règle) parfaitement la sensibilité qui est largement répandue en moi. » « Permettez moi de vous demander, dit Koung suenn Tch'eou, ce que vous appelez sensibilité largement répandue. » « Il est difficile de l'expliquer, répondit Meng tzeu. Son action est très puissante, et s'étend fort loin. Si elle est cultivée comme le demande sa nature, si elle n'est pas lésée, elle étend son action partout sous le ciel. Elle prête secours à la justice et à la raison. Sans elle le corps serait languissant.

« Il faut qu'elle soit cultivée par des actes de vertu très fréquents ; ce n'est pas une aide que la vertu puisse enlacer et saisir comme une proie pour un acte isolé. Elle est sans force, lorsqu'un homme, en faisant une action, (sent qu'il agit mal et) n'est pas content de lui-même. Aussi, je dis que Kao tzeu n'a pas connu la vertu, lui qui prétend qu'elle ne réside pas dans l'âme.

« (Celui qui désire cultiver et régler sa sensibilité), doit faire des actes de vertu, et ne pas prétendre arriver au terme de ses désirs dans un temps déterminé. Qu'il ne néglige jamais la pratique de la vertu, et ne tente pas de hâter son œuvre (par des moyens peu sages). Qu'il n'imite pas certain villageois de Soung. Cet homme, voyant avec peine que sa moisson ne grandissait pas, tira les tiges avec la main (pour les allonger). De retour chez lui, ce nigaud dit aux personnes de sa maison : « Aujourd'hui je suis très fatigué ; j'ai aidé la moisson à grandir. » Ses fils coururent voir son travail. Les tiges étaient déjà desséchées. Dans le monde il est peu d'hommes qui ne travaillent pas à faire grandir la moisson par des moyens insensés. Ceux qui s'imaginent que la sensibilité (les passions, les affections de l'âme) sont inutiles, et qui les négligent, ressemblent au laboureur qui laisse les mauvaises herbes croître dans sa moisson. Ceux qui emploient des moyens violents pour en développer plus vite l'énergie, font comme cet insensé qui arracha sa moisson. Leurs efforts ne sont pas seulement inutiles ; ils sont nuisibles. »

(Koung suenn Tch'eou dit) : « Qu'appelez vous comprendre les paroles ? » Meng tzeu répondit : « Si quelqu'un émet une proposition inexacte, je vois en quoi il est aveuglé (par ses mauvaises inclinations). Si quelqu'un ne met aucun frein à sa langue, je vois dans quels excès il se précipite. Si quelqu'un dit une parole qui porte au mal, je vois en quoi il s'écarte de la voie de la vertu. Si quelqu'un dit des paroles évasives, je vois ce qui l'embarrasse et l'arrête. Les défauts qui se trahissent dans les paroles d'un homme, ont leur source dans son cœur. Ils nuisent à son plan d'administration. Lorsqu'ils se manifestent dans son plan d'administration, ils nuisent à ses affaires. S'il surgissait encore un grand sage, certainement il approuverait ce que je viens de dire. »

Koung suenn Tch'eou dit : « Tsai Ngo et Tzeu koung étaient habiles à discourir et à disserter ; Jen Gniou, Min tzeu et Ien Iuen parlaient bien des vertus qu'ils pratiquaient eux mêmes. Confucius réunissait en lui ces deux talents, et cependant il disait : « Je ne sais ni discourir ni formuler des préceptes. » Cela étant, maître, (vous qui comprenez les paroles, cultivez et réglez la partie inférieure de votre âme), n'êtes vous pas un sage de premier ordre ? »

« Oh ! que dites-vous là, répondit Meng tzeu ! Autrefois Tzeu koung dit à Confucius : « Maître, êtes-vous un sage de premier ordre ? » Confucius répondit : « Un sage de premier ordre ! Je ne mérite pas ce titre. J'étudie la sagesse sans jamais éprouver de satiété ; j'enseigne sans jamais me lasser (je n'ai pas d'autre mérite). ». Tzeu koung répliqua : « Celui qui ne se lasse pas d'étudier la sagesse, la connaît parfaitement ; celui qui ne se fatigue pas d'enseigner, a la vertu d'humanité. Maître, puisque vous possédez la vertu d'humanité et la connaissance de la sagesse, vous êtes un sage de premier ordre. » Confucius lui-même n'acceptait pas le titre de sage de premier ordre. (Vous avez prétendu que ce titre me convenait) ; qu'avez vous donc dit là ! »

(Koung suenn Tch'eou reprit) : « J'ai entendu dire que Tzeu hia, Tzeu iou et Tzeu tchang avaient chacun une des vertus du Sage (de Confucius) ; que Jen Gniou, Min tzeu et Ien Iuen les avaient toutes, mais à un moindre degré (que Confucius). Permettez-moi de vous demander laquelle de ces deux classes de sages est la vôtre. » « Je laisse cette question de côté pour le moment, répondit Meng tzeu. »

« Que faut-il penser de Pe i et de I in, demanda Koung suenn Tch'eou ? » « Ils ont suivi des voies différentes de la mienne, répondit Meng tzeu. Pei ne voulait pas servir un prince autre que le sien (un prince qui ne lui parût légitime et vertueux), ni gouverner un peuple qui ne fût le sien (qui ne lui parût vertueux). Quand le gouvernement était bien réglé, il acceptait une charge ; si l'ordre était troublé, il se retirait. I in disait : « Le prince que je servirai, quel qu'il soit, ne sera t il pas mon prince ? le peuple que je gouvernerai, quel qu'il soit, ne sera-t-il pas mon peuple ? » Il acceptait les charges, même dans les temps de trouble. Pour Confucius, quand le temps était venu d'accepter une charge, il l'acceptait ; quand le temps était venu de la quitter, il la quittait ; s'il convenait de l'exercer longtemps, il l'exerçait longtemps ; s'il convenait de la quitter tôt, il la quittait tôt. Tous trois sont de grands sages de l'antiquité. Moi, je ne suis pas encore parvenu à marcher sur leurs traces. Mais mon désir est d'imiter Confucius. »

Koung suenn Tch'eou dit : « Pe i et I in doivent ils donc être placés au même rang que Confucius ? » « Non, répondit Meng tzeu ; depuis le commencement du monde, jamais homme n'a égalé Confucius. » Ces trois sages (dit Koung suenn Tch'eou) ont-ils quelque ressemblance entre eux ? » « Oui, répondit Meng tzeu. Chacun d'eux, s'il avait eu une petite principauté de cent stades à gouverner, aurait été capable de faire venir tous les princes à sa cour et de commander à tout l'empire. Aucun d'eux n'aurait voulu acheter l'empire au prix d'une injustice, au prix du sang d'un innocent. En cela, ils étaient semblables entre eux. »

« Permettez moi, dit Koung suenn Tch'eou, de vous demander en quoi ils différaient entre eux. » Meng tzeu répondit : « Tsai Ngo, Tzeu koung, Iou Jo connaissaient assez les hommes pour savoir apprécier notre grand sage (Confucius) ; et ils ne se seraient jamais avilis au point de donner de fausses louanges à quelqu'un par affection pour lui. Tsai Ngo disait : « A mon jugement, notre maître surpasse de beaucoup Iao et Chouenn. »

« Tzeu koung disait : « (Tous les souverains qui ont existé, sont connus). Par leurs rites on connaît leur administration ; par leurs chants on connaît leurs vertus. Si nous mettons dans la balance les vertus et les défauts des princes qui ont régné depuis cent générations, aucun d'eux n'échappera à notre appréciation. Depuis que l'homme existe sur la terre, personne n'a égalé Confucius. »

« Iou Jo disait : « Les hommes sont-ils les seuls êtres (qui soient tous de la même espèce) ? Au point de vue du genre, la licorne, se confond avec les autres quadrupèdes, le phénix avec les autres oiseaux, le T'ai chan avec les monticules et les fourmilières, les fleuves et les mers avec les ruisseaux qui coulent dans les chemins. Les grands sages sont aussi de la même espèce que les autres hommes. Depuis qu'il existe des hommes dans le monde, personne ne s'est élevé au dessus des autres et n'a dépassé la foule des mortels autant que Confucius. »

3. Meng tzeu dit : « Un prince qui emploie la force et fait semblant de travailler au bien du peuple, est un dominateur (qui soumet tous les autres princes par la force des armes). Pour faire la loi à tous les princes, il faut posséder une grande principauté. Un prince qui n'emploie d'autre influence que celle de sa vertu et fait du bien au peuple, est un empereur véritable. Pour devenir empereur, une grande principauté n'est pas nécessaire. Celle de Tch'eng T'ang avait soixante dix stades, et celle de Wenn wang, cent stades.

« Les peuples ne se soumettent pas de cœur à celui qui les soumet par la force ; ils se soumettent, parce qu'ils n'ont pas la force de lui résister. Les peuples se soumettent de cœur et avec joie à celui qui les soumet par l'influence de sa vertu, comme les soixante-dix disciples se soumirent à la conduite de Confucius. On lit dans le Cheu King : « A l'orient, à l'occident, au midi, au septentrion, nulle part personne n'avait la pensée de refuser sa soumission. » Ces paroles confirment ce que j'ai dit. »

4. Meng tzeu dit : « La bienfaisance appelle la gloire, et l'inhumanité attire le déshonneur. A présent, les princes craignent le déshonneur, et cependant ils sont inhumains. C'est comme si un homme craignait l'humidité et demeurait dans un lieu bas. Pour éviter le déshonneur, le meilleur moyen est d'estimer la vertu et d'honorer les lettrés vertueux ; de donner les dignités aux sages et les autres charges aux hommes capables ; de profiter des temps où l'on est en paix avec les étrangers, pour réviser et perfectionner les ordonnances administratives et les lois pénales. Une principauté ainsi gouvernée serait respectée même des États les plus puissants.

« Dans le Cheu King, le poète fait dire à un oiseau : J'ai profité du temps où le ciel n'avait encore ni nuages ni pluie, pour arracher cette écorce de racine de mûrier, et lier solidement la fenêtre et la porte de mon nid. A présent, quelqu'un de ces hommes qui se meuvent au dessous de moi osera-t-il m'outrager ? Confucius dit : « Celui qui a composé ce chant, ne connaissait-il pas l'art de gouverner ? Si un prince fait régner le bon ordre, qui osera s'attaquer à lui ? »

« A présent, lorsque l'État jouit de la paix et du repos, les princes profitent de ce temps pour courir après les amusements, demeurer dans l'oisiveté (sans nul souci des affaires), et outrager leurs peuples. Cette conduite leur attire de grands malheurs. Il n'arrive à l'homme rien d'heureux ou de malheureux que lui-même ne l'ait attiré. On lit dans le Cheu King : « Souvenez-vous et parlez toujours d'obéir aux ordres du Ciel ; vous obtiendrez toutes sortes de biens. » (Dans le Chou king), T'ai kia dit : « L'homme peut encore échapper aux maux que le Ciel lui envoie ; mais si lui-même en suscite, c'en est fait de lui. » Ces passages du Cheu King et du Chou King confirment ce que j'ai dit. »

5. Meng tzeu dit : « Si un prince accorde les honneurs aux sages, confie les charges aux hommes capables, et confère les dignités aux hommes les plus remarquables par leurs talents, tous les lettrés de l'empire s'en réjouiront, et désireront avoir un emploi à sa cour. Si, dans le marché public, il exige le loyer des boutiques, et n'impose pas de droits sur les marchandises, ou s'il se contente d'établir des règlements, et n'exige pas même le loyer des boutiques ; tous les marchands de l'empire s'en réjouiront, et désireront déposer leurs marchandises dans son marché. (Autour du marché étaient les boutiques des marchands).

« Si, aux barrières, il fait surveiller les étrangers, et n'exige pas de droits, tous les voyageurs de l'empire s'en réjouiront, et voudront passer par les routes de ses États. S'il n'exige des laboureurs aucun tribut, mais seulement leur travail (pour la culture du champ commun), tous les laboureurs de l'empire s'en réjouiront, et désireront cultiver des champs dans son territoire. S'il exempte les marchands établis sur le marché de payer le tribut de cent arpents de terre (amende imposée aux hommes oisifs), et le tribut en toile (ou en argent) imposé dans le village (amende imposée à ceux qui ne cultivent pas de mûriers auprès de leur habitation) ; tous les habitants de l'empire s'en réjouiront, et voudront devenir ses sujets. (Les marchands établis sur le marché devaient être exempts de ces amendes. Leur vie n'était pas oisive ; et ils n'avaient pas d'habitation où ils pussent cultiver des mûriers).

« Si un prince pouvait vraiment se résoudre à faire ces cinq choses, les peuples des principautés voisines tourneraient les regards vers lui, comme vers leur père et leur sauveur. (Personne ne pourrait déterminer les peuples voisins à l'attaquer. Car) depuis que le monde existe, quiconque a tenté de pousser les enfants à attaquer leurs parents, a toujours échoué dans son entreprise. Ce prince n'aurait aucun adversaire sous le ciel. Celui qui n'a aucun adversaire sous le ciel, est le ministre du Ciel (pour châtier les princes et soumettre les peuples). Qu'un tel prince n'arrive pas à établir l'ordre dans tout l'empire et à régner sur tous les peuples, c'est ce qui ne s'est jamais vu. »

6. Meng tzeu dit : « Tous les hommes ont un cœur compatissant. Les anciens empereurs avaient un cœur compatissant, et par suite leur gouvernement était plein de commisération. Parce qu'ils suivaient l'impulsion d'un cœur compatissant, et que leur administration était très compatissante, ils auraient pu faire tourner l'empire sur la main.

« Voici un exemple qui prouve ce que j'avance, à savoir, que tous les hommes ont un cœur compatissant. Supposons qu'un groupe d'hommes aperçoive soudain un enfant qui va tomber dans un puits. Ils éprouveront tous un sentiment de crainte et de compassion. S'ils manifestent cette crainte et cette compassion, ce n'est pas pour se concilier l'amitié des parents de l'enfant, ni pour s'attirer des éloges de la part de leurs compatriotes et de leurs amis, ni pour ne pas se faire une réputation d'hommes sans cœur.

« Cet exemple nous montre que celui-là ne serait pas homme dont le cœur ne connaîtrait pas la compassion, ou n'aurait pas honte de ses fautes et horreur des fautes d'autrui, ou ne saurait rien refuser pour soi et rien céder à autrui, ou ne mettrait aucune différence entre le bien et le mal.

« La compassion est le principe de la bienfaisance ; la honte et l'horreur du mal sont le principe de la justice ; la volonté de refuser pour soi et de céder à autrui est le principe de l'urbanité ; l'inclination à approuver le bien et à réprouver le mal, est le principe de la sagesse. Tout homme a naturellement ces quatre principes, comme il a quatre membres. Celui qui, doué de ces quatre principes, prétend ne pouvoir les développer pleinement, se nuit gravement à lui-même (parce qu'il renonce à se perfectionner lui-même). Celui qui dit que son prince ne peut les développer en soi, nuit gravement à son prince (parce qu'il le porte à négliger la pratique de la vertu).

« Si nous savions développer pleinement ces quatre principes qui sont en chacun de nous, ils seraient comme un feu qui commence à brûler, comme une source qui commence à jaillir (et continue toujours). Celui qui saurait les développer pleinement, pourrait gouverner l'empire. Celui qui ne les développe pas, n'est pas même capable de remplir ses devoirs envers ses parents. »

7. Meng tzeu dit : « Est ce que l'ouvrier qui fait des flèches, est (naturellement) plus inhumain que celui qui fabrique des cuirasses ? (Il le devient par son métier). Celui qui fait des flèches, craint toujours qu'elles ne blessent pas les hommes. Celui qui fabrique des cuirasses, craint toujours qu'elles ne protègent pas assez les hommes. Il en est de même de la magicienne et du menuisier. *La magicienne prie pour les hommes ; leur conservation fait son profit. Le menuisier fait des cercueils ; la mort des hommes lui est profitable.* Le choix de la profession est donc important.

« Confucius dit : « Ce qui recommande surtout un voisinage, c'est la probité. Celui-là serait il sage, qui, choisissant un lieu pour sa demeure, ne voudrait pas avoir des voisins honnêtes ? » La vertu d'humanité est un don du Ciel qui constitue la noblesse et doit être la demeure paisible de l'homme : Ne pas la cultiver quand personne ne peut nous en empêcher, c'est manquer de sagesse.

« Celui qui n'a ni humanité, ni sagesse, ni urbanité, ni justice, est semblable à un esclave, (qui est considéré, non comme un homme, mais comme une chose). Si celui qui est ainsi descendu au rang des esclaves, a honte de son avilissement, il est comme le fabricant d'arcs ou de flèches qui rougirait de son métier. S'il a honte d'être semblable à un esclave, qu'il cultive la vertu d'humanité.

« Celui qui cultive la vertu d'humanité, imite l'archer. L'archer commence par composer son maintien, puis il décoche sa flèche. S'il n'atteint pas le but, il n'en attribue pas la faute à ceux qui l'ont emporté sur lui, mais il en cherche la cause en lui-même. »

8. Meng tzeu dit : «Tzeu Iou aimait qu'on l'avertît de ses fautes. Iu saluait quiconque lui donnait un bon conseil. Le grand Chouenn faisait encore mieux : il considérait la vertu comme un fonds commun qu'il faisait valoir d'accord avec les autres hommes. Il renonçait à son propre sentiment pour suivre celui des autres. Il aimait à prendre exemple sur les autres pour faire le bien. Depuis le temps où il était laboureur, potier, pêcheur, jusqu'à celui où il fut empereur, toujours il a pris modèle sur les autres.

« En prenant modèle sur les autres pour faire le bien, on les encourage à pratiquer la vertu. Un prince sage ne peut rien faire de plus grand que d'encourager les autres à faire le bien. »

9. Meng tzeu dit : « Pe i ne servait pas un prince autre que celui qu'il jugeait devoir servir ; il ne faisait pas société avec un homme qu'il ne jugeait pas digne de sa société. Il ne paraissait pas à la cour d'un mauvais prince, et ne parlait pas à un homme vicieux. Vivre à la cour d'un mauvais prince ou parler à un méchant homme lui semblait aussi horrible que de s'asseoir en habits de cour au milieu de la fange ou du charbon.

« A juger d'après cela, son aversion pour le mal était telle que, s'il se fût trouvé avec des villageois, et que le chapeau de l'un d'eux n'eût pas été droit, il aurait cru devoir s'éloigner en détournant les yeux. Lorsqu'un prince lui écrivait une lettre d'invitation, même dans les termes les plus polis, il ne la recevait pas. Il ne la recevait pas, parce qu'il croyait inconvenant d'approcher les princes.

« Houei de Liou hia n'avait pas honte de servir un prince vicieux. Il ne dédaignait pas de remplir un petit emploi. Quand il était en charge, il ne cachait pas sa vertu ; sa sagesse (par complaisance pour un monde corrompu) ; il suivait toujours la voie droite. Destitué et laissé dans la vie privée, il ne s'indignait contre personne. Réduit à la plus extrême indigence, il n'éprouvait pas de tristesse. Il disait : « Vous et moi, nous sommes deux hommes distincts l'un de l'autre.. Fussiez-vous à mon côté les épaules nues ou même tout le corps nu, est ce que vous pourriez me souiller ? » Il demeurait ainsi joyeux et content dans la compagnie des hommes les plus grossiers ; mais lui-même ne se permettait rien de répréhensible. Si quelqu'un le retenait en le tirant avec la main, il ne s'en allait pas. Quand on le retenait, il restait ; parce qu'il croyait inconvenant de s'en aller. »

Meng tzeu dit : « Pe i avait des principes trop stricts ; Houei de Liou hia ne gardait pas assez sa dignité. Le sage ne prend pour modèle ni un homme trop strict ni un homme qui ne garde pas assez sa dignité. »

CHAPITRE II

1. Meng tzeu dit : « Pour défendre un État, les temps favorables valent moins que les avantages du lieu ; et les avantages du lieu valent moins que la concorde entre les citoyens. Voici une petite place forte dont les remparts ont trois stades d'étendue ; les murs extérieurs, sept stades. Les ennemis l'assiègent, l'attaquent, et ne peuvent s'en emparer. Puisqu'ils l'ont assiégée et attaquée, c'est qu'il ont choisi un temps favorable. S'ils ne l'ont pu prendre, c'est que les temps heureux valent moins que les avantages du lieu.

« *Au contraire* , voici une place forte dont les remparts sont hauts et les fossés profonds, dont les défenseurs ont des épées bien affilées, des cuirasses épaisses, et de grandes provisions de grains. Les habitants l'abandonnent et s'enfuient. C'est que les avantages du lieu valent moins que la concorde entre les citoyens.

« Aussi dit on communément : « Ce ne sont pas les frontières bien tracées et bien fortifiées qui enferment et retiennent le peuple, ni les montagnes et les fleuves qui défendent la contrée, ni les épées et les cuirasses qui inspirent le respect à tout l'empire. » Celui qui suit la voie de la vertu, trouve beaucoup d'aides ; celui qui s'en écarte, en a peu. Lorsqu'un prince perd chaque jour des partisans, ses parents eux mêmes finissent par l'abandonner. Au contraire, s'il en acquiert chaque jour, tout l'empire finit par se donner à lui. Si le peuple, avec celui à qui tout l'empire obéit, attaque celui qui est abandonné même de ses parents, le prince sage n'a pas besoin de livrer bataille (pour chasser le tyran), ou s'il livre bataille, il remporte toujours la victoire. »

2. Comme Meng tzeu était sur le point d'aller à la cour saluer le roi *de Ts'i*, un envoyé vint lui dire de la part du roi : « Je voulais aller vous voir ; mais le froid m'a causé une indisposition ; il ne serait pas prudent de m'exposer au souffle de l'air. Demain matin, je donnerai audience. Je ne sais si vous pourrez me faire la faveur de venir me voir. » Meng tzeu répondit : « Malheureusement, moi aussi, je suis malade ; je ne puis aller à la cour. » *Meng tzeu, dans la principauté de Ts'i, était un étranger, un maître venu pour enseigner ; il n'était pas en charge, et n'avait pas à remplir les devoirs d'un emploi public. Un prince ne doit pas se permettre d'appeler à sa cour un étranger, un sage. (S'il désire le consulter, il doit aller lui-même le voir). Meng tzeu pouvait aller de lui-même à la cour ; mais il ne convenait pas qu'il y allât sur l'invitation du prince de Ts'i. De fait, il voulait y aller, Le prince, qui ne le savait pas, invita Meng tzeu sous prétexte de maladie. Meng tzeu s'excusa aussi sous le même prétexte.*

Le lendemain, Meng tzeu allant pleurer auprès d'un mort dans la maison de Toung kouo, Koung suenn tch'eou lui dit : « Hier, vous vous êtes excusé pour cause de maladie. Aujourd'hui si vous allez pleurer auprès d'un mort, votre conduite ne sera t elle pas blâmée ? » « La maladie d'hier, répondit Meng tzeu, est guérie aujourd'hui. Pourquoi n'irais je pas pleurer auprès du mort ? »

(Pendant l'absence de Meng tzeu), le roi envoya un messager pour s'informer de sa santé, et un médecin pour le soigner. Meng Tchoung tzeu, (parent et disciple de Meng tzeu, usant d'artifice), répondit à l'envoyé : « Hier, quand l'ordre du roi est arrivé, mon maître était indisposé ; il n'a pu se rendre au palais. A présent il va un peu mieux ; il s'est hâté de partir pour aller à la cour. Peut-être y est-il déjà. » Meng Tchoung tzeu envoya des hommes arrêter Meng tzeu en chemin, et lui dire : « Je vous en prie, avant de revenir à la maison, allez au palais. » (*Ts'ài sĭn tchēu iōu*, expression modeste qui signifie légère maladie).

Meng tzeu, (qui voulait absolument faire connaître an roi le vrai motif pour lequel il n'était pas allé à la cour), ne trouva d'autre moyen que d'aller passer la nuit chez le grand préfet King Tch'eou (afin que celui-ci en parlât au roi). King Tch'eou lui dit : « Les relations entre le père et le fils, entre le prince et le sujet sont les principales relations sociales. Entre le père et le fils, c'est la bienveillance qui doit dominer ; entre le prince et le sujet, c'est le respect. J'ai vu ce que le roi a fait pour vous honorer ; je n'ai pas encore vu que vous ayez rien fait pour témoigner votre respect au roi. »

« Oh ! que dites vous là ? répondit Meng tzeu. Parmi les habitants de Ts'i, aucun ne rappelle au roi l'obligation de pratiquer la bienfaisance et la justice. Est ce parce qu'ils ne connaissent pas le prix de ces deux vertus ? C'est qu'ils se disent en eux mêmes : « Le roi est il disposé à nous entendre parler de bienfaisance et de justice ? (Nos avis seraient inutiles). » Penser et agir ainsi, c'est la plus grande irrévérence possible. Moi, je ne me permettrais pas d'exposer au roi autre chose que les principes de Iao et de Chouenn. Ainsi, parmi les habitants de Ts'i, il n'en est pas un qui ait pour le prince autant de respect que moi. »

« Non, reprit King Tch'eou, je ne veux pas parler des entretiens avec le roi. Mais, le Mémorial des Devoirs dit : « Quand votre père vous appelle, hâtez-vous de répondre oui ; si le prince vous mande à la cour, n'attendez pas que votre voiture soit attelée. » Vous vous prépariez certainement à aller saluer le roi. Vous avez reçu son invitation ; par suite, vous n'y êtes pas allé. Votre conduite paraît en désaccord avec ce précepte du Livre des Devoir. »

« Comment pouvez vous interpréter ainsi ma conduite ? répliqua Meng tzeu. Tseng tzeu disait : « Les rois de Tsin et de Tch'ou surpassent en richesse tous les autres princes. Ils possèdent des richesses ; moi, je possède la vertu ; ils possèdent des dignités ; moi, je possède la justice ; pourquoi ne serais je pas content de ce que j'ai ? » Si cette réflexion n'était pas juste, Tseng tzeu l'aurait il exprimée ? Elle est peut être fondée sur une raison que voici.

« Il y a trois choses qui partout sont considérées comme respectables ; ce sont la dignité, l'âge et la vertu. Ce qui obtient le plus de respect à la cour, c'est la dignité ; dans les villages et les bourgs, c'est l'âge ; en ceux qui travaillent à réformer les mœurs et dirigent le peuple, c'est la vertu. Celui qui (comme le roi de Ts'i) n'a qu'un seul titre au respect des hommes, à savoir, sa dignité, a-t-il le droit de mépriser celui qui (comme moi) a deux titres à son respect (l'âge et la vertu) ?

« Les anciens princes, qui devaient faire de grandes choses (régler et gouverner tout l'empire), avaient des ministres qu'ils ne se permettaient pas d'appeler. Lorsqu'ils désiraient les consulter, ils allaient eux mêmes les trouver. Un prince qui n'aurait pas ainsi honoré la vertu et aimé la sagesse, aurait été indigne de rien faire avec eux. Tch'eng T'ang commença par se faire le disciple de I in, puis il le créa ministre. Aussi n'eut il aucune peine à régler et à gouverner l'empire. Houan, prince de Ts'i, étudia d'abord à l'école de Kouan Tchoung, puis il en fit son ministre. Aussi n'eut il aucune peine à soumettre les autres princes.

« A présent, dans l'empire, plusieurs principautés sont égales en étendue et en puissance. Parmi les princes, aucun ne parvient à s'élever au dessus des autres, uniquement parce qu'ils aiment à prendre pour ministres des hommes qui acceptent leurs enseignements, et non ceux qui pourraient les enseigner. T'ang ne se permit pas d'appeler I in à sa cour, ni le prince Houan, Kouan Tchoung. Si Kouan Tchoung ne pouvait pas être invité au palais ; à plus forte raison, un sage qui (comme moi) ne voudrait pas imiter Kouan Tchoung (aider un prince à opprimer tous les autres). »

3. Tch'enn Tchenn (disciple de Meng tzeu) dit : « Dans la principauté de Ts'i, le roi de Ts'i vous a offert deux mille onces d'un or très pur ; vous les avez refusées. Ensuite, dans la principauté de Soung, le prince

de Soung vous a offert mille quatre cents onces d'or ; vous les avez acceptées. Dans la principauté de Sie, le prince de Sie vous a offert mille onces d'or ; vous les avez acceptées. Si précédemment vous avez bien fait de refuser, plus tard vous avez mal fait d'accepter ; ou, si plus tard vous avez bien fait d'accepter, précédemment vous aviez mal fait de refuser. Maître, certainement vous avez eu tort dans l'un ou l'autre cas. »

Meng tzeu répondit : « J'ai bien agi dans les trois cas. Quand j'étais dans la principauté de Soung, je me préparais à faire un long voyage. On offre toujours des présents à ceux qui partent pour un voyage. Le prince me dit : « Je vous offre des présents pour votre voyage. » Comment aurais je refusé ? Quand j'étais dans la principauté de Sie, j'avais l'intention de me prémunir contre une attaque (et de me faire escorter par des hommes armés). Le prince me dit : « J'ai entendu dire que vous vous prémunissez. » Et il m'offrit un présent pour payer mon escorte. Comment aurais je refusé ?

« Quand j'étais dans la principauté de Ts'i, je n'avais pas de dépense à faire. Offrir des présents à un homme qui n'a pas de dépense à faire, c'est l'acheter. Se pourrait il qu'un homme sage se laissât prendre par des présents ? »

4. Meng tzeu étant allé à P'ing lou (dans la principauté de Ts'i), dit au grand préfet (K'oung Kin sin) qui gouvernait cette ville : « Si l'un de vos petits officiers qui commandent cinq hommes, abandonnait ses soldats trois fois en un jour, le puniriez vous de mort ? » K'oung Kin sir répondit : « Je n'attendrais pas qu'il eût abandonné ses hommes trois fois. » « Mais vous, dit Meng tzeu, vous avez abandonné ceux qui vous sont confiés, et cela bien des fois. Dans les années de calamité, dans les années de disette, des milliers de personnes âgées ou faibles se roulent et meurent dans les canaux et les fosses ; des milliers d'hommes robustes se dispersent et s'en vont aux quatre extrémités de l'empire. » « C'est un mal auquel je ne puis remédier dit K'oung Kin sin. (Le roi seul a le droit de faire distribuer aux indigents les grains des greniers publics). »

« Supposons, dit Meng tzeu, qu'un homme soit chargé de nourrir les bœufs ou les brebis d'un autre ; il cherchera des pâturages et du foin. S'il n'en trouve pas, reconduira-t-il les bœufs ou les brebis à leur propriétaire, ou bien les regarderait-il mourir ? » (Meng tzeu veut lui faire entendre que, s'il n'est pas libre de donner à ses sujets les soins nécessaires, il doit résigner sa charge et se retirer). Koung Kin sin répondit : « En cela je suis coupable. »

Un autre jour, Meng tzeu se présentant devant le roi, lui dit : « Je connais cinq des officiers chargés par vous de gouverner les préfectures où les anciens princes ont des temples. K'oung Kin sin est le seul qui reconnaisse ses fautes. » Puis il rapporta au roi son entretien avec Kin sin. Le roi dit : « (Que tant d'hommes périssent dénués de secours), c'est ma faute. » (*Tôu* , ville où se trouve la salle des ancêtres d'un prince).

5. Meng tzeu dit à Tch'eu wa (grand préfet de Ts'i) : « Vous avez refusé la préfecture de Ling k'iou, et demandé la charge de préposé des tribunaux, afin de pouvoir, en vertu de cette charge, donner des avis au roi ; et il me semble que vous avez eu raison. Depuis plusieurs mois que vous avez cet emploi, est ce que vous n'avez pas encore pu avertir le roi ? » Tch'eu wa donna des avis au roi ; le roi ne les ayant pas suivis, il se démit de sa charge. Les habitants de Ts'i dirent : « Le parti que Meng tzeu a conseillé à Tch'eu wa est bon ; mais nous ne savons que penser du parti qu'il adopte pour lui-même. » (Ling k'iou était sans doute près de la frontière de Ts'i, loin de la capitale).

Ces discours furent rapportés à Meng tzeu par Koung fou tzeu (son disciple). Meng tzeu répondit : « J'ai entendu dire que celui qui est chargé d'un emploi doit se retirer, s'il ne peut le remplir ; que celui qui est chargé d'avertir un prince doit se retirer, s'il ne peut faire agréer ses avis. Moi, je ne suis chargé ni de remplir un emploi, ni d'avertir le prince. Pourquoi ne serais je pas tout à fait libre d'aller à la cour ou de me retirer ? »

6. Lorsque Meng tzeu était ministre d'État du roi de Ts'i, le roi l'envoya à la cour du prince de T'eng pleurer un mort (ou présenter ses condoléances), et lui adjoignit le grand préfet de la ville de Ko, Wang Houan (auquel il donna le titre de ministre pour cette mission). Chaque jour, matin et soir, Wang Houan faisait visite à Meng tzeu. Sur la route de

T'eng, depuis le départ jusqu'au retour à Ts'i, Meng tzeu ne lui dit pas un mot de l'objet de leur mission.

Koung suenn Tch'eou dit : « La dignité de ministre de Ts'i (dont Wang Houan est revêtu) n'est pas une petite dignité ; la route de Ts'i à T'eng n'est pas courte. Depuis le départ jusqu'au retour, vous ne lui avec pas dit un mot de l'objet de votre mission ; pourquoi cela ? » Meng tzeu répondit : « D'autres avaient préparé cette affaire (et Wang Houan était l'un d'eux). Que me restait il à dire ? » *Ko, ancienne ville située à l'ouest de I chouei Mien. Wang Houan, favori du roi, avait le titre de ministre pour cette mission ; il est appelé pour cette raison ministre de Ts'i. Meng tzeu avec ce vil personnage garda sa dignité, sans lui témoigner d'aversion.*

7. Meng tzeu alla de la principauté de Ts'i à celle de Lou pour l'enterrement de sa mère. A son retour dans la principauté de Ts'i, (avant d'arriver à la capitale) il s'arrêta dans la ville de Ing. Son disciple Tch'oung Iu (qui l'accompagnait dans ce voyage), lui dit : « Ces jours passés, ne sachant pas combien j'étais inhabile, vous m'avez chargé de donner des ordres au menuisier (de commander les cercueils de votre mère). La chose pressait ; je n'ai pas osé vous adresser de questions. A présent, je me permettrai de vous en adresser une. Le bois (des cercueils) m'a paru trop beau. »

Meng tzeu répondit : « Dans la haute antiquité, les mesures des deux cercueils n'étaient pas déterminées. Plus tard (quand Tcheou koung fixa les usages), il fut décidé que le cercueil intérieur aurait sept pouces d'épaisseur (environ 14 centimètres), et le cercueil extérieur également. Depuis l'empereur jusqu'aux hommes du peuple, tout le monde suivit cet usage, non seulement parce que c'était beau, mais parce que le cœur y trouvait sa satisfaction. Si l'empereur ne l'avait pas autorisé, le cœur n'aurait pas été satisfait. Quand la fortune ne le permettait pas, le cœur n'était pas satisfait. Comme ils en avaient l'autorisation, les anciens suivaient tous cet usage, quand ils n'étaient pas trop pauvres. Pourquoi moi seul aurais je fait autrement ?

« De plus, ne pas laisser la terre toucher le corps d'un père ou d'une mère, n'est ce pas aussi une grande joie au cœur d'un bon fils ? J'ai entendu dire que le sage sacrifierait pour ses parents tous les biens de l'univers. » (Passer de la vie à la mort, cela s'appelle *houá* subir une transformation).

8. Chenn T'oung (ministre du roi de Ts'i) demanda à Meng tzeu, en son propre nom, (mais peut être sur un ordre secret de son prince), s'il était permis d'attaquer et de châtier le prince de Ien (nommé Tzeu tcheu). Meng tzeu répondit : « Cela est permis. Car, Tzeu k'ouai (qui était prince de Ien) ne pouvait (sans l'autorisation de l'empereur) donner la principauté de Ien, et Tzeu tcheu ne pouvait accepter. Supposons qu'un officier vous soit particulièrement cher. Pouvez vous lui donner votre dignité et votre traitement, de votre chef et sans en référer au roi ? Cet officier peut il les accepter de lui-même sans l'autorisation du roi ? Tzeu k'ouai et Tzeu tcheu ont ils fait autre chose ? »

Les habitants de Ts'i attaquèrent le prince de Ien. On demanda à Meng tzeu s'il était vrai qu'il eût engagé le roi de Ts'i à attaquer le prince de Ien. « Non, répondit il. Chenn T'oung m'a demandé s'il était permis d'attaquer le prince de Ien. Je lui ai répondu affirmativement. Aussitôt les troupes de Ts'i ont attaqué le prince de Ien. Si Chenn T'oung m'avait demandé qui avait le droit d'attaquer le prince de Ien, j'aurais répondu que c'était le ministre du Ciel (l'empereur. Cf. page 374).

« Supposons qu'un homme ait commis un meurtre, et qu'on me demande s'il est permis de le mettre à mort ; je répondrai affirmativement. Si l'on me demande qui a le droit de le punir de mort, je répondrai que c'est le grand juge. Pour ce qui est d'attaquer le prince de Ien en imitant sa conduite, c'est-à-dire sans l'autorisation de l'empereur, comme lui-même a accepté la dignité de prince, sans cette autorisation ; comment aurais-je pu le conseiller ? »

9. Les habitants de Ien (choisirent pour roi le prince P'ing, fils et héritier présomptif de leur ancien roi), et se révoltèrent (contre le roi de Ts'i qui s'était emparé de leur pays). Le roi de Ts'i dit : « Je suis honteux de n'avoir pas suivi le conseil de Meng tzeu. » Tch'enn Kia, grand préfet de Ts'i, lui dit : « Prince, ne soyez pas en peine. Lequel des deux est le plus humain et le plus prudent, de vous ou de Tcheou koung ? » « Oh ! que

dites vous là ! répondit le roi. (Puis je être mis en parallèle avec Tcheou koung ?) »

Tch'enn Kia reprit : « Tcheou koung, chargea Kouan chou (son frère aîné) de veiller sur la principauté laissée (par Ou wang) aux descendants des In ; et Kouan Chou, avec le prince de In, se révolta (contre l'empereur Tch'eng wang, successeur de Ou wang). Si Tcheou koung prévoyait la révolte de Kouan chou, il a été cruel en lui confiant cette charge, (parce qu'il a donné occasion au crime et au châtiment de Kouan chou). Si Tcheou koung n'a pas prévu la révolte de Kouan chou, en lui confiant cette charge, il a manqué de prudence, (de perspicacité, de prévoyance). Les vertus d'humanité et de prudence n'ont pas toujours été très parfaites en Tcheou koung ; à plus forte raison ne peuvent-elles pas l'être en vous. Permettez moi, je vous prie, d'aller voir Meng tzeu et de vous tirer d'embarras. » (Les In tiraient leur nom de la petite principauté de In, qui appartenait à leur famille avant leur avènement à l'empire).

Tch'enn Kia alla trouver Meng tzeu, et lui dit : « Que faut il penser de Tcheou koung ? » « C'était un grand sage de l'antiquité, répondit Meng tzeu. » « Est il vrai, demanda Tch'enn Kia, qu'il ait chargé Kouan chou de veiller sur la principauté du descendant des In, et que Kouan chou se soit révolté avec ce prince ? » « C'est vrai ; répondit Meng tzeu. » « Tcheou koung, en lui confiant cette charge, dit Tch'enn Kia, savait-il qu'il se révolterait ? » « Il ne le savait pas, répondit Meng tzeu . » « Un grand sage, dit Tch'enn Kia, est-il aussi sujet à l'erreur ? » Meng tzeu répondit : « Tcheou koung était le frère puîné le Kouan tchoung. Son erreur ne s'explique-t-elle pas facilement ? »

« Quand les sages de l'antiquité tombaient dans une erreur, ils la corrigeaient aussitôt ; quand les princes actuels sont dans l'erreur, ils y persévèrent. Les erreurs des anciens sages étaient comme les éclipses du soleil et de la lune. Tout le monde les voyait. Quand ils les corrigeaient, tous les regards se tournaient vers eux (avec joie et confiance). Les princes actuels se contentent ils de persévérer dans leurs erreurs ? Ils vont plus loin ; ils les soutiennent et les défendent. » (Tch'enn Kia, au lieu d'engager son prince à se corriger, ne cherchait qu'à s'excuser).

10. Meng tzeu se démit de sa charge de ministre, pour retourner dans son pays. Le roi *de Ts'i* alla le voir et lui dit : « Autrefois (avant votre arrivée dans mes États), je désirais vous voir, et je ne pouvais l'obtenir. Enfin j'ai eu le bonheur de me trouver auprès de vous ; tous les officiers de ma cour en ont éprouvé une grande joie. A présent, vous me quittez, pour retourner dans votre pays. Je ne sais si plus tard j'aurai le bonheur de vous revoir. » Meng tzeu répondit : « Je n'oserais vous prier de me permettre de revenir ; certainement je le désire. »

Un autre jour, le roi dit à Cheu tzeu (l'un de ses officiers) : « Je désire donner à Meng tzeu une maison au centre de mes États, et dix mille *tchoung* de grain chaque année pour l'entretien de ses disciples, afin que les grands préfets et tous les habitants aient un maître qu'ils honorent et imitent. Pourquoi ne le lui proposeriez vous pas de ma part ? »

Cheu tzeu eut recours à Tch'enn tzeu (ou Tch'enn Tchenn, disciple de Meng tzeu), pour lui en parler. Tch'enn tzeu rapporta à Meng tzeu les paroles de Cheu tzeu. Meng tzeu dit : « Cheu tzeu sait-il qu'il ne convient pas de chercher à me retenir ? Suppose-t-on que je sois avide de richesses ? Renoncer aux cent mille *tchoung* de grain (que je pourrais recevoir chaque année en qualité de ministre), et accepter dix mille *tchoung* , serait ce être avide de richesses ?

« Ki suenn disait : « Tzeu chou I était un homme étonnant. Lorsque le prince le privait de sa charge, il se retirait ; (mais, afin que sa famille continuât à s'enrichir), il faisait nommer ministre d'État l'un de ses enfants ou de ses frères. Quel est l'homme qui ne désire pas les richesses et les honneurs ? Mais Tzeu chou I avait de particulier qu'il s'était fait comme un *loung touan* pour accaparer les richesses et les honneurs. »

« Les anciens établissaient des marchés, afin que chacun pût, en échange de ce qu'il avait, se procurer ce qui lui manquait. Des chefs y présidaient. Un homme méprisable voulut absolument avoir un endroit élevé et s'y plaça, pour regarder à droite et à gauche et accaparer tout le profit des transactions. On le considéra comme un homme vil, et on l'obligea à payer des droits : c'est à cette occasion que s'est introduit l'usage des taxes sur les marchandises. (Si j'acceptais les offres du roi de Ts'i, je me rendrais semblable à Tzeu chou I et à ce vil marchand). »

11. Meng tzeu, ayant quitté la capitale de Ts'i, aller passer la nuit à Tcheou (d'autres disent Houe, ville située au sud-ouest de la capitale). Quelqu'un, dans l'intérêt du roi, voulut le retenir. Il alla le trouver ; oubliant les règles de l'urbanité), il s'assit (sans y être invité), et lui adressa la parole. Meng tzeu ne répondit pas, s'appuya contre un escabeau et se coucha (comme pour dormir). Le visiteur mécontent (se leva et) lui dit : « Moi votre disciple, je n'ai osé vous adresser la parole qu'après avoir gardé l'abstinence cette nuit (par respect pour vous). Vous, vous vous couchez et ne m'écoutez pas. Permettez moi de vous dire que je n'oserai plus vous faire visite. »

« Asseyez vous, répondit Meng tzeu ; je vous parlerai clairement. Autrefois, si Mou, prince de Lou, n'avait pas eu quelqu'un auprès de Tzeu seu (pour honorer ce grand sage), il n'aurait pu retenir Tzeu seu. Sie Liou (lettré de Ts'i) et Chenn Siang (fils de Tzeu tchang) se seraient retirés, s'ils n'avaient pas eu toujours un homme auprès du prince Mou (pour lui recommander les sages). Vous avez inventé un expédient à mon sujet (vous êtes venu en votre propre nom m'inviter à rester) ; mais cette invitation privée est moins honorable que les soins du prince Mou à l'égard de Tzeu seu. Lequel de nous deux repousse l'autre ? Est ce vous (en ne me traitant pas avec honneur), ou bien, est ce moi (en refusant de vous répondre) ? »

12. Après que Meng tzeu eût quitté la capitale de Ts'i, In Cheu dit : « Si Meng tzeu (avant de venir dans notre pays) ne savait pas que notre roi n'était pas capable de devenir un second Tch'eng T'ang, un second Ou wang, il a manqué de perspicacité. S'il le savait, il est venu chercher les faveurs du roi. Il a fait un voyage de mille stades pour le voir ; comme il n'a pas obtenu ses bonnes grâces, il est parti. Il n'a quitté la ville de Tcheou qu'après y avoir passé trois jours. Pourquoi cette hésitation et ce retard ? Cette conduite ne me plaît pas. »

Ces paroles furent rapportées à Meng tzeu par Kao tzeu (son disciple) : Meng tzeu répondit : « Comment In Cheu connaît il mes sentiments ? J'ai fait un voyage de mille stades pour voir le roi, (dans l'espoir qu'il se servirait de moi, et établirait un ordre parfait dans ses États) ; voilà ce que je désirais. N'ayant pas trouvé le roi disposé à suivre mes conseils, je suis parti ; était ce donc là ce que je désirais ? Je ne pouvais pas ne pas m'en aller. Je suis resté trois jours à Tcheou, avant d'en sortir. Je croyais que mon départ était encore trop précipité. J'espérais que le roi changerait de sentiments ; et, s'il en avait changé, il m'aurait certainement rappelé. (On ignore quel changement Meng tzeu aurait désiré dans les sentiments du roi).

« J'ai quitté Tcheou, et le roi ne m'a pas rappelé. Dès lors, ma détermination de retourner dans mon pays a été plus ferme que jamais. Malgré cela est ce que j'abandonne le roi pour toujours ? Il est encore capable de faire le bien. Si plus tard il se sert de moi, les habitants de seront ils les seuls à jouir de la paix ? Tous les peuples de l'empire seront heureux. Le roi changera peut être de sentiments ; je l'espère tous les jours.

« Voudrais je ressembler à ces hommes d'un esprit étroit, qui, ne pouvant faire agréer leurs avis à leur prince, s'irritent, laissent paraître leur déplaisir sur leur visage, s'enfuient, et ne se reposent le soir qu'après avoir couru sans relâche tout le jour ? In Cheu, ayant eu connaissance de cette réponse de Meng tzeu, dit : « Vraiment je suis un homme d'un esprit étroit. »

13. Meng tzeu ayant quitté la capitale de Ts'i, en chemin, son disciple Tch'oung Iu lui dit : « Maître, vous ne paraissez pas content. Jadis j'ai appris de votre bouche que le sage ne se plaint jamais des dispositions du Ciel et n'accuse jamais les hommes. » Meng tzeu répondit : « Les temps ne sont plus les mêmes. *Sans doute, je ne me permets pas de me plaindre du Ciel ; mais puis-je ne pas m'affliger des châtiments qu'il envoie ? Je ne me permets pas d'accuser les hommes ; mais puis-je ne pas avoir compassion de leur malheureux sort ?*

« Tous les cinq cents ans paraît un homme qui obtient l'empire et gouverne avec une parfaite sagesse. Dans cet intervalle de temps, de grands sages acquièrent un nom dans le monde. Depuis l'avènement des Tcheou, il s'est écoulé plus de sept cents ans. D'après ce calcul, le terme ordinaire est déjà passé. A en juger d'après l'état présent de la société (qui appelle une réforme), on voit qu'une restauration serait possible. Mais *peut-être* le Ciel ne veut il pas encore le rétablissement de la paix et de l'ordre dans l'empire. S'il le voulait, quel serait à notre époque le grand sage qui préparerait la restauration, si ce n'était moi ? Pourquoi donc ne serais je pas content ? »

14. Meng tzeu, après avoir quitté la capitale de Ts'i, s'arrêta à Mou. Koung suenn Tch'eou lui dit : « Exercer une charge et ne pas accepter de traitement, était ce l'usage des anciens ? » « Non, répondit Meng tzeu. J'eus ma première entrevue avec le roi de Ts'i dans la terre de Tch'oung. En me retirant d'auprès de lui, j'avais déjà le projet de m'en aller. Je n'ai pas voulu changer cette détermination. (J'ai accepté et exercé la charge de ministre ; mais) je n'ai jamais accepté de traitement, (afin d'être plus libre de m'en aller). Ensuite le roi donna ordre de mettre des troupes en campagne (ou bien, j'ai été nommé grand précepteur) ; je n'ai pu me démettre de ma charge. Je suis resté longtemps dans la principauté de Ts'i, mais contre mon gré. (Hiou était dans le T'eng hien, qui dépend de Ien tcheou fou. Tch'oung, qu'il ne faut pas confondre avec l'ancienne principauté de ce nom, était dans la principauté de Ts'i).

LIVRE III. T'ENG WENN KOUNG.

CHAPITRE I

1. Wenn, prince de T'eng, n'étant encore qu'héritier présomptif, et allant à Tch'ou, traversa la principauté de Soung, et visita Meng tzeu. Meng tzeu lui parla de la bonté de la nature humaine, et ne manqua pas de citer Iao et Chouenn. *La nature (l'ensemble des dons naturels) est un principe que l'homme reçoit du Ciel avec l'existence. Elle est entièrement bonne. Jamais homme n'a été naturellement mauvais. En cela, personne ne diffère tant soit peu de sages empereurs Iao et Chouenn. Mais la plupart des hommes s'abandonnent à leurs passions, et perdent leur bon naturel. Iao et Chouenn, au contraire, n'ont jamais laissé ternir leurs bonnes qualités par les passions, et ont toujours suivi la loi naturelle.*

Tch'eng tzeu dit : « La nature est le principe LI. Le principe qui donne naissance à tous les êtres, n'a rien de mauvais. Y eût il jamais homme qui fût mauvais ; avant qu'il s'élevât dans son cœur aucun sentiment de joie, de colère, de tristesse ou de plaisir ? Lorsque ces sentiments naissent dans le cœur, mais sont tempérés et ne s'écartent pas du juste milieu, l'homme reste toujours bon. Mais, s'ils dépassent les limites de la modération, l'homme devient mauvais. Ainsi, toutes les fois qu'il fut question de bon et de mauvais, il faut se rappeler que celui qui est mauvais, a d'abord été bon.

Le prince, en revenant de Tch'ou, alla de nouveau voir Meng tzeu. Meng tzeu lui dit : « Prince, auriez vous des doutes sur les explications que je vous ai données ? La voie de la vertu est la même pour tous. Tch'eng Kien dit à King, prince de Ts'i : « Ces grands sages si renommés étaient hommes comme moi. Pourquoi craindrais je de ne pouvoir les égaler ? » Ien Iuen disait : « Je suis homme comme Chouenn était homme. Quiconque s'applique (comme lui) à bien agir, lui est semblable. »

« Koung ming I (disciple de Tzeu tchang) disait : « Wenn wang est mon modèle (je puis et je veux l'imiter, disait Tcheou koung). Tcheou koung pourrait il m'induire en erreur ? » (Koung ming était de la ville de Ou tch'eng dans la principauté de Lou. Koung ming était son nom de famille ; I, son nom propre). La principauté de T'eng, si ses limites étaient régulières, aurait environ cinquante stades en tous sens. (*Tsiāng* signifie *chóu kī* approximativement). Malgré son peu d'étendue, elle peut devenir un État bien réglé. (Mais il faut que le prince déploie toute son énergie ; car) il est dit dans le Chou King : « Si le remède n'est pas d'une violence telle qu'il trouble la vue du malade, il ne guérira pas la maladie. »

2. Ting, prince de T'eng, étant mort, (le prince Wenn) son fils et son successeur, dit à Jen Iou (son maître) : « Autrefois, dans la principauté de Soung, Meng tzeu m'a donné des enseignements que je n'ai jamais oubliés. Maintenant, par malheur, j'ai une grande chose à accomplir, (il faut rendre les derniers devoirs à mon père). J'ai l'intention de vous envoyer consulter Meng tzeu, avant de rien entreprendre. »

Jen Iou alla à Tcheou consulter Meng tzeu. Meng tzeu dit : « Oh ! n'est il pas louable d'interroger sur ce sujet ! C'est surtout lorsqu'il s'agit de rendre les derniers devoirs à ses parents, qu'un fils doit se dépenser tout entier. Tseng tzeu disait : « Tant que vos parents sont en vie, rendez leur obéissance suivant les règles ; après leur mort, enterrez les selon les règles, et faites leur des offrandes selon les règles ; alors on pourra dire que vous avez pratiqué la piété filiale. » Je n'ai pas étudié les usages des princes (d'une manière particulière). Mais j'ai entendu dire que, sous les trois dynasties, depuis l'empereur jusqu'aux hommes du peuple, tout le monde avait adopté le deuil de trois ans, la bouillie de riz, la tunique de grosse toile à bord inférieur ourlé (pour le deuil d'une mère, et à bord inférieur non ourlé pour le deuil d'un père). »

Jen Iou rendit compte au prince Wenn de l'exécution de son ordre. Le prince décida qu'il garderait le deuil durant trois ans. Ses oncles, ses cousins et tous les officiers s'opposèrent à cette décision, et dirent : « Parmi les derniers princes de la principauté de Lou, qui est sœur de la nôtre, aucun n'a gardé le deuil durant trois ans. Nos derniers princes ne l'ont pas gardé non plus. Il ne convient pas que vous reveniez à cet ancien usage. Il est dit dans les Annales : Pour les cérémonies funèbres et les offrandes, imitez vos pères. C'est comme si l'on disait : Ces cérémonies nous sont venues par tradition (il ne nous est pas permis de les changer). »

Le prince dit à Jen Iou : « Jusqu'à présent je ne me suis pas appliqué à l'étude. Mon plaisir était de courir à cheval, de m'exercer à manier l'épée. Mes oncles, mes cousins, les officiers de la cour n'ont pas confiance en mes décisions. Je crains de ne pas remplir parfaitement mon devoir dans cette affaire importante. Consultez pour moi Meng tzeu. » Jen Iou alla de nouveau à Tcheou demander conseil à Meng tzeu .

« S'il en est ainsi, répondit Meng tzeu, le prince ne doit rien attendre que de lui-même. Confucius dit : « A la mort d'un souverain, le gouvernement était laissé au premier ministre. Le prince héritier se. nourrissait de riz cuit à l'eau ; son visage devenait tout livide. Il allait occuper son siège et se lamentait (auprès du corps de son père). Alors tous les officiers partageaient sa douleur, et suivaient son exemple. Quand les supérieurs ont une chose à cœur, les inférieurs ne tardent pas à l'aimer. La vertu du prince est comme le vent, et celle du peuple est comme l'herbe.

Quand le vent souffle sur l'herbe, elle s'incline nécessairement. » Le soin des obsèques dépend du prince héritier. »

Jen Iou rendit compte de son message au prince héritier. Le prince dit : « C'est vrai ; ce soin dépend de moi. » Pendant cinq mois, il demeura dans une petite cabane, et ne donna aucun ordre, aucun avis. Ses officiers et ses parents louèrent à bon droit sa connaissance des usages. Au temps de l'enterrement, tous les habitants de la principauté de T'eng allèrent admirer ce spectacle. Ils virent le prince, le visage tout décharné, pleurer et se lamenter avec douleur. Les princes voisins, qui allèrent pleurer auprès du défunt, furent très satisfaits de la piété filiale du prince. *Dans le Li Ki , au chapitre des Funérailles, il est dit : « A la mort d'un prince ; l'héritier du trône, les grands préfets, les fils du défunt et tous les officiers s'abstiennent des repas ordinaires pendant trois jours. L'héritier du trône, les grands préfets et tous les fils du prince prennent de la bouillie claire ; et les officiers, du riz ou du millet, avec de l'eau pour boisson. Un fils, à la mort de son père ou de sa mère, demeure dans une petite cabane inclinée, qui n'est pas crépie. Il couche sur la paille, la tête appuyée sur une motte de terre. Il ne parle que des choses concernant le deuil. » Le commentateur du Li Ki ajoute : « En dehors de la porte centrale, au pied du mur oriental, on dresse une cabane avec des pieux inclinés. »*

3. Wenn, prince de T'eng, interrogea Meng tzeu sur l'art de gouverner. Meng tzeu dit : « La grande affaire du peuple (l'agriculture) réclame les premiers soins. On lit dans le Cheu King : « Pendant le jour, allons recueillir de la paille (pour couvrir les bâtiments) ; la nuit, faisons des cordes. Hâtons nous le monter sur les toits (pour les réparer) ; bientôt nous sèmerons les grains. »

« Ordinairement quand le peuple a des biens stables, il est constant dans la vertu ; s'il n'a pas de biens stables, sa vertu n'est pas stable. Si sa vertu n'est pas stable, il tombe dans la licence, quitte la voie du devoir, commet le mal, ne connaît plus de frein ; il n'est rien qu'il ne se permette. Le punir ensuite, s'il commet des crimes, c'est en quelque sorte prendre le peuple dans un filet. Un prince humain se permettrait il de tendre des pièges à ses sujets ?

« Un prince sage est poli et économe ; il traité ses inférieurs avec urbanité, et impose à son peuple des taxes modérées. Iang Hou disait : Celui qui travaille à devenir riche, n'est pas bienfaisant ; celui qui pratique la bienfaisance, ne devient pas riche.

« Sous la dynastie des Hia, chaque père de famille avait cinquante arpents de terre, et donnait en tribu annuel une quantité fixe de produits (à savoir, ce que l'on récoltait ordinairement dans cinq arpents de terre, quand l'année n'était ni très bonne ni très mauvaise). Sous les In, chaque chef de famille avait soixante dix arpents, et aidait de son travail à cultiver le champ commun. Les Tcheou ont décidé que chaque famille aurait cent arpents, que le travail se ferait en commun, et que le partage serait égal. (Dans le territoire propre de l'empereur, dix familles associées cultivaient ensemble mille *meou* ; en dehors de ce territoire, huit familles cultivaient ensemble neuf cents *meou* . Elles donnaient la dixième partie des produits à l'État, et se partageaient le reste entre elles également). En réalité, l'impôt a toujours été la dixième partie des produits. (*Tch'é* c'est avoir en commun ; *tchou* c'est prêter son concours).

« Loung tzeu dit : « Pour le partage des terres et la perception de l'impôt, le mode le plus doux est celui qui oblige les laboureurs à fournir leur travail pour la culture du champ commun ; le mode le plus dur est celui qui les oblige à payer une redevance fixe et la même chaque année. Pour fixer le montant de cette redevance annuelle et invariable, on calcule la moyenne des récoltes de plusieurs années (les unes bonnes, les autres mauvaises). Dans les bonnes années, quand les grains sont si abondants qu'on ne les ménage nullement, exiger beaucoup ne serait pas cruauté ; néanmoins le prince n'exige pas plus que les autres années. Dans les mauvaises années, quand la récolte ne vaut même pas le fumier employé, le prince exige absolument toute la redevance (et c'est cruauté). Si celui qui est le père du peuple, réduit son peuple à le détester, à travailler toute l'année avec grande fatigue, à manquer des choses nécessaires pour l'entretien des parents, et même à emprunter, moyennant intérêt, pour payer l'impôt ; s'il réduit les vieillards et les enfants à se rouler et à périr dans les canaux et les fossés ; où est son affection paternelle envers son peuple ? »

« Les traitements héréditaires (accordés aux descendants des officiers qui ont bien mérité), existent dans la principauté de T'eng. (Mais, pour les payer, le prince accable le peuple d'impôts. Il suffirait d'exiger de chacun une part de son travail). On lit dans le Cheu King : « Que la pluie tombe d'abord sur notre champ commun ; puis sur nos champs particuliers. » Les champs communs n'ont existé que quand le peuple donnait à l'État seulement son travail. Ce passage du Cheu King nous montre que ce mode de contribution était aussi en usage *autrefois* sous les Tcheou.

« (Après avoir réglé le partage des terres), il faut, pour instruire le peuple, établir des écoles, qu'on appelle *siâng* , *siú* , *hiô* , *hiaó* : *siâng* , parce qu'on y enseigne le respect et les soins dus aux vieillards ; *hiaó* , parce qu'on y enseigne la pratique de la vertu ; *siú* , parce qu'on y apprécie les talents de chacun d'après son habileté à tirer de l'arc. Les écoles (des bourgs et des villages) s'appelaient *hiaó* sous les Hia, et *siú* sous les In ; elles s'appellent *siâng* sous les Tcheou. (A la capitale), ces trois dynasties ont eu des écoles appelées *hiô* . Les écoles ont toutes pour but de faire bien connaître les devoirs mutuels des hommes. Lorsque, par le soin des supérieurs, ces devoirs sont bien connus, les hommes du peuple s'aiment entre eux.

« (Prince, réglez le partage des terres, établissez des écoles ; et) s'il surgit un prince destiné à rétablir l'ordre dans tout l'empire, il viendra prendre exemple sur vous ; vous deviendrez ainsi le maître et le modèle d'un grand empereur. Il est dit dans le Cheu King : « La famille des Tcheou possède une principauté ancienne ; elle vient de recevoir du Ciel un mandat nouveau (qui lui confère l'empire). » Le poète parle ici de Wenn wang. Prince, efforcez vous de faire ce que je vous conseille ; et vous obtiendrez un mandat nouveau (pour vous ou pour l'un de vos descendants). »

Wenn, prince de T'eng, envoya Pi Tchen interroger Meng tzeu sur la division des terres en carrés représentant la forme de la lettre *tsìng* . Meng tzeu lui dit : « Votre prince veut rendre son administration bienfaisante. C'est vous qu'il a choisi pour venir demander des avis ; vous devez le seconder de tout votre pouvoir. Une administration bienfaisante doit commencer par tracer les limites des terres. Si les limites des champs ne sont pas bien tracées, les carrés ne sont pas égaux ; les grains destinés à l'entretien des officiers ne sont pas exigés ni distribués avec justice. Pour cette raison, les princes cruels et les officiers rapaces négligent de déterminer les limites des champs (afin de pouvoir exiger beaucoup). Quand les limites sont bien tracées, il est facile d'assigner à chaque particulier son champ et à chaque officier son traitement.

« La principauté de T'eng, malgré son peu d'étendue, aura toujours des lettrés et des campagnards. Si les hommes de lettres faisaient défaut, il n'y aurait personne pour gouverner les campagnards. Si les travailleurs de la campagne faisaient défaut, il n'y aurait personne pour fournir aux hommes de lettres les choses nécessaires.

« Dans les campagnes (loin de la capitale), exigez la neuvième partie des produits, en faisant cultiver un champ commun par huit familles. Près de la capitale, que chacun vous offre lui-même la dixième partie de ses récoltes. Tous les officiers, depuis les ministres d'État jusqu'aux derniers, doivent avoir un champ sacré (dont les produits servent à faire des offrandes aux esprits). Le champ sacré doit être de cinquante arpents.

« Chaque surnuméraire doit avoir vingt-cinq arpents. *On appelait surnuméraire celui qui n'avait pas encore atteint l'âge viril. Tch'eng tzeu dit : « Un laboureur avait avec lui son père, sa mère, sa femme et ses enfants ; sa famille comptait ordinairement de cinq à huit personnes. On lui donnait cent* meou. *Si un frère puîné vivait avec lui, il était comme surnuméraire. A seize ans, il avait vingt-cinq meou pour sa part. Quand il arrivait à l'âge viril et qu'il était marié, on lui donnait cent* meou. »

« Nul ne sera enterré, nul n'ira demeurer hors de son village. Ceux qui dans un village cultiveront le même tsìng, seront toujours ensemble, partout où ils iront. Ils partageront entre eux le soin de la défense et des veilles. Dans les maladies ils se prêteront un mutuel secours. Ainsi tous les habitants s'aimeront et vivront en bonne intelligence.

« Un stade carré formera un *tsìng* de neuf cents arpents. Au milieu sera le champ commun. Huit familles posséderont en propre chacune cent arpents. Elles cultiveront ensemble le champ commun, et ne se permettront de faire leurs travaux particuliers que quand les travaux communs seront terminés. (Elles cultiveront le champ commun, dont les produits seront pour les officiers, avant de cultiver les champs particuliers), il y aura ainsi une différence entre les travailleurs de la campagne (et les hommes de lettres). Tel est le résumé des dispositions à prendre. Ce sera au prince et à vous de les modifier et de les accommoder aux circonstances.

4. Un faux sage, nommé Hiu Hing, qui se vantait de suivre la doctrine de Chenn noung, alla de la principauté de Tch'ou à celle de T'eng. En arrivant à la porte du palais, il fit dire au prince Wenn : « Des habitants d'un pays lointain ont appris que l'administration du prince était très bienfaisante. Ils désirent obtenir de lui une habitation et devenir ses sujets. » Le prince lui assigna un endroit pour sa demeure. Ses disciples, qui étaient plusieurs dizaines, portaient tous des vêtements de laine. Ils faisaient des souliers de chanvre et des nattes pour gagner leur vie.

Tch'enn Siang, disciple de Tch'enn Leang, et son frère Sin, prenant sur leurs épaules leurs charrues et leurs socs, allèrent de Soung à T'eng, et dirent : « Nous avons appris que le prince gouverne à la manière des grands sages de l'antiquité ; qu'il est lui-même un grand sage. Nous désirons être les sujets de ce grand sage. »

Tch'enn Siang alla voir Hiu Hing, et fut charmé de son genre de vie. Il laissa de côté tout ce qu'il avait appris (de Tch'enn Leang), et se mit à l'école de Hiu Hing. Tch'enn Siang alla voir Meng tzeu. Répétant les leçons de Hiu Hing, il dit : « Le prince de T'eng veut être un prince vraiment sage. Mais il ne connaît pas encore la voie de la vertu. Un prince sage cultive la terre comme le peuple, pour en tirer sa nourriture ; il prépare lui-même son dîner et son souper, et en même temps il gouverne ses sujets. Le prince de T'eng a des greniers, des magasins, des trésors ; c'est vexer le peuple pour se nourrir soi-même. Mérite t il d'être appelé sage ? »

Meng tzeu dit : « Le philosophe Hiu veut absolument semer lui-même le millet dont il se nourrit. N'est ce pas ? » « Oui, répondit Tch'enn Siang. » Meng tzeu dit : « Le philosophe Hiu veut absolument tisser lui-même la toile dont il se fait des vêtements. N'est ce pas ? » « Non, répondit Tch'enn Siang ; il porte des vêtements de laine (et non de toile). » « Hiu porte-t-il un bonnet, demanda Meng tzeu ? » « Oui, répondit Tch'enn Siang. » « Quel bonnet, dit Meng tzeu ? » « Un bonnet simple, répondit Tch'enn Siang. » « Est ce lui-même qui en tisse l'étoffe, reprit Meng tzeu ? » « Non, répondit Tch'enn Siang ; il l'achète pour du millet. » « Pourquoi ne la tisse-t-il pas lui-même, continua Meng tzeu ? » « Ce travail, dit Tch'enn Siang, lui ferait négliger la culture des champs. » Meng tzeu dit : « Emploie-t-il une marmite de fer et un vase d'argile percé de trous pour faire cuire sa nourriture ? Se sert-il d'instruments de fer pour labourer ? » « Oui, répondit Tch'enn Siang. » « Fait-il lui-même ces vases, ces instruments ? demanda Meng tzeu. » « Non, répondit Tch'enn Siang ; il les achète pour du millet. »

Meng tzeu reprit : « Si celui qui achète des instruments et des vases pour du millet, ne fait aucun tort au potier ni au fondeur (ni au forgeron) ; quel tort font au laboureur le potier, le fondeur et le forgeron, en achetant du millet pour leurs instruments et leurs vases ? Et pourquoi le philosophe Hiu ne fabrique-t-il pas des objets de fer et d'argile, afin de trouver dans sa maison tout ce dont il a besoin pour son usage ? Pourquoi fait-il tant d'échanges avec tous les artisans ? Comment ne craint-il pas la peine qui en résulte pour lui et pour eux ? » « Il est impossible, répondit Tch'enn Siang, de cultiver la terre, et de faire en même temps les ouvrages des différents artisans ? »

« Gouverner l'empire, répliqua Meng tzeu, est-ce la seule chose que l'on puisse faire, tout en cultivant la terre ? Les occupations des hommes en charge ne sont pas celles des hommes du peuple. Bien plus, les choses nécessaires à une seule personne exigent le travail des différentes classes d'ouvriers. Vouloir obliger chacun à préparer lui-même tout ce dont il a besoin, c'est vouloir contraindre tous les hommes à courir sans cesse çà et là (pour se procurer les choses nécessaires). On dit communément : « Les uns se livrent aux travaux de l'intelligence, les autres aux travaux du corps. Ceux qui s'appliquent aux travaux de l'intelligence, gouvernent ; ceux qui travaillent des bras, sont gouvernés. Ceux qui sont gouvernés, pourvoient à l'entretien de leurs gouvernants ; les gouvernants sont entretenus par leurs subordonnés. » Telle est la loi universelle qui a toujours régi le genre humain.

« Au temps de Iao, les conditions du sol étaient encore peu favorables : Les eaux s'étaient répandues librement partout, et avaient inondé l'empire. Les arbres et les autres plantes couvraient la terre comme d'une épaisse forêt, Les animaux sauvages s'étaient multipliés prodigieusement. La culture des grains était impossible. Les animaux sauvages ne permettaient pas à l'homme de s'étendre ; ils avaient battu des sentiers qui se croisaient par tout l'empire.

« Iao seul prit à cœur de remédier à ces maux. Il éleva Chouenn à la dignité de ministre, et lui ordonna d'étendre partout ses soins. Chouenn chargea I de diriger l'emploi du feu. I mit le feu dans les montagnes et les marais, et les purifia par l'incendie. Les animaux sauvages s'enfuirent et se cachèrent. Iu creusa neuf canaux divergents, débarrassa le cours de la Tsi et de la T'a, et conduisit jusqu'à la mer (ces onze rivières). Il débarrassa les lits de la Jou et de la Han, cura les lits de la Houai et de la Sen, et fit écouler dans le Kiang les eaux de ces quatre rivières. Ensuite les Chinois purent cultiver la terre et avoir de quoi vivre. A cette époque, Iu fut huit ans hors de sa maison ; trois fois il passa devant sa porte, et n'entra pas. S'il avait voulu cultiver la terre, en aurait il eu le loisir ? » (La Han seule se jette dans le Kiang ; la Jou et la Sen se jettent dans la Houai, et celle ci se rend directement à la mer). Heou tsi enseigna au peuple l'agriculture, lui apprit à semer et à cultiver les cinq sortes de grains. Les cinq sortes de grains mûrirent, et le peuple eut des vivres.

« L'homme a la loi naturelle gravée dans son cœur ; mais s'il est bien nourri et bien vêtu, s'il demeure dans l'oisiveté et ne reçoit aucune instruction, il se rapproche de la bête. Les très sages empereurs (Iao et Chouenn) eurent à cœur l'instruction du peuple. Ils nommèrent Sie ministre de l'instruction, et le chargèrent d'enseigner les devoirs mutuels, afin qu'il y eût affection entre le père et le fils, justice entre le prince et le sujet, distinction entre le mari et la femme, gradation entre les personnes de différents âges, fidélité entre les amis. » (Le mari s'occupe des affaires extérieures, et la femme, des affaires domestiques ; le mari commande, et la femme obéit. Les plus jeunes témoignent leur respect à ceux qui sont plus âgés qu'eux, et leur cèdent les premières places).

« (L'empereur Iao, surnommé) *Fàng hiūn*, dit : « Encouragez les, attirez les, redressez les, corrigez les, aidez les, fortifiez les. Faites qu'ils reviennent à leur perfection naturelle. Ensuite continuez à les exciter et à leur faire du bien. Les très sages empereurs Iao et Chouenn, qui avaient tant de sollicitude pour le peuple, avaient ils le temps de labourer la terre ? Au commencement, le grand souci de Iao était de ne pas trouver un aide tel que Chouenn ; et le grand souci de Chouenn était de ne pas trouver des ministres tels que Iu et Kao iao. Celui qui s'inquiète de ce que ses cent arpents de terre ne sont pas bien cultivés, c'est un laboureur.

« Faire des largesses, cela s'appelle bienfaisance. Enseigner la vertu, cela s'appelle dévouement. Dans l'intérêt de l'empire, chercher et trouver des ministres capables, cela s'appelle humanité, c'est-à-dire cela s'appelle aimer parfaitement les hommes. Donner l'empire à quelqu'un, c'est facile ; mais trouver un homme qui serve bien l'empire, c'est difficile.

« Confucius dit : « Que Iao fut un grand prince ! que le Ciel est grand ; seul Iao lui fut semblable. Que sa bienfaisance s'étendit loin ! le peuple ne trouva pas de terme pour l'exprimer. Chouenn fut vraiment souverain. Qu'il fut grand en dignité ! Il posséda l'empire, et resta toujours indifférent à sa propre grandeur. » Iao et Chouenn, qui avaient l'empire à gouverner, n'avaient il pas assez d'occupation ? Ils ne s'occupaient pas de labourage.

« J'ai entendu parler d'hommes qui ont fait adopter aux barbares les principes des Chinois ; je n'ai jamais entendu dire que quelqu'un eût abandonné les principes des Chinois pour prendre ceux des barbares. Votre maître, Tch'enn Leang était de Tch'ou (il était donc barbare d'origine) : Charmé de la doctrine de Tcheou Koung et de Confucius, (il abandonna les principes des barbares), et alla au nord étudier la sagesse en Chine. Parmi les habitants du nord, nul disciple de la sagesse ne l'a peut être encore surpassé. C'était ce qu'on appelle un lettré éminent et hors ligne. Vous et votre frère, vous avez suivi ses enseignements plusieurs fois dix ans ; aussitôt après sa mort, vous les avez rejetés.

« Après la mort de Confucius, ses disciples demeurèrent trois années entières à le pleurer. Ensuite ils préparèrent leurs bagages. Au moment de se séparer, ils entrèrent pour saluer Tzeu Koung. Tournés les uns vers les autres, ils pleurèrent et sanglotèrent, au point d'en perdre la voix ; et enfin ils retournèrent dans leurs pays. Tzeu Koung construisit une cabane auprès de la tombe de son maître, et demeura seul encore trois ans ; avant de s'en retourner dans son pays.

« *Un jour* , parce que Iou Jo rappelait Confucius (par l'air de son visage, par sa manière de parler et d'agir), Tzeu hia, Tzeu tchang et Tzeu iou résolurent de lui rendre les devoirs qu'ils avaient rendus au grand sage, et pressèrent Tseng tzeu de se joindre à eux. « Cela ne convient pas, dit Tseng tzeu. Un objet, après avoir été lavé dans l'eau du Kiang ou de la Han et séché au soleil d'automne est d'une blancheur éclatante qui ne peut être surpassée. (De même, la vertu de notre maître n'a pas d'égale). »

« Voici un barbare du midi, dont le langage ressemble au cri de la pie-grièche, et sa doctrine n'est nullement celle des anciens souverains. Vous abandonnez votre maître (Tch'enn Leang), pour vous donner à cet imposteur ; vous êtes bien différent de Tseng tzeu. J'ai entendu dire que les oiseaux, « quittant la vallée obscure, vont se poser sur les grands arbres ; » je n'ai jamais entendu dire qu'ils soient descendus des grands arbres pour entrer dans la vallée profonde. (De même, on ne doit pas abandonner la vérité, pour s'enfoncer dans les ténèbres de l'erreur). Dans les Éloges de Lou il est dit : « (Tcheou Koung) défait ainsi les barbares de l'ouest et du nord, et réprime ceux de King et de Chou. » Votre nouveau maître est juste un homme que Tcheou koung aurait attaqué, (Hiu Hing, un barbare du pays de Tch'ou, autrefois appelé King) ; ce changement de maître n'est pas heureux. »

(Tch'enn Siang dit) : « Si l'on suivait les principes du philosophe Hiù, sur le marché les prix seraient fixes ; dans tout le pays on ne verrait plus de fraude. Un enfant haut de cinq pieds (d'un mètre) pourrait aller au marché ; personne ne le tromperait. La toile de chanvre et le plus beau tissu de soie, à quantité égale, se vendraient au même prix. Le chanvre brut et le chanvre nettoyé, la soie fine et la soie grossière, à poids égal, se vendraient au même prix. Les différents grains, à quantité égale, se vendraient au même prix. Tous les souliers, à grandeur égale, se vendraient au même prix. »

« L'inégalité, répondit Meng tzeu, est inhérente à la nature même des choses. Il en est qui valent deux fois ou cinq fois plus que d'autres ; certaines valent dix fois ou cent fois plus, et même mille fois ou dix mille fois plus. Les mettre toutes sur la même ligne, c'est troubler l'univers. Si les souliers, grands ou petits, se vendaient tous au même prix, qui voudrait en faire de grands ? (Et si les souliers, bons ou mauvais, étaient au même prix, personne n'en ferait de bons). Si les hommes suivaient les principes du philosophe Hiu, le courant les entraînerait tous à se tromper les uns les autres : La société pourrait elle être gouvernée ? »

5. Un homme nommé I Tcheu, de la secte de Me Ti ou Me Tche, fit demander une entrevue à Meng tzeu par Sin Pi (disciple de Meng tzeu). Meng tzeu (pour l'éprouver, pour connaître s'il avait un vrai désir de s'instruire, s'excusa et) dit : « Je désire certainement le voir ; mais je suis encore malade. Quand je serai guéri, j'irai moi-même lui faire visite. Qu'il ne vienne pas. »

Un autre, jour, I Tcheu demanda de nouveau à voir Meng tzeu. Meng tzeu répondit : « Maintenant je puis recevoir sa visite, (je vois qu'il veut sincèrement connaître la vérité). Si je ne parle clairement, la vraie doctrine ne sera pas mise en lumière. Je lui parlerai sans détour. J'ai entendu dire qu'il est de la secte de Me Ti. Me Ti enseigne que dans les funérailles on doit user de parcimonie. I Tcheu pense que la doctrine de Me Ti réformera tout l'empire. Peut il ne pas la croire véritable, et ne pas l'avoir en grande estime ? Néanmoins I Tcheu a enterré ses parents avec grande pompe ; ainsi il leur a rendu les derniers devoirs d'une manière qui est méprisable à ses yeux. »

Siu Pi rapporta à I Tcheu ces paroles de Meng tzeu. I Tcheu dit : « Les lettrés enseignent que les anciens souverains soignaient leurs sujets avec la tendresse d'une mère pour son jeune enfant. » Quel est le sens de ces paroles (du Chou King) ? Moi, je crois qu'elles signifient que nous devons aimer tous les hommes d'une égale affection, mais que, pour la témoigner, nous devons (suivre un certain ordre et) commencer par nos parents. »

Sin Pi rapporta à Meng tzeu la réponse de I Tcheu. Meng tzeu dit : « I Tcheu pense t-il réellement qu'un homme ne doit pas aimer le fils de son frère plus que le fils nouveau né de son voisin ? Le passage du Chou King qu'il a cité nous donne un enseignement qui mérite d'être retenu. (En voici la vraie signification). Si un jeune enfant se traîne sur les mains et sur les pieds jusqu'au bord d'un puits et s'expose au danger d'y tomber, ce n'est pas la faute de l'enfant, (mais des parents qui ne veillent pas assez sur lui. De même, les fautes d'un peuple ignorant doivent être attribuées à ses chefs qui ne l'ont pas bien instruit. Il faut donc soigner le peuple comme on soigne un jeune enfant). En outre, le Ciel, pour donner la vie aux hommes, emploie un principe unique, à savoir, les parents. I Tcheu *se trompe* , puisqu'il admet en quelque sorte deux principes (en mettant les étrangers sur la même ligne que les parents).

« Dans la haute antiquité, il y avait des hommes qui n'enterraient pas leurs parents. Après leur mort, ils les jetaient dans un fossé. Quelque temps après, passant auprès d'eux, ils voyaient les renards les dévorer, et une multitude de mouches et de moucherons en faire leur pâture. La sueur leur coulait sur le front ; ils regardaient d'un œil oblique, n'osant regarder en face. Cette sueur ne venait pas d'un sentiment de honte (puisqu'il n'y avait aucun témoin) ; elle venait d'un sentiment d'affection et paraissait sur le visage ; (d'où l'on voit qu'il est naturel à l'homme d'aimer ses parents plus que les étrangers). Alors ils retournaient à la maison, prenaient une corbeille et une brouette, versaient de la terre sur les corps de leurs parents, et les couvraient. S'il est louable de couvrir de terre les corps de ses parents défunts, un bon fils, un homme vraiment humain, en les inhumant avec honneur, agit selon les vrais principes. Siu Pi rapporta ces paroles à I Tchen. I Tcheu, voyant qu'il était impossible de soutenir les principes de Me Ti, dit, après un moment de réflexion : « Meng tzeu m'a éclairé. »

CHAPITRE II

1. Tch'enn Tai (disciple de Meng tzeu) dit : « La règle qui prescrit au sage de ne pas aller faire visite aux princes étrangers (sans avoir été invité), me paraît à bon droit être de peu d'importance. Si vous alliez vous présenter à eux, vous pourriez faire de l'un d'eux un grand empereur qui rétablirait l'ordre partout, ou du moins un dominateur qui commanderait à tous les autres princes. Les mémoires disent : « En se courbant d'un pied, on se relève de huit pieds. » Il me semble qu'il est bien permis de le faire. (Il vous est permis de vous abaisser un peu, de faire fléchir une règle peu importante, dans l'intérêt de l'empire, et d'aller dans les cours des princes). »

Meng tzeu répondit : « Autrefois King, prince de Ts'i, désirant préparer une chasse, fit appeler le gardien de son parc par un messager portant un étendard de plumes. (D'après l'usage, le messager d'un prince portait un étendard de plumes pour appeler un grand préfet, et un bonnet de peau pour appeler le gardien d'un parc). Le gardien n'alla pas à la cour. Le prince fut sur le point de le mettre à mort. (Confucius a donné des éloges à ce gardien, et dit) : « Un homme de résolution est toujours prêt (à donner sa vie et) à demeurer sans sépulture dans un canal ou un fossé, (s'il le faut pour garder sa résolution) ; un homme de cœur est toujours prêt à mourir (pour sa patrie). » Pourquoi Confucius a-t-il loué cet officier ? Parce que, n'ayant pas été appelé comme il le devait, il n'avait pas été à la cour. Que faudrait il penser d'un lettré qui se rendrait auprès des princes sans attendre leur invitation ?

« Quant à l'adage « En se courbant d'un pied on se relève de huit pieds, » il se dit du gain. Quand même il s'agirait de gain, serait il sage de se courber de huit pieds pour se relever d'un pied, c'est-à-dire de donner beaucoup pour obtenir peu ?

« Autrefois Tchao Kien tzeu (grand préfet de Tsin) ordonna à Wang Leang de servir de cocher à son favori Hi. (Hi alla à la chasse en voiture) toute une journée, et ne prit rien. Faisant ensuite son rapport à son maître, il dit : « Wang Leang est le cocher le plus maladroit du monde. » Cette parole fut répétée à Wang Leang : Wang Leang dit : « Je demande qu'il me soit permis de recommencer. » Le favori Hi pressé par ses instances, finit par y consentir. En une matinée il prit dix animaux sauvages. Dans son rapport au grand préfet, il dit : « Wang Leang est le plus habile cocher du monde. » Kien tzeu lui dit : « Je chargerai Wang Leang de conduire habituellement votre voiture. »

Il en parla à Wang Leang. Celui ci refusa, et dit : « J'ai conduit la voiture d'après les règles de mon art ; en une journée il n'a pas tué un seul animal. Ensuite j'ai été surprendre les animaux ; en une matinée il en a tué dix. On lit dans le Cheu King : « Le cocher dirige parfaitement la voiture ; l'archer décoche sa flèche avec une force capable de transpercer une cible. » Je n'ai pas l'habitude de conduire la voiture d'un archer maladroit. Je vous prie d'agréer mon refus. »

« Un cocher eut honte de s'associer avec un archer pour violer les règles. Il n'y aurait pas consenti, même avec la certitude de prendre une quantité prodigieuse d'animaux sauvages. Que faudrait il penser d'un lettré qui, pour fréquenter les princes, ferait fléchir les principes ? Certainement vous êtes dans l'erreur ; car jamais homme n'a pu redresser les autres en se courbant lui-même. »

2. King Tch'ouenn dit à Meng tzeu : « Koung suenn Ien et Tchang I ne sont ils pas des hommes vraiment grands ? Dès qu'ils s'irritent, (ils parcourent les principautés, excitent les princes à faire la guerre, et) les princes tremblent. Lorsqu'ils demeurent en repos, tout l'empire redevient tranquille. »

« Comment peuvent-ils être de grands hommes, répondit Meng tzeu ? N'avez vous donc pas encore étudié les Cérémonies et les Devoirs ? Lorsqu'un jeune homme (de vingt ans) reçoit le bonnet, son père lui enseigne les devoirs (propres à l'homme fait). Lorsqu'une fille (de vingt ans) se marie, sa mère lui donne des instructions. Elle l'accompagne jusqu'à la porte, et lui dit : « Quand vous serez arrivée à la maison de votre mari, vous devrez vous montrer respectueuse ; vous devrez veiller sur vous ; gardez-vous de désobéir à votre mari. » Les femmes doivent prendre pour règle l'obéissance.

« Un grand homme, c'est celui qui réside dans la vaste demeure d'où personne n'est exclu (dans la vertu d'humanité) ; qui possède la haute dignité auprès de laquelle chacun trouve accès (l'urbanité) ; qui suit toujours la grande voie (la justice) ; qui pratique ces trois vertus avec le peuple ; quand il obtient l'objet de ses désirs, à savoir, une charge ; qui suit seul sa voie, quand il n'obtient pas l'objet de ses désirs ; qui ne laisse corrompre son cœur ni par les richesses ni par les honneurs ; qui dans la pauvreté et l'abaissement ne change pas de conduite ; qui ne se laisse ébranler ni par les menaces ni par la violence. »

3. Tcheou Siao demanda à Meng tzeu si les sages de l'antiquité exerçaient des charges. « Ils en exerçaient, répondit Meng tzeu. Les mémoires disent que, quand Confucius était trois mois sans être employé par aucun prince, il lui semblait qu'il lui manquait quelque chose ; que, quand il quittait une principauté, il emportait avec lui des présents (pour les princes auxquels il se proposait d'offrir ses services). Koung ming I disait que, lorsqu'un sage de l'antiquité passait trois mois sans avoir de charge, tous ses amis allaient lui faire des compliments de condoléance. »

(Tcheou Siao reprit) : « Faire des compliments de condoléance à celui qui a passé trois mois sans charge, n'est ce pas une précipitation excessive ? » Meng tzeu répondit : « Un lettré regrette la perte de sa charge comme un prince la perte de sa principauté. Il est dit dans le Li Ki : « Le prince commence lui-même et fait terminer par d'autres le labourage du champ qui doit fournir le millet pour les offrandes. La princesse nourrit des vers à soie et dévide les cocons, pour faire les vêtements de cérémonie. » Les princes n'auraient osé faire une offrande, si la victime n'avait été d'une seule couleur et sans défaut, si le millet n'avait été très pur, et les vêtements complets. Un lettré (qui a perdu sa charge) n'a plus de champ sacré (qui lui fournisse les choses nécessaires pour les offrandes) ; il ne fait plus d'offrandes. Car, s'il n'a pas une victime convenable, si les vases de bois, les plats, les vêtements ne sont pas complets, il n'ose faire une offrande. Mais alors son cœur n'est pas satisfait. Ses amis n'ont ils pas raison de prendre part à sa douleur et d'aller le consoler ? » (Tcheou Siao dit) : « Pourquoi Confucius, en quittant une principauté, emportait il toujours des présents ? » « L'exercice d'une charge, répondit Meng tzeu, est pour le lettré ce que le labourage est pour le laboureur. Un laboureur, quittant un pays, y laisse t il sa charrue ? »

« La principauté de Tsin, dit Tcheou Siao, produit aussi des lettrés qui exercent des charges en différents pays. Je n'avais jamais entendu dire qu'ils recherchassent les emplois avec tant d'empressement. Si cet empressement convient à un lettré, pourquoi un sage (tel que vous) aurait-il quelque difficulté à se mettre sur les rangs ? »

Meng tzeu répondit : « Dès la naissance d'un garçon, ses parents désirent lui trouver une femme ; dès la naissance d'une fille, ses parents désirent lui trouver un mari. C'est un sentiment naturel et commun à tous les parents. Cependant, si un jeune homme et une jeune fille, sans attendre la décision de leurs parents ni les pourparlers des entremetteurs, creusaient un trou dans un mur pour se regarder, à la dérobée, ou passent par dessus pour se trouver ensemble ; leurs parents et tous leurs concitoyens les mépriseraient : Les anciens ont toujours désiré exercer des charges ; mais ils auraient eu horreur de les rechercher par des voies peu louables. Un lettré qui irait voir les princes sans tenir compte des préceptes de la sagesse, serait semblable aux jeunes gens qui creusent des trous dans les murs. »

4. P'eng Keng (disciple de Meng tzeu) dit : « Avoir à votre suite plusieurs dizaines de voitures et plusieurs centaines de compagnons, parcourir les principautés et partout vivre aux frais des princes (comme vous le faites), n'est ce pas excessif ? » Meng tzeu répondit : « Par une mauvaise voie, il n'est pas même permis d'accepter une écuelle de riz. Par une bonne voie, (on petit accepter les dons les plus considérables) ; Chouenn a reçu de Iao l'empire, et il n'a pas cru que ce fût excessif. Vous, pensez vous que ce fût trop ? » « Non, répliqua P'eng Keng ; mais un lettré qui ne fait rien pour les princes, ne doit pas recevoir d'eux sa nourriture. »

Meng tzeu répondit : « Si vous n'avez pas soin que les hommes travaillent les uns pour les autres, fassent des échanges, et avec leur superflu acquièrent ce qui leur manque, les laboureurs auront trop de grain (et manqueront de toile) ; les femmes auront trop de toile (et manqueront de grain). Si vous obtenez que les hommes travaillent les uns pour les autres, les menuisiers et les charrons eux-mêmes devront leur nourriture à vos soins. Voici un homme qui obéit à ses parents, respecte ceux qui sont au dessus de lui, garde et observe les préceptes des anciens souverains pour les transmettre aux futurs disciples de la sagesse ; supposons qu'il ne reçoive pas de vous sa nourriture. Pourquoi auriez-vous plus d'estime pour les menuisiers et les charrons que pour un homme adonné à la pratique de l'humanité et de la justice ? »

« Les menuisiers et les charrons, réplique P'eng Keng, travaillent dans l'intention de gagner leur vie : Est ce que le sage pratique aussi la vertu en vue d'obtenir sa nourriture ? » « Que vous fait à vous l'intention, répartit Meng tzeu ? Celui qui mérite bien de vous, a droit à sa nourriture, et vous devez le nourrir. Est ce l'intention, ou bien est-ce le travail que vous payez ? » « Je paye l'intention, répondit P'eng Keng. »

« Supposons, dit Meng tzeu, qu'un homme casse vos tuiles et barbouille le crépi de vos murs, en vue de recevoir sa nourriture. La lui donnerez vous ? » « Non, répondit P'eng Keng. » « Ce n'est donc pas l'intention, dit Meng tzeu, mais le travail que vous payez. »

5. Wan Tchang (disciple de Meng tzeu) dit : « La principauté de Soung est petite. A présent, le prince de Soung veut rétablir dans tout l'empire la sage administration des anciens souverains. Mais les princes de Ts'i et de Tch'ou mécontents l'attaqueront. Que doit il faire ? »

Meng tzeu répondit : « T'ang habitait la ville de Pouo ; sa principauté était limitrophe de celle de Ko. Le prince de Ko se donnait toute licence, et ne faisait pas d'offrandes à ses ancêtres. T'ang lui fit demander pourquoi il ne faisait pas d'offrandes. Il répondit qu'il n'avait pas moyen d'avoir des victimes. T'ang lui envoya des bœufs et des brebis. Le prince de Ko les mangea, au lieu de les immoler en sacrifice. T'ang lui fit demander de nouveau pourquoi il ne faisait pas d'offrandes. Il répondit qu'il n'avait pas moyen d'avoir le millet nécessaire. T'ang lui envoya de Pouo un grand nombre d'hommes labourer pour lui un champ (afin qu'il eût du millet à offrir), et chargea les vieillards, les femmes et les enfants de porter des vivres aux laboureurs. Le prince de Ko, à la tête d'une troupe de ses gens, arrêta et dépouilla ceux qui portaient du vin, du millet, du riz et d'autres provisions. Il tua ceux d'entre eux qui voulurent résister.

« Un enfant portait aux laboureurs du millet et de la viande. Le prince de Ko le mit à mort, et prit le millet et la viande. Les Annales disent : « Le prince de Ko traita en ennemi celui qui portait des vivres. » C'est de ce dernier crime qu'il est question. A cause du meurtre de cet enfant, T'ang prit les armes et châtia le prince coupable. Entre les quatre mers, tout le monde dit qu'il avait fait la guerre, non pour avoir l'empire, mais pour venger un homme et une femme du peuple, les parents de l'enfant mis à mort.

« T'ang commença par Ko ses expéditions contre les mauvais princes. Il en châtia onze, sans que personne lui fit résistance. Lorsqu'il allait à l'est châtier les princes, les barbares de l'ouest se plaignaient ; et lorsqu'il allait au midi, ceux du nord n'étaient pas satisfaits. Les uns et les autres disaient : « Pourquoi ne vient il pas à nous en premier lieu ? » Les peuples désiraient sa venue, comme en temps de sécheresse on désire la pluie. (Dans les pays même où il faisait la guerre), on continuait d'aller au marché et de cultiver les champs, comme en temps ordinaire. Il châtiait les mauvais princes, et consolait les peuples. Les Annales (dans l'Avis du ministre Tchoung houei) disent : « Nous avons attendu notre roi ; notre roi est venu ; pour nous plus de tourments (à craindre de la part des princes cruels). »

« Ou wang, n'ayant pas encore soumis toute la Chine, alla porter ses armes dans l'est. Il rendit la paix aux habitants de cette région. Ils lui offrirent des corbeilles pleines de soie de couleur bleue et de couleur jaune. « En servant les princes de Tcheou, comme nous avons servi ceux de Chang, disaient il ; nous jouirons de la prospérité. » ils se mirent tous sous la dépendance de la grande capitale des Tcheou. Les chefs allèrent au devant des officiers de l'armée de Ou wang avec des corbeilles pleines de soie de couleur bleue et de couleur jaune. Les hommes du peuple allèrent au devant des simples soldats, avec des corbeilles pleines de vivres et des vases pleins de liqueurs. C'est que Ou wang venait sauver le peuple comme du milieu de l'eau et du feu (le délivrer d'un gouvernement tyrannique), et faire disparaître les tyrans.

Ou wang dit dans son Grand Avis : « Je vais déployer la puissance de mes armes, envahir les États de ce tyran Tcheou, et m'emparer de sa personne. Partout on ressentira les heureux effets de sa défaite et de sa mort. Ma gloire surpassera celle de Tch'eng T'ang. »

« (Le prince de Soung) n'imite pas les grands souverains de l'antiquité. S'il gouvernait comme eux, partout entre les quatre mers, toutes les têtes se lèveraient, tous les regards se tourneraient vers lui ; chacun voudrait l'avoir pour souverain. Les princes de Ts'i et de Tch'ou, avec toute leur puissance, seraient ils capables de l'effrayer ? »

6. Meng tzeu dit à Tai Pou cheng (ministre du prince de Soung) : « Désirez vous que votre prince soit bon ? Je vous dirai clairement ce qu'il faut pour qu'il soit bon. S'il y avait ici un grand préfet de Tch'ou qui voulût faire apprendre à son fils la langue de Ts'i, lui donnerait il pour maître un homme de Ts'i, ou un homme de Tch'ou ? » Tai Pou cheng répondit : « Il lui donnerait pour maître un homme de Ts'i. » Meng tzeu reprit : « Supposons qu'il lui donne un maître de Ts'i et qu'il laisse une multitude d'habitants de Tch'ou venir parler en tumulte aux oreilles de son fils, quand même il le frapperait tous les jours pour le forcer à parler la langue de Ts'i, il ne l'obtiendrait pas. Au contraire s'il le mettait à la capitale de Ts'i dans la rue Tchouang ou dans le quartier Io, et qu'il l'y laissât plusieurs années ; quand même il le frapperait chaque jour pour l'obliger à parler la langue de Tch'ou, il ne l'obtiendrait pas.

« Vous avez dit que Sie Kiu tcheou (descendant des princes de Sie) était un homme de bien, et vous lui avez fait donner une place dans la maison du prince de Soung. Si ceux qui demeurent dans la maison du prince, jeunes ou vieux, grands ou petits, étaient tous des Sie Kiu tcheou, avec qui le prince pourrait-il faire le mal ? Si, au contraire, ceux qui demeurent auprès du prince, jeunes et vieux, grands et petits, sont tous différents de Sie Kiu tcheou, avec qui le prince fera-t-il le bien ? Un seul Sie Kiu tcheou suffit il pour rendre vertueux le prince de Soung ? »

7. Koung suenn Tch'eou demanda pourquoi le sage n'allait pas voir les princes. « Les anciens, répondit Meng tzeu, n'allaient pas voir un prince, à moins qu'ils n'eussent une charge dans ses États. Touan Kan mou passa par-dessus un mur pour ne pas voir (Wenn, prince de wei, qui était venu lui faire visite). Sie Liou ferma sa porte, pour ne pas recevoir (Mou, prince de Lou). Ces deux sages ont été beaucoup trop rigides ; car, si un prince fait des instances, il est permis de le voir.

« Iang Houo (grand préfet de Lou) voulait déterminer Confucius à lui faire visite ; mais sans violer les règles de l'urbanité. Lorsqu'un grand préfet envoie un présent à un lettré, si le lettré n'est pas dans sa maison pour recevoir le présent, il va à la maison du grand préfet le saluer et le remercier. Iang Houo épia le moment où Confucius serait absent de sa maison, et lui envoya un jeune cochon cuit. Confucius épia aussi le moment où Iang Houo ne serait pas chez lui, et alla comme pour le saluer. Iang Houo avait fait les premières avances ; Confucius pouvait il se dispenser d'aller à sa maison ?

« Tseng tzeu disait : « (Les courtisans) contractent les épaules, sourient d'un air d'approbation, et se donnent plus de mal que n'en ont les jardiniers (ou les laboureurs) en été. » Tzen Ien disait : « J'ai en horreur ceux qui s'efforcent de lier conversation avec des inconnus, et dont l'embarras se trahit par la rougeur de leur visage. » D'après ces paroles, nous pouvons juger quels sont les sentiments du sage. »

8. Tai Ing tcheu (grand préfet de Soung) dit à Meng tzeu : « N'exiger en tribut que la dixième partie des revenus, supprimer les droits qui se perçoivent aux barrières et sur le marché, c'est ce que je ne puis faire dès maintenant. Je me propose de diminuer les impôts et les taxes ; puis, l'année prochaine, de les abolir. Que vous en semble ? »

Meng tzeu répondit : « Supposons qu'un homme vole chaque jour des poules à ses voisins. Quelqu'un lui représente que sa conduite n'est pas celle d'un honnête homme. Il répond : « Je diminuerai le nombre de mes vols ; je ne prendrai plus qu'une poule par mois. L'année prochaine, je cesserai entièrement. Si vous reconnaissez que vous violez la justice, cessez promptement. Pourquoi attendez vous l'année prochaine ? »

9. Koung tou tzeu dit : « Maître, les étrangers disent tous que vous aimez à discuter. Permettez moi de vous demander si c'est vrai. » Meng tzeu répondit : « Est ce que j'aime à discuter ? Je ne puis me dispenser de discuter. Depuis que le genre humain existe, tantôt la tranquillité, tantôt le trouble règne dans le monde.

« Au temps de Iao, les eaux, arrêtées dans leur cours, avaient débordé et inondé l'empire. Le pays était plein de serpents et de dragons ; les hommes n'avaient pas d'endroit pour se fixer. Dans les terrains bas, ils se faisaient des huttes sur des pieux ; dans les terrains élevés, ils se creusaient des cavernes. Chouenn dit dans le Chou King : « Le débordement des rivières m'avertit de prendre garde. » Ce débordement des rivières est l'inondation qui eut lieu sous le règne de Iao.

« Chouenn chargea Iu de remédier à ce mal : Iu creusa des canaux, et fit écouler les eaux dans la mer. Il chassa les serpents et les dragons, et les relégua dans les herbes des marais. Les eaux s'écoulèrent à travers les terres ; et formèrent le Kiang, la Houai, le Fleuve Jaune et la Han. Les obstacles (qui arrêtaient le cours de l'eau) étant écartés, les animaux nuisibles disparurent. La terre offrit à l'homme une habitation commode.

« Après la mort de Iao et de Chouenn, leur sage administration fut peu à peu abandonnée. Des princes cruels se succédèrent. Ils détruisirent les maisons et les bâtiments des particuliers, pour y faire creuser des étangs et des bassins ; le peuple n'eut plus de demeure tranquille. Ils changèrent les champs cultivés en jardins et en parcs ; et réduisirent le peuple à manquer de vivres et de vêtements., Des doctrines perverses et de grands désordres firent invasion en même temps. Les jardins, les parcs, les étangs, les viviers, les marais et les lacs étant nombreux, les animaux sauvages s'y rassemblèrent. Sous le règne de Tcheou, le trouble fut à son comble.

« Avec l'aide de Tcheou Koung, Ou wang châtia Tcheou, attaqua la principauté de Ien (qui soutenait le parti de Tcheou) ; au bout de trois ans, il prit et mit à mort le prince de Ien. Il poursuivit jusqu'au rivage de la mer et mit à mort Fei lien (favori de Tcheou) ; il détruisit cinquante principautés (qui reconnaissaient encore l'autorité de Tcheou). Il chassa bien loin les tigres, les léopards, les rhinocéros et les éléphants (que Tcheou avait dans ses parcs). Tout l'empire fut dans la joie. On lit dans le Chou King : « Que le dessein de Wenn wang fut grand et glorieux ! Avec quelle grandeur et par quels brillants exploits Ou wang a-t-il exécuté le plan de son père ! Tout ce que ces deux princes ont fait pour notre utilité et notre instruction, est parfait et irréprochable. »

« Plus tard, les temps devinrent mauvais ; la vertu diminua ; les fausses doctrines et les anciens désordres reparurent. On vit des sujets mettre à mort leurs princes, et des fils ôter la vie à leurs pères.

« Confucius craignit. (Pour remédier à ce mal) il composa le Tch'ouenn Ts'iou. Le Tch'ouenn Ts'iou rapporte les actions des empereurs, (loue les bonnes, blâme les mauvaises, et enseigne les devoirs d'un souverain). Confucius disait à ce sujet : « Ceux qui me connaissent, n'est ce pas uniquement par le Tch'ouenn Ts'iou qu'ils m'ont connu ? Ceux qui me blâment, n'est ce pas uniquement à cause du Tch'ouenn Ts'iou qu'ils me blâment ? *Ceux qui savaient apprécier Confucius, disaient que, par la publication de ce livre, il avait arrêté le débordement des passions, préservé les mœurs publiques d'une corruption complète, et fait une œuvre très utile, aux âges futurs même les plus reculés. (Les princes et les ministres ambitieux et cruels) qui accusaient Confucius, disaient que, sans avoir la dignité impériale, il s'était attribué l'autorité des empereurs qui s'étaient succédé durant deux cent quarante ans, pour obliger les sujets rebelles et les fils dénaturés à réprimer leurs passions, et à s'imposer un frein. Ils étaient mécontents.*

« A présent, il ne paraît pas de sage souverain qui rétablisse l'ordre dans tout l'empire ; les princes s'abandonnent à la licence. Les lettrés qui demeurent dans la vie privée, se livrent à des discussions insensées. Les principes de Iang Tchou et de Me Ti sont répandus dans tout l'empire. Quand on ne parle pas comme Iang Tchou, on parle comme Me Ti. Le sectateur de Iang Tchou n'a en vue que lui-même (rapporte tout à soi) ; c'est ne pas reconnaître de prince. (Celui qui ne cherche que sa propre utilité, n'est pas disposé à donner sa vie pour son prince). Le sectateur de Me Ti aime tous les hommes également, (il n'a pas plus d'affection pour ses parents que pour les étrangers) ; c'est ne pas reconnaître de père : Ne reconnaître ni prince ni père, c'est ressembler aux animaux.

« Koung ming I disait : « Le prince a des viandes grasses dans ses cuisines, et des chevaux gras dans ses écuries ; cependant ses sujets ont l'air d'hommes affamés, et dans la campagne on en trouve qui sont morts de faim. (Nourrir et engraisser les animaux domestiques avec les grains qu'on devrait distribuer aux malheureux), c'est faire dévorer les hommes par les animaux. » Si les doctrines de Iang Tchou et de Me Ti ne cessent d'être en vogue, si la doctrine de Confucius n'est pas mise en lumière, les faux docteurs tromperont le peuple, et étoufferont tout sentiment d'humanité et de justice. Étouffer les sentiments d'humanité et de justice, (c'est transformer les hommes en animaux), c'est faire dévorer les hommes par les animaux. Bientôt les hommes se dévoreront les uns les autres.

« Dans cette crainte, je soutiens la doctrine des anciens sages ; je combats Iang Tchou et Me Ti ; je bannis les mauvais principes, pour qu'ils n'arrivent pas à prévaloir, S'ils prévalaient dans l'esprit d'un homme, ils nuiraient à sa conduite ; s'ils prévalaient dans sa conduite, ils nuiraient à ses mesures administratives. S'il surgissait un grand sage, il approuverait entièrement ce que je viens de dire. *Tch'eng tzeu dit : « Iang Tchou et Me Ti ont fait plus de mal que Chenn Pou hai et Han Fei tzeu. La secte de Bouddha est encore plus nuisible que Iang Tchou et Me Ti... La doctrine des Bouddhistes, est incomparablement moins contraire à la raison que celles de Iang Tchou et de Me Ti ; aussi est elle plus pernicieuse. »*

« Autrefois, Iu dirigea les eaux de l'inondation, et l'ordre fut rétabli dans l'empire. Tcheou koung étendit ses exploits même aux pays barbares de l'ouest et du nord, chassa les animaux féroces, et le peuple jouit de la paix. Confucius composa le Tch'ouenn Ts'iou ; les ministres turbulents et les fils dénaturés furent dans la terreur. On lit dans le Cheu King : « Les barbares de l'ouest et du nord, je les ai repoussés ; ceux de King et de Chou, je les ai châtiés ; dès lors, personne n'a plus osé me résister. » Des hommes qui ne reconnaissent ni prince ni parents, Tcheou koung les aurait repoussés (comme il a repoussé les barbares).

« Moi aussi, je désire inspirer aux hommes des sentiments honnêtes, arrêter le cours des mauvaises doctrines, mettre un frein à la licence, bannir les discours insensés, et continuer ainsi l'œuvre des trois grands sages (Iu, Tcheou koung et Confucius). Est ce que j'aime la discussion ? Je ne puis me dispenser de discuter. Quiconque peut réfuter et repousser les doctrines de Iang Tchou et de Me Ti, est le disciple de ces trois grands sages. »

10. K'ouang Tchang dit : « Tch'enn Tchoung tzeu n'est-il pas un lettré d'une probité rare ? Étant à Ou ling, il avait passé trois jours sans manger ; déjà ses oreilles n'entendaient plus, ses yeux ne voyaient plus. Au bord d'un puits se trouvait un prunier, qui avait encore un fruit plus d'à moitié rongé par un ver. Tchoung tzeu se traîna à l'aide des pieds et des mains jusqu'auprès de l'arbre pour manger le fruit. Il en avala trois morceaux ; aussitôt la vue et l'ouïe lui revinrent. »

Meng tzeu répondit : « Parmi les lettrés actuels de Ts'i (qui sont tous avides de richesses), Tchoung tzeu, à mon, avis, est certainement ce qu'est le pouce comparé aux autres doigts, c'est-à-dire le premier et le meilleur. Cependant, comment Tchoung tzeu peut il pratiquer cette probité (dont il a conçu l'idée) ? Pour tenir parfaitement la résolution de Tchoung tzeu, il faudrait être ver de terre.

« Le ver de terre mange de la terre desséchée et boit de l'eau trouble. La maison où Tchoung tzeu demeure, a t elle été bâtie par un homme irréprochable comme Pe i, ou par un brigand comme Tcheu (frère de Houei de Liou hia) ? Les grains dont Tchoung tzeu se nourrit, ont ils été semés par un juste comme Pe i, ou par un brigand comme Tcheu ? Il est difficile de le savoir. »

K'ouan Tchang répondit : « Cela est-il contraire à la probité ? Tchoung tzeu fait des souliers et sa femme file le chanvre, pour avoir de quoi louer une maison et acheter des vivres. » Meng tzeu reprit : « Tchoung tzeu est d'une famille de Ts'i dans laquelle les charges sont héréditaires. Tai, son frère aîné, reçoit dans la ville de Ko dix mille *tchoung* de grains pour ses appointements. Tchoung tzeu jugea que les appointements de son frère étaient des revenus mal acquis, et ne voulut pas recevoir de lui la nourriture. Il s'imagina que la maison de son frère était un bien mal acquis, et il ne voulut pas l'habiter. Il fuit son frère, quitta sa mère, et alla demeurer à Ou ling.

« Un jour qu'il était retourné à la maison de son frère, quelqu'un vint offrir une oie vivante. Tchoung tzeu dit en fronçant les sourcils : « Que fera-t-on de cet oiseau que j'entends crier ? » Un autre jour, sa mère tua cette oie, et la lui servit à manger. Son frère, revenant du dehors, lui dit : « C'est la chair de cet oiseau que vous avez entendu crier. » Tchoung tzeu sortit, et vomit ce qu'il avait mangé.

« Il ne mange pas la nourriture que sa mère lui offre ; mais il mange celle que sa femme lui achète. Il n'habite pas la maison de son frère ; mais il en habite une à Ou ling. En agissant ainsi, arrive-t-il à garder parfaitement sa probité imaginaire ? Pour garder parfaitement sa résolution, il faudrait qu'il fût ver de terre. »

LIVRE IV. LI LEOU.

CHAPITRE I.

1. Meng tzeu dit : « La vue perçante de Li Leou et l'esprit inventif de Koung chou tzeu, sans le secours du compas ou de l'équerre, ne suffiraient pas pour rien faire qui fût parfaitement rond ou carré. L'ouïe fine du musicien K'ouang, sans l'emploi des six tubes, ne pourrait déterminer exactement les cinq notes. La vertu intérieure de Iao et de Chouenn, sans une administration pleine d'humanité, ne suffirait pas pour faire régner l'ordre et la paix dans l'empire. (Douze tubes, inventés par Houang ti, donnaient les six sons *iang* et les six sons *in* . Où *in* , les cinq notes de la gamme ; on les appelle kōung chāng kiô tchèu iù).

« A présent, il est des princes qui ont des sentiments et une réputation de bonté ; mais ils ne font pas de bien à leurs sujets, et ne sont pas des modèles pour les âges futurs ; ils ne suivent pas les traces des anciens souverains. On dit communément : « La probité seule ne suffit pas pour bien gouverner ; les lois seules ne peuvent pas se maintenir d'elles mêmes, (elles ont besoin d'être ap-pliquées par un prince bon et capable). » Il est dit dans le Cheu King : « Ils seront exempts de faute et n'oublieront rien ; ils suivront les anciennes lois. » Jamais personne ne s'est trompé en suivant les lois des anciens souverains.

« Les grands sages de l'antiquité, non contents d'employer toute la perspicacité de leur vue, se sont servis du compas, de l'équerre, du niveau et du cordeau pour faire des carrés, des cercles, des surfaces planés et des lignes droites ; ces instruments pourront servir toujours. Non contents d'employer toute la finesse de leur ouïe, ils se sont servis des six tubes pour déterminer les cinq sons ; ces tubes pourront servir toujours. Non contents d'employer toute la puissance de leur intelligence, ils ont gouverné leurs sujets avec une bonté compatissante, et leur bienfaisance s'est répandue par tout l'univers (elle a fait partout des heureux et des imitateurs).

« Un proverbe dit : « Celui qui veut bâtir haut, doit bâtir sur une colline ou une montagne ; celui qui veut construire très bas, doit construire dans un lit de rivière ou un marais. » Celui qui dans le gouvernement ne s'appuie pas sur les principes des anciens souverains, peut-il être appelé sage ? Un prince humain est seul digne d'exercer l'autorité souveraine. Un prince inhumain qui exerce l'autorité souveraine, propage ses vices parmi tous ses sujets. Si le prince dans ses conseils ne connaît ni raison ni justice, les ministres, les sujets ne reconnaîtront pas l'autorité des lois. Le prince ne se laissera pas diriger par la justice, ni les officiers par les lois. Les grands violeront la justice ; les petits transgresseront les lois. Si l'État échappe à une ruine complète, il ne le devra qu'a une heureuse fortune.

« On dit communément : « Que les villes ne soient pas bien munies d'une double enceinte de murailles, que les armes et les cuirasses soient en petit nombre, ce n'est pas un grand malheur pour un royaume. Que les champs et les plaines restent en friche, que les denrées et les richesses ne soient pas abondantes, ce n'est pas un grand dommage pour l'État. Mais si le prince méconnaît ses devoirs, le peuple ignorera les siens ; des séditieux se lèveront, et la ruine sera imminente. » On lit dans le Cheu

King : « Au moment où le Ciel se met à renverser (la dynastie des Tcheou), ne soyez pas si indolent. » *I i*, c'est à dire *tâ tâ*, indolent,

« Celui qui ne sert pas son prince selon la justice, qui accepte et quitte les charges sans règle, qui dans ses discours blâme les principes des anciens souverains, celui-là est un homme indolent et sans cœur. On dit communément : « Celui qui rappelle à son prince des maximes difficiles à pratiquer lui témoigne un véritable respect ; celui qui donne de bons avis à son prince et le détourne du vice lui est vraiment dévoué. C'est nuire gravement à son prince, que (de ne pas l'exciter à bien faire), sous prétexte qu'il est incapable (d'imiter les grands souverains de l'antiquité). »

2. Meng tzeu dit : Le compas et l'équerre servent à tracer des cercles et des carrés parfaits. De même, les grands sages sont les plus parfaits modèles des cinq vertus que les hommes doivent pratiquer les uns envers les autres. Le prince qui veut remplir parfaitement ses devoirs de prince, et le sujet qui veut remplir parfaitement ses devoirs de sujet, n'ont qu'à imiter Iao et Chouenn. Celui qui ne sert pas son prince comme Chouenn a servi Iao, n'est pas dévoué à son prince. Celui qui ne gouverne pas comme Iao, nuit gravement à son peuple.

« Confucius disait : « Il n'y a que deux voies : la voie de la vertu et la voie du vice. Si un prince opprime violemment ses sujets, il périt de mort violente et son royaume est perdu pour sa race. S'il ne les opprime pas violemment, sa personne est en danger et son royaume est diminué. Après sa mort, il sera appelé Aveugle, Cruel. Ses descendants, quelque grande que soit leur piété filiale, ne pourront pas changer ces noms ignominieux, même après cent générations. Le Chou King dit : « In, c'est-à-dire Tcheou, le dernier empereur de la dynastie des In, a près de lui, dans (le dernier empereur de la dynastie des) Hia, un exemple capable de le faire trembler. » Ces paroles confirment ce que j'ai dit. »

3. Meng tzeu dit : « Les trois dynasties ont obtenu l'empire grâce à la bienfaisance (de leurs fondateurs Iu, Tch'eng T'ang, Wenn wang et Ou wang) ; elles l'ont perdu à cause de l'inhumanité (des tyrans Kie, Tcheou, Li wang et Iou wang). C'est aussi de la même manière que les principau-

tés des *tchou heou* deviennent prospères ou tombent en décadence, se conservent ou disparaissent. Un empereur inhumain perd le pouvoir impérial ; un prince inhumain perd avec ses États le droit de sacrifier aux esprits tutélaires de la terre et des grains. Un ministre d'État ou un grand préfet inhumain perd avec sa dignité le droit de faire des offrandes solennelles à ses ancêtres. Un lettré ou un homme du peuple qui est inhumain, périt de mort violente. À présent, les hommes craignent la mort, et se plaisent à traiter les autres avec inhumanité ; c'est comme s'ils craignaient l'ivresse, et buvaient le plus possible. »

4. Meng tzeu dit : « Si quelqu'un aime les autres et n'en est pas aimé, qu'il examine si sa bienfaisance est parfaite. Si quelqu'un gouverne les autres, et n'arrive pas à bien régler leur conduite, qu'il examine si sa prudence est parfaite. Si quelqu'un fait des politesses et n'en reçoit pas en retour, qu'il examine si son respect envers les autres est parfait. Si quelqu'un dans ses actions n'atteint pas le but qu'il se propose, qu'il s'examine, et cherche toujours dans sa propre conduite la cause de ses insuccès. Qu'un prince soit lui-même parfait, et l'empire sera à lui. On lit dans le Cheu King : Celui qui tâche toujours de se conformer à la volonté du Ciel, s'attire beaucoup de faveurs. »

5. Meng tzeu dit : « (Pour désigner l'empire), on dit communément : l'empire, les royaumes et les familles. C'est que les principautés sont le fondement de l'empire, les familles sont le fondement des principautés, et les individus sont le fondement des familles. »

6. Meng tzeu dit : « Il est facile de gouverner un État ; il suffit de ne pas offenser les grandes familles. Un prince aimé des grandes familles sera aimé de tous les sujets du royaume. Un prince aimé de tous les sujets du royaume, sera aimé de tous les habitants de l'empire. Ses vertus et ses enseignements se propageront partout entre les quatre mers, avec la rapidité d'un torrent. »

7. Meng tzeu dit : « Lorsque le bon ordre règne dans l'empire, le moins vertueux sert le plus vertueux, et le moins sage sert le plus sage. Lorsque le bon ordre ne règne pas dans l'empire, le plus petit sert le plus grand, et le plus faible sert le plus fort. Ces deux états de choses dé-

pendent de la volonté du Ciel. Celui qui se soumet à la volonté du Ciel, ne périt pas ; celui qui résiste au Ciel, se perd lui-même.

« King, prince de Ts'i, (provoqué à la guerre par le prince de Ou, qui était plus puissant que lui, acquiesça à la volonté du Ciel, ne prit pas les armes et accepta les conditions de paix). Il dit (à ses ministres) : « Si quelqu'un n'est pas assez puissant pour imposer ses volontés, et ne veut pas non plus obéir, il rompra la paix (à son grand détriment). Il sortit de l'assemblée en pleurant, et accorda sa fille en mariage au (fils aîné du) prince de Ou. (Le prince King sut ainsi acquiescer à la volonté du Ciel pour sauver sa principauté).

« A présent, les petits princes imitent les grands princes ; mais ils ont honte de leur être soumis. C'est comme si un élève avait honte de recevoir des ordres de son maître. S'ils ont honte d'obéir, le meilleur parti à prendre, c'est d'imiter Wenn wang. En imitant Wenn wang, un grand prince au bout de cinq ans, un petit prince au bout de sept ans, gouvernerait tout l'empire.

« On lit dans le Cheu King : « Les descendants des Chang sont au nombre de plus de cent mille ; sur l'ordre du souverain Seigneur ; ils se sont soumis au prince de Tcheou. Ils se soumirent au prince de Tcheou ; car le Ciel ne confie pas pour toujours le pouvoir souverain à une famille. Les ministres des In, grands et intelligents, aident à faire des libations dans la capitale. » « Confucius dit : « Les ennemis d'un prince humain peuvent paraître nombreux, mais ne peuvent pas l'être. Lorsqu'un prince est bienfaisant, personne ne lui résiste. » A présent, les princes désirent que personne ne leur résiste, et ils n'exercent pas la bienfaisance. C'est comme si quelqu'un saisissait un objet très chaud sans s'être mouillé les mains. Le Cheu King dit : « Qui peut saisir un objet très chaud, s'il ne s'est mouillé les mains. »

8. Meng tzeu dit : « Est il possible de faire entendre un avis à un prince inhumain ? Il fait consister sa sûreté en ce qui lui est très dangereux, et son avantage en ce qui lui est très nuisible ; il aime ce qui causera sa perte. Si l'on pouvait faire entendre des avis aux princes inhumains, la perte des États et la ruine des familles seraient elles possibles ?

« Un enfant chantait : « Si l'eau de la Ts'ang lang est pure, j'y pourrai laver les cordons de mon bonnet ; si elle est trouble, je pourrai m'y laver les pieds. » Confucius dit (à ses disciples) : « Écoutez, mes enfants. Si l'eau est pure elle sert à laver les cordons de bonnet ; si elle est trouble, elle sert à laver les pieds. Elle détermine elle mêmes ces différents usages (selon qu'elle est claire ou trouble). »

« On ne traite un homme avec mépris qu'après qu'il s'est traité lui-même sans respect. On ne renverse une famille qu'après qu'elle s'est renversée elle même. On ne dévaste un royaume qu'après qu'il s'est dévasté lui-même. (Dans le Chou King, l'empereur) T'ai Kia dit : « Quand le Ciel envoie des malheurs, on peut y échapper. Mais si quelqu'un s'attire lui-même des malheurs, il périra. » Ces paroles confirment ce que j'ai dit. »

9. Meng tzeu dit : « Kie et Tcheou ont perdu la dignité impériale, parce qu'ils ont perdu leurs sujets. Ils ont perdu leurs sujets, parce qu'ils se sont aliéné les cœurs. Pour obtenir l'empire, il est une voie à suivre. Attirez à vous les peuples, et vous posséderez l'empire. Pour attirer les peuples, il est un moyen à employer. Gagnez l'affection des peuples, et ils seront à vous. Pour gagner leur affection, il est une conduite à tenir. Procurez-leur abondamment ce qu'ils désirent ; ne leur faites pas ce qu'ils n'aiment pas.

« Les hommes vont tous à un prince bienfaisant, comme les eaux coulent en bas, comme les animaux sauvages courent aux endroits inhabités. C'est la loutre qui fait fuir les poissons aux profondeurs des eaux ; c'est l'épervier qui chasse les petits oiseaux vers les bois. Ce sont les tyrans Kie et Tcheou qui ont chassé les peuples vers Tch'eng T'ang et Ou wang. A présent, si parmi les princes de l'empire il s'en trouvait un qui aimât à pratiquer la bienfaisance, tous les autres princes chasseraient les peuples vers lui. Quand même il désirerait ne pas gouverner tout l'empire, il y serait obligé.

« A présent, ceux qui désirent commander à tout l'empire, ressemblent à un homme qui, pour se guérir après sept ans de maladie, chercherait de l'absinthe conservée depuis trois ans. Celui qui ne se donne pas la peine de cueillir de l'absinthe n'en aura jamais. Un prince qui ne s'applique pas à faire du bien à ses sujets, vivra toujours dans le chagrin et le déshonneur, jusqu'à ce que sa perte soit consommée. On lit dans le Cheu King : « Peut on espérer un heureux résultat ? Nous tomberons dans l'abîme les uns à la suite des autres. » Ces paroles confirment ce que j'ai dit.

10. Meng tzeu dit : « Il est impossible de parler à un homme qui se nuit gravement à lui-même. Il est impossible de rien entreprendre avec un homme qui se délaisse lui-même. Blâmer ce qui est honnête et juste, c'est ce qu'on appelle se nuire gravement à soi-même. Prétendre ne pouvoir être constamment parfait ni observer la justice, c'est se délaisser soi-même.

« La perfection est la demeure tranquille, et la justice, la voie droite de l'homme. Laisser vide et ne pas habiter la demeure paisible de l'homme, abandonner et ne pas suivre la voie droite, que c'est déplorable ! »

11. Meng tzeu dit : « La voie de la vertu est près de nous, (c'est la loi naturelle qui est gravée dans nos cœurs) ; quelques uns la cherchent fort loin. La pratique de la vertu consiste en des choses faciles ; quelques uns la cherchent dans les choses difficiles. Que chacun aime ses parents, et respecte ceux qui sont au-dessus de lui ; l'ordre régnera dans tout l'univers. »

12. Meng tzeu dit : « Un sujet qui n'a pas la confiance de son prince, ne pourra pas gouverner le peuple, (le peuple n'aura pas confiance en lui). Pour gagner la confiance de son prince, il est une voie à suivre. Celui qui n'a pas la confiance de ses compagnons, n'aura pas celle de son prince. Pour obtenir celle de ses compagnons, il est une conduite à tenir. Celui qui ne satisfait pas ses parents, n'aura pas la confiance de ses compagnons. Pour satisfaire ses parents, il est une conduite à tenir. Celui qui, s'examinant soi-même, reconnaît qu'il ne s'applique pas sérieusement à recouvrer la perfection (que la nature donne à chaque homme), celui-là ne satisfait pas ses parents. Pour recouvrer sa perfection naturelle, il est une voie à suivre. Celui qui ne distingue pas bien ce qui est honnête et bon, ne recouvrira pas sa perfection naturelle.

« La perfection naturelle est l'œuvre du Ciel ; s'appliquer à recouvrer la perfection naturelle, c'est le travail de l'homme. Un homme entièrement parfait gagne toujours la confiance. Un homme imparfait n'a jamais pu l'avoir. »

13. Meng tzeu dit : « Pe i, fuyant le tyran Tcheou, s'était retiré au nord sur le rivage de la mer. Ayant appris que Wenn Wang était devenu puissant, il se leva et dit : « Pourquoi n'irais je pas vivre sous ses lois ? On dit que le Prince de l'ouest (Wenn wang) soigne bien les vieillards. » T'ai Koung, fuyant Tcheou, était allé demeurer à l'est sur le bord de la mer. Ayant appris que Wenn wang était devenu puissant, il se leva et dit : « Pourquoi n'irais je pas vivre sous ses lois ? On m'a dit que le Prince de l'ouest soigne bien les vieillards. »

« Ces deux vieillards étaient les plus marquants de l'empire, et ils se soumirent à Wenn Wang ; c'étaient comme les pères de l'empire qui se soumettaient à lui. Les enfants à quel autre auraient-ils été ? Si un prince gouvernait comme Wenn Wang, dans sept ans il gouvernerait certainement tout l'empire. » (Wenn Wang allant à la chasse, rencontra T'ai koung qui péchait à la ligne. Il reconnut sa sagesse ; et le fit nommer ministre).

14. Meng tzeu dit : « K'iou (Jen Iou) était intendant de la maison de Ki. Il ne parvenait pas à corriger son maître de son avarice. Ki exigeait en tribut deux fois plus de grain qu'auparavant. Confucius dit (à ses disciples) : « K'iou n'est pas mon disciple. Mes enfants, battez le tambour, attaquez le ; cela convient. »

« Nous voyons par ces paroles que Confucius rejetait tous les ministres qui augmentaient les trésors de princes inhumains ; à plus forte raison, aurait il rejeté les ministres qui auraient employé pour ces princes la force des armes. Une guerre entreprise pour la possession d'un territoire, remplit la plaine de cadavres. Une guerre pour la possession d'une ville remplit la ville de cadavres. Cela s'appelle forcer la terre à dévorer la chair des hommes. La mort même ne suffit pas pour expier un tel crime. Celui qui excelle à faire la guerre, mérite le supplice le plus rigoureux. Le plus criminel après lui est le ministre qui fait des alliances entre les princes (en vue d'entreprendre des guerres). En troisième lieu vient celui qui défriche des terrains, et oblige le peuple à les cultiver (au profit du prince). »

15. Meng tzeu dit : « De tout ce qui est en l'homme, rien n'est meilleur que la pupille de l'œil. Elle ne sait pas cacher ce que le cœur a de mauvais. Si le cœur est irréprochable, la pupille est brillante ; si le cœur n'est pas irréprochable, la pupille est obscurcie. Si vous écoutez les paroles d'un homme, si vous observez les pupilles de ses yeux, aura t-il rien de caché pour vous ?

16. Meng tzeu dit : « Un prince poli ne traite pas les hommes avec mépris ; un prince modéré n'enlève pas les biens de ses sujets. Un prince qui traite ses sujets avec mépris et leur enlève leurs biens, craint seulement qu'on ne lui résiste. Peut il se faire passer pour poli et modéré ? Est il possible de contrefaire la politesse et la modération par le ton de la voix, par le sourire du visage ? »

17. Chouenn iu K'ouenn dit : « Les convenances ne défendent-elles pas aux personnes de différents sexes de se rien donner de main à main ? » « Oui, répondit Meng tzeu. » Chouenn in K'ouenn reprit : « Un homme voit la femme de son frère aîné se noyer ; peut il la retirer de l'eau avec la main ? » Meng tzeu répondit : « Ne pas retirer de l'eau sa belle sœur, ce serait imiter la cruauté des loups. La règle ordinaire est que les personnes de différents sexes ne se donnent rien de main à main. Mais la raison dit que, si votre belle sœur tombe dans l'eau, vous devez l'en retirer avec la main. » « A présent, dit Chouenn iu K'ouenn, l'empire est plongé dans l'abîme. Pourquoi ne l'en retirez vous pas ? » « Quand l'empire est plongé dans l'abîme, on le sauve (non en violant les règles et les lois, mais) en les faisant revivre. Si la femme de votre frère se noie, vous devez la retirer de l'eau avec la main. Prétendez vous donc que je sauve l'empire avec la main ? »

18. Koung suenn Tch'eou dit : « Pourquoi le sage ne fait il pas lui-même l'éducation de son fils ? » Meng tzeu répondit : « C'est impossible. Il devrait enseigner à son fils les règles de bonne conduite. Si son fils ne les suivait pas, il serait obligé d'user de sévérité ; et il blesserait le cœur de son fils (au lieu de se l'attacher, comme il le devrait). (Le fils se dirait à

lui-même) : « Mon maître (mon père) m'enseigne comment on doit se conduire ; lui-même ne marche pas encore dans la voie droite. » Le père et le fils perdraient l'affection l'un de l'autre ; ce serait un grand mal. Les anciens envoyaient leurs fils à l'école de maîtres étrangers. Le père et le fils ne doivent pas se reprocher mutuellement leurs défauts. S'ils s'adressaient des reproches, l'un à l'autre, ils seraient bientôt désunis. La désunion est le plus grand de tous les malheurs. » *Meng tzeu a dit ces paroles en général pour les hommes ordinaires, mais non pour les sages. Dans le Livre de la Piété filiale il est dit : Les devoirs mutuels que la nature prescrit au père et au fils sont les devoirs de justice qu'elle prescrit au prince et au sujet. Donnez à un fils un père sévère ; le père reprendra son fils. La bienveillance et la justice seront parfaites ; la bonté paternelle et la piété filiale ne laisseront rien à désirer. Se peut il rien de plus heureux ?*

19. Meng tzeu dit : « Quel est le plus important de tous les services ? C'est le service dû aux parents. Quelle est la plus importante de toutes les gardes ? C'est la garde de soi-même. J'ai entendu parler d'hommes qui, veillant avec soin sur eux mêmes, ont su servir leurs parents. Je n'ai jamais entendu dire qu'un homme ait su servir ses parents, après s'être perdu lui-même (par sa mauvaise conduite). Que de services n'y a t il pas ? Le service dû aux parents est le fondement de tous les autres. Que de choses ne doit on pas garder ? La garde de soi-même est le fondement de toutes les autres.

« Tseng tzeu soignant son père Tseng si, ne manquait jamais de lui servir du vin et de la viande. Au moment de desservir la table, il demandait toujours à qui il donnerait les restes (car il n'aurait pas voulu les servir de nouveau à son père). Quand son père lui demandait s'il y avait des restes, il répondait toujours qu'il y en avait, (désirant satisfaire son père, si celui-ci lui ordonnait de donner quelque chose à quelqu'un). Après la mort de Tseng Si, Tseng Iuen donna ses soins à Tseng tzeu. Il ne manquait pas de lui servir du vin et de la viande. Mais, au moment de desservir, il ne demandait pas à qui il donnerait les restes. Quand son père lui demandait s'il y avait des restes ; il répondait qu'il n'y en avait pas. C'est qu'il voulait les servir une seconde fois à son père. C'est ce qui s'appelle contenter la bouche et le corps de son père. Imiter Tseng tzeu, cela s'appelle contenter le cœur de son père. Servir ses parents comme Tseng tzeu, c'est vraiment bien. »

20. Meng tzeu dit : « Il ne suffit pas d'exposer à son prince les fautes des officiers et les défauts de l'administration. Un homme d'une vertu éminente peut seul rectifier les idées de son prince. Si le prince est humain, dans l'administration tout sera humain ; s'il est juste, tout sera juste ; s'il est irréprochable, tout sera irréprochable. Le prince une fois corrigé, le royaume sera bien réglé. »

21. Meng tzeu dit : « Parfois on loue des hommes qui ne méritent pas d'éloges, et l'on blâme des hommes qui s'appliquent à se perfectionner eux mêmes. »

22. Meng tzeu dit : « Les hommes parlent sans réflexion, parce que personne ne les reprend (lorsqu'ils parlent mal). »

23. Meng tzeu dit : « Un grand défaut, c'est d'aimer à donner des leçons aux autres, (de se croire très sage et de s'imaginer qu'on n'a plus besoin d'apprendre). »

24. Io tcheng tzeu, étant allé dans la principauté de Ts'i à la suite de Tzeu ngao, alla voir Meng tzeu. Meng tzeu lui dit : « Vous aussi, venez-vous donc me voir ? » « Maître, dit Io tcheng tzeu, pourquoi me faites vous cette question ? » « Depuis combien de jours êtes vous arrivé ? lui demanda Meng tzeu » « Je suis arrivé hier, (ou avant hier), répondit Io tcheng tzeu. » « Vous êtes arrivé hier (ou avant hier, et vous n'étiez pas encore venu me voir) ; n'ai-je pas eu raison de vous parler ainsi ? » « Mon logement n'était pas encore arrangé, dit Io tcheng tzeu. » Meng tzeu répliqua : « Avez vous entendu dire qu'il fallût arranger son logement, avant d'aller voir ses supérieurs ? » « Moi K'o, dit Io tcheng tzeu, je suis en faute. »

25. Meng tzeu dit à Io tcheng tzeu : « Vous êtes venu ici à la suite de Tzeu ngao, uniquement pour manger et boire. Je n'aurais pas pensé qu'après avoir étudié la doctrine des anciens, vous auriez agi en vue du boire et du manger. »

26. Meng tzeu dit : « Trois choses sont contraires à la piété filiale. La plus répréhensible est de n'avoir pas d'enfants. *Tchao Ki dit : « Trois choses sont contraires à la piété filiale. La première est d'encourager les parents à mal faire, par des flatteries et une coupable complaisance. La seconde est de ne pas vouloir exercer une* charge lucrative, pour soulager l'indigence de ses vieux parents. La troisième est de n'avoir ni femme ni enfants et de faire cesser ainsi les offrandes aux ancêtres. De ces trois fautes, la plus grave est de rester sans postérité. » *Chouenn contracta mariage sans avoir averti ses parents, parce que (s'il les avait avertis, il n'aurait pas obtenu leur consentement), il n'aurait pas eu d'enfants. Les sages pensent que c'est comme s'il les avait avertis. »*

27. Meng tzeu dit : « Le principal fruit de la bonté est la piété filiale. Le principal fruit de la justice est la condescendance envers les frères aînés. Le principal fruit de la sagesse est la connaissance et la pratique constante de ces deux vertus. Le principal fruit de l'urbanité est de régler et de couronner ces deux vertus. Le principal fruit de la musique est de les rendre agréables. Devenues agréables, elles se développent. Dans leur développement comment pourraient elles être arrêtées ? Ne pouvant plus être arrêtées, elles paraissent dans tous les mouvements de nos pieds et de nos mains, sans que nous fassions attention. »

28. Meng tzeu dit : « Voir tous les peuples accourir et se soumettre avec affection, et ne pas faire plus de cas de la faveur et de la soumission de tout l'empire que d'un brin d'herbe ou de paille, c'est ce dont Chouenn seul a donné l'exemple.(Son unique désir était de faire plaisir à ses parents, et de les amener à partager ses bons sentiments, à aimer la vertu. Car il considérait que) celui qui n'est pas agréable à ses parents, ne mérite pas le nom d'homme, et que celui dont les sentiments ne sont pas conformes aux leurs, ne mérite pas le nom de fils.

« Chouenn remplit parfaitement ses devoirs de fils ; et (son père) Kou seou satisfait, aima la vertu. Kou seou satisfait, aima la vertu, et tout l'empire fut transformé. Kou seou satisfait, aima la vertu, et dans tout l'empire, les pères et les fils connurent et remplirent leurs devoirs mutuels. Cela s'appelle une grande piété filiale. »

CHAPITRE II.

1.Meng tzeu dit : « Chouenn naquit à Tchou foung, alla demeurer à Fou hia et mourut à Ming t'iao. Il vécut et mourut à l'extrémité orientale de l'empire. Wenn wang naquit dans la terre de K'i tcheou et mourut à Pi ing. Il vécut et mourut à l'extrémité occidentale de l'empire. Chouenn et Wenn wang habitèrent des contrées séparées par une distance de plus de mille stades ; ils vécurent à des époques séparées par un intervalle de plus de mille années. Lorsque, selon leur désir, ils purent faire fleurir la vertu dans l'empire, ils furent semblables l'un à l'autre, comme les deux parties d'une tablette. Les principes des sages ont été les mêmes dans tous les temps. »

2. Lorsque Tzeu tch'an était ministre de Tcheng, il faisait traverser aux voyageurs la Tcheou et la Wei dans sa propre voiture. Meng tzeu dit : « Il était bienfaisant, mais peu entendu dans l'administration. Si l'on construit des ponts au onzième mois de l'année pour les piétons et au douzième mois pour les voitures, les habitants ne sont pas obligés de traverser l'eau à gué. Le sage étend à tout le peuple les bienfaits de son administration ; et en voyage il lui est permis de faire écarter la foule sur son passage. Est ce qu'il peut aider chacun à passer l'eau ? S'il devait satisfaire tous les désirs de chacun en particulier, la journée ne lui suffirait pas. »

3. Meng tzeu donna les avis suivants à Siuen, prince de Ts'i : « Si le prince considère ses ministres comme les membres de son corps, les ministres considéreront le prince comme leur cœur et leurs entrailles. Si le prince considère ses ministres comme des chiens et des chevaux, les ministres considéreront le prince comme un citoyen ordinaire (qui leur est indifférent). S'il considère ses ministres comme de la boue et de la paille, les ministres le considéreront comme un malfaiteur et un ennemi. »

« D'après les rites, dit le roi, (un ancien ministre qui n'a plus de charge dans son pays et se trouve dans un pays étranger), au moment de la mort de son prince, prend le deuil. Comment le prince doit il considérer ses ministres, pour que ceux ci prennent le deuil après sa mort ? » Meng tzeu répondit : « Qu'il mette à profit les remontrances de ses ministres, prête l'oreille à leurs avis, et répande de grands bienfaits parmi le peuple. Si un ministre, pour une raison grave, quitte la contrée, que le prince le fasse escorter jusqu'à la frontière ; qu'il le recommande d'avance au prince dans les États duquel il se rend ; qu'il ne lui retire ses terres et son habitation qu'après trois ans d'absence. Voilà ce qu'on appelle les trois devoirs à remplir. Si le prince agit ainsi, à sa mort le ministre absent prendra le deuil.

« A présent, si un ministre adresse des remontrances, elles sont sans effet ; s'il donne des avis, ils ne sont pas écoutés. Les bienfaits ne descendent pas du trône sur le peuple. Si, pour une cause légitime, un ministre s'en va, le prince le fait saisir et garder. Puis, il le réduit à l'impossibilité d'obtenir une charge dans la contrée où il va. Dès le jour de son départ, il lui reprend ses terres et son habitation. Un tel prince est un malfaiteur, un ennemi. Pour un malfaiteur et un ennemi ; doit on prendre le deuil ? »

4. Meng tzeu dit : « Lorsque le prince condamne à mort des innocents, si ce sont des lettrés, les grands préfets peuvent quitter le pays ; si ce sont des hommes du peuple, les lettrés peuvent se retirer en pays étranger, (sinon, ils seront bientôt eux mêmes en butte à la cruauté du tyran). » *On voit par là qu'un prince doit surtout user de bonté, être lent à punir, et observer les lois, afin d'exercer sa bienfaisance. S'il prend les sentiments du Souverain Seigneur, qui aime à donner et à conserver la vie, s'il imite la sollicitude compatissante des sages souverains de l'antiquité, tous ses officiers et ses sujets auront envers lui la même reconnaissance qu'envers le Ciel. Il procurera à ses États le bon ordre et la tranquillité pour longtemps.*

5. Meng tzeu dit : « Sous un prince humain, tous les sujets sont humains ; sous un prince juste, tous les sujets sont justes. »

6. Meng tzeu dit : « Le vrai sage s'abstient de tout cc qui n'est honnête et juste qu'en apparence. »

7. Meng tzeu dit : « Si les hommes vertueux forment ceux qui ne sont pas vertueux, et si les hommes capables forment ceux qui ne sont pas capables, les plus jeunes seront heureux d'avoir des pères et des aînés ca-

pables et vertueux. Si les hommes vertueux délaissent ceux qui ne sont pas vertueux, si les hommes capables délaissent ceux qui ne sont pas capables, il y aura à peine un pouce de distance (il y aura à peine quelque différence) entre les hommes vertueux et capables (mais sans pitié), et les autres qui ne seront ni vertueux ni capables. »

8. Meng tzeu dit : « Apprenez d'abord à discerner et à fuir le mal ; vous pourrez ensuite faire le bien résolument. »

9. Meng tzeu dit : « Celui qui publie les défauts d'autrui, devrait se demander comment il évitera les suites fâcheuses de ses médisances. »

10. Meng tzeu dit : « Confucius évitait tout excès. »

11. Meng tzeu dit : « Le sage, avant de parler ou d'agir, ne renouvelle pas chaque fois sa résolution d'être sincère ou courageux ; il dit ou fait simplement ce qu'il convient de dire ou de faire, selon les circonstances, et il est toujours sincère et courageux (il pratique la vertu comme naturellement, sans effort, sans avoir besoin d'y penser). »

12. Meng tzeu dit : « Celui-là est vraiment grand, dont le cœur est encore comme au jour de sa naissance (exempt de tout mauvais désir, et n'aimant que la vertu). »

13. Meng tzeu dit : « Soigner ses parents durant leur vie n'est pas le plus grand des devoirs ; leur rendre après la mort les honneurs qui leur sont dus, voilà le plus grand des devoirs. »

14. Meng tzeu dit : « Le disciple de la sagesse avance sans cesse par la vraie voie, c'est-à-dire par degrés. Il veut arriver à la posséder aussi parfaitement que si elle était naturelle en lui. Lorsqu'elle est devenue comme naturelle en lui, il la garde tranquillement. Lorsqu'il la garde tranquillement, il en a un trésor abondant. Lorsqu'il en a un trésor abondant, il y puise et en fait usage en toutes circonstances ; il est toujours à la source, (car la sagesse est devenue comme naturelle en lui et semble couler de source). Pour cette raison, le disciple de la sagesse veut arriver à la posséder aussi parfaitement que si elle était naturelle en lui. »

15. Meng tzeu dit : « (Celui qui cultive la sagesse), en apprend tous les préceptes et les expose clairement, (non pour étaler une vaste érudition),

mais pour revenir ensuite sur ses connaissances, et en faire le résumé. »

16. Meng tzeu dit : « Personne n'a encore pu, par une vaine ostentation de vertu, soumettre les hommes à sa puissance. Réformez les mœurs par l'influence d'une vertu véritable, et vous pourrez soumettre tout l'empire à votre autorité. Jamais prince n'a rétabli l'ordre dans l'empire, si auparavant l'empire ne s'est soumis à lui de cœur. »

17. Meng tzeu dit : « Il n'est pas de discours qui soit vraiment funeste (à tout l'empire), hormis la calomnie qui attaque les hommes vertueux et capables, et les empêche d'arriver aux charges. » (Ou bien : Le mensonge est pernicieux ; le plus pernicieux de tous les mensonges est celui qui empêche la vertu et le talent de se produire). »

18. Siu tzeu dit : « Confucius parlait souvent de l'eau ; il répétait. Eau ! Eau ! Quel enseignement l'eau lui donnait-elle ? » Meng tzeu répondit : « L'eau qui vient d'une source, sort à gros bouillons, coule sans cesse jour et nuit. Elle remplit les fossés, puis s'écoule et va jusqu'à la mer. Il en est ainsi de l'eau qui vient d'une source. C'est cette continuité d'écoulement qui inspirait des réflexions à Confucius. (Au contraire) l'eau qui ne vient pas de source (fait bientôt défaut). Ainsi, dans le courant du septième et du huitième mois de l'année, la pluie tombe en abondance. L'eau remplit tous les canaux, mais peu après elle a disparu entièrement. Le sage rougit d'avoir plus de réputation que de mérite, (cette vaine renommée dure peu). »

19. Meng tzeu dit : « Ce par quoi l'homme diffère des animaux, n'est presque rien. La masse du peuple le perd ; le sage le conserve. Chouenn réglait toutes choses avec une rare intelligence, et remplissait tous ses devoirs envers les autres avec un discernement remarquable. Il suivait (comme naturellement) ses sentiments d'humanité et de justice, et pratiquait ces deux vertus sans effort. »

20. Meng tzeu dit : « Iu n'aimait pas le bon vin, mais il aimait les bons discours. T'ang gardait toujours le juste milieu ; il élevait aux charges les hommes vertueux et capables sans distinction de rang. Wenn wang considérait ses sujets comme des blessés (qui avaient besoin de toute sa

sollicitude) ; il considérait la voie de la vertu comme s'il ne l'avait pas encore vue, c'est-à-dire comme s'il n'avait encore fait aucun progrès.

« Ou wang ne négligeait pas ce qui était près de lui, et n'oubliait pas ce qui était éloigné. Tcheou koung avait résolu de réunir en lui seul les vertus des grands souverains des trois dynasties, et d'imiter les belles actions des quatre princes (Iu, T'ang, Wenn wang et Ou wang) : Si dans leur conduite il remarquait des choses qui ne convenaient pas aux circonstances dans lesquelles il se trouvait lui-même, il les considérait avec un vif désir d'en connaître l'esprit. La nuit il continuait d'y réfléchir ; et quand il avait eu le bonheur de trouver ce qu'il cherchait, il s'asseyait en attendant le jour (afin de se mettre aussitôt à l'œuvre). »

21. Meng tzeu dit : « Il n'y avait plus de souverain qui exerçât un pouvoir réel sur tout l'empire, et l'on ne composait plus de nouvelles poésies. Alors parut le Tch'ouenn Ts'iou (corrigé et perfectionné par Confucius). Les annales de Tsin, appelées Véhicule (parce que, comme une voiture, elles contiennent les faits mémorables et les transmettent à la postérité), les annales de Tch'ou, intitulées Bête féroce (parce qu'elles racontent de cruels châtiments), et les annales de Lou, intitulées Le Printemps et l'Automne (parce qu'elles racontent les événements arrivés en chaque saison de l'année), toutes ces annales étaient semblables entre elles. Le Tch'ouenn Ts'iou est l'histoire de Houan, prince de Ts'i, et de Wenn, prince de Tsin. Il a été composé primitivement par les annalistes (de la principauté de Lou). Confucius disait : « Quant aux appréciations contenues dans Ie Tch'ouenn Ts'iou, je me suis permis de les tirer (des annales déjà existantes, en les contrôlant). »

22. Meng tzeu dit : « L'influence d'un prince sage cesse après cinq générations, ou cent cinquante ans ; l'influence d'un sage qui est resté dans la vie privée, cesse également après cinq générations. Je n'ai pas eu le bonheur d'être le disciple de Confucius ; mais (n'étant pas séparé de lui par un espace de cent cinquante ans), j'ai, sans l'avoir mérité, été formé par d'autres (par les disciples de Tzeu seu qui ont gardé sa doctrine). »

23. Meng tzeu dit : « S'il vous semble d'abord que vous pouvez recevoir une chose, et ensuite que vous ne le pouvez pas, en la recevant, vous

manqueriez à la vertu d'intégrité. S'il vous semble d'abord que vous pouvez donner une chose, et ensuite que vous ne le pouvez pas, en la donnant vous violeriez les règles de la bienfaisance. S'il vous semble d'abord que vous pouvez sacrifier votre vie, et ensuite que vous ne le pouvez pas, en affrontant la mort, vous manqueriez à la vertu de force. »

24. P'ang moung avait appris à tirer de l'arc sous la direction de I, et possédait parfaitement toute la science de son maître. S'imaginant que dans l'univers I était le seul qui l'emportât sur lui, il le tua. Meng tzeu dit : « En cela, I lui-même a commis une faute (il aurait dû choisir ses compagnons avec plus de circonspection). Koung ming I disait que I ne semblait pas avoir fait une faute. Il voulait dire que la faute était très légère. Pouvait il n'y avoir pas de faute ?

« Les ministres de la principauté de Tcheng ayant donné ordre à Tzeu tchouo Jou tzeu d'envahir la principauté de Wei, les ministres de Wei chargèrent Iu Koung tcheu seu de le chasser. Tzeu tchouo Jou tzeu dit : « Aujourd'hui je suis malade, je ne puis tenir mon arc ; je suis perdu (si les ennemis arrivent, ils me tueront). » Il demanda à son cocher quel était celui qui le poursuivait. Le cocher ayant répondu que c'était Iu koung tcheu sou, il s'écria : « Je suis sauvé. » « Iu koung tchen sou, dit le cocher, est un habile archer de Wei. Que voulez-vous dire par ces mots : Je suis sauvé ? » « Iu koung tcheu sou, répondit Jou tzeu, a appris à tirer de l'arc sous In koung tcheu t'ouo, qui m'avait eu pour maître. In koung tcheu t'ouo était un honnête homme ; il n'a choisi que des compagnons honnêtes. »

« Iu koung tcheu sou étant arrivé, dit : « Maître ; pourquoi n'avez vous pas votre arc en main ? » « Aujourd'hui, répondit Jou tzeu, je suis malade ; je n'ai pas la force de tenir mon arc. » « Votre petit serviteur, dit Iu koung, a appris à tirer de l'arc sous In koung tcheu t'ouo, qui vous avait eu pour maître. Je ne veux pas employer contre vous un art que j'ai appris à votre école. Mais l'affaire présente est une affaire d'État, je ne me permettrais pas de la négliger. » Il prit des flèches, dont il cassa la pointe contre l'une des roues de sa voiture ; il en décocha quatre, puis s'en retourna. »

25. Meng tzeu dit : « (L'homme doit travailler sans cesse à se perfectionner lui-même). Si Si tzeu avait été couverte de saletés, tout le monde se serait bouché le nez en passant auprès d'elle. *Au contraire* , qu'un homme tout à fait laid purifie son cœur par l'abstinence, qu'il se lave la tête et tout le corps ; il pourra offrir un sacrifice au Souverain Seigneur. »

26. Meng tzeu dit : « Partout sous le ciel, quand on parle de la nature, on veut parler des effets naturels. Les effets naturels ont d'abord cela de particulier, qu'ils sont spontanés. Ce qui nous déplaît dans les hommes qui sont prudents (mais d'une prudence étroite), c'est qu'ils font violence à la nature. Si les hommes prudents imitaient la manière dont Iu fit écouler les eaux, rien ne nous déplairait dans leur prudence. Iu fit écouler les eaux de manière à n'avoir pas de difficultés, (il profita de leur tendance naturelle). Si les hommes prudents agissaient aussi de manière à n'avoir pas de difficultés, leur prudence serait grande. Bien que le ciel soit très élevé et les astres fort éloignés de la terre, si l'on étudie leurs mouvements, on peut aisément calculer le moment du solstice d'hiver pour chaque année depuis dix siècles. »

27. Lorsque Koung hang tzeu (grand préfet de Ts'i) célébrait les funérailles de son père ou de sa mère, le second ministre d'État (Wang Houan Tzeu ngao) alla prendre part aux lamentations. A son entrée, quelques uns (des officiers qui étaient présents) invitèrent le second ministre d'État à s'approcher d'eux, et s'entretinrent avec lui. D'autres allèrent le trouver à sa place, et lui parlèrent. Meng tzeu ne lui adressa pas la parole. Le premier ministre en fut choqué et dit : « Tous les hommes distingués qui sont ici, m'ont adressé la parole. Meng tzeu est le seul qui ne me parle pas. Il manque d'égards envers moi. » (Sur Wang Houan, Voy. page 392).

Ces paroles ayant été rapportées à Meng tzeu, il dit : « D'après les usages, à la cour d'un prince, personne ne va de sa place à celle d'un autre pour avoir un entretien avec lui ; personne ne quitte son rang pour aller à celui d'un autre faire des salutations. Je veux observer les usages. Tzeu ngao y voit un manque d'égards ; n'est-ce pas étrange ? »

28. Meng tzeu dit : « Le sage diffère des autres hommes ; parce qu'il conserve des vertus que la nature a mises en son cœur. Il conserve en son cœur la bienveillance et l'urbanité. Un homme bienveillant aime les autres ; un homme poli respecte les autres. Celui qui aime les autres, en est toujours aimé ; celui qui respecte les autres, en est toujours respecté.

« Supposons qu'il se trouve ici quelqu'un qui me traite d'une manière dure et impolie. Si je suis sage, je ferai un retour sur moi-même, et me dirai : « Certainement j'ai manqué de bonté et d'urbanité envers cet homme. Sinon, m'aurait il traité d'une manière dure et impolie ? » Je m'examine moi-même, et je vois que je n'ai manqué ni de douceur ni d'urbanité. Cependant il continue à me traiter d'une manière dure et impolie. En homme sage, je m'examine de nouveau, et *je me dis* : « Certainement je n'ai pas fait pour cet homme tout ce que j'aurais pu. » En m'examinant, je ne trouve aucun manque d'obligeance à me reprocher. Néanmoins, cet homme continue à me traiter d'une manière dure et impolie. En homme sage, je me dis : « C'est un insensé. Un homme tel que lui, diffère-t-il des êtres privés de raison ? Pour un être sans raison, dois-je me tourmenter ? »

« Ainsi le sage est toute sa vie dans la sollicitude, mais pas même une matinée dans l'angoisse et l'anxiété. Un objet de sollicitude, il en a toujours. (Il se dit en lui-même) : « Chouenn était homme comme moi ; il est devenu le modèle de tous les hommes de son temps et des âges suivants. Moi, je suis encore un homme vulgaire. » Tel est le juste sujet de sa sollicitude. Et que fait il ? (Il imite Chouenn, et) sa sollicitude ne cessera que quand il sera semblable à Chouenn. De chagrin, il n'en a jamais. Il ne se permet rien qui soit contraire à la bienveillance ou à l'urbanité. S'il survient quelque contrariété de peu de durée, il n'en a pas d'inquiétude. »

29. Iu et Heou tsi vécurent à une époque de tranquillité. Ils passèrent trois fois devant la porte de leurs maisons sans prendre le temps d'y entrer. Confucius a loué ce dévouement. Ien tzeu vécut à une époque de trouble. Il demeurait dans une misérable ruelle, et n'avait pour vivre qu'une écuelle de nourriture et un peu de boisson. (Dans une telle indi-

gence), d'autres n'auraient pu supporter leur affliction ; Ien tzeu conserva toujours la même joie. Confucius l'en a loué.

Meng tzcu dit : « Iu, Heou tsi et Ien Houei avaient tous trois les mêmes principes (ils pensaient que le sage doit travailler à se perfectionner lui-même, quand il demeure dans la vie privée, et à aider le peuple, quand il exerce une charge). Iu pensait que, si dans l'empire quelqu'un était noyé, lui-même serait aussi coupable que s'il l'avait noyé. Tsi croyait que, si dans l'empire quelqu'un souffrait de la faim, lui-même serait aussi coupable que s'il le faisait souffrir de la faim. C'est pour cette raison que Iu et Heou tsi ont été si diligents. Si Iu, Heou tsi et Ien Houei s'étaient trouvés tous trois dans les mêmes circonstances, ils auraient agi tous trois de la même manière.

« Supposons que des personnes de ma maison se battent entre elles. Je les séparerai ; je puis y courir, même quand j'aurais les cheveux en désordre sous mon bonnet. Si des personnes de mon village, des voisins se battent entre eux, et que j'aille les séparer, sans prendre le temps de lier ma chevelure, je commettrai une méprise ; je puis même fermer ma porte. (Iu et Tsi, étant chargés du soin de tout l'empire, devaient considérer tout l'empire comme leur propre famille, et aider tout le monde. Ien Houei, étant simple particulier, n'avait pas la même obligation). »

30. Koung tou tzeu dit : « Tous les habitants de la principauté *de Ts'i* disent que K'ouang Tchang manque de piété filiale. Vous, maître, vous avez des relations avec lui. Vous allez plus loin : vous le recevez même avec honneur et politesse. Permettez moi de vous en demander la raison. »

Meng tzeu répondit : « On dit communément que cinq choses sont contraires à la piété filiale. La première est de se plonger dans l'oisiveté, et de négliger entièrement le soin de ses parents. La deuxième est de s'adonner au jeu de tablettes, au jeu des échecs, à la boisson, et de négliger entièrement le soin de ses parents. La troisième est d'aimer les richesses, de s'occuper uniquement de sa femme et de ses enfants, et de négliger entièrement le soin de ses parents. La quatrième est de donner toute liberté à ses yeux et à ses oreilles, et de faire le déshonneur de ses parents. La cinquième est d'aimer à faire parade de bravoure, de se battre, de disputer, et de mettre ainsi ses parents en danger. Tchang tzeu est il coupable de l'une de ces cinq fautes ?

« Tchang tzeu et son père se sont remontré l'un à l'autre leurs défauts ; par suite, la bonne intelligence a été rompue, (le père a chassé le fils). La correction mutuelle entre amis est un devoir ; entre un père et son fils, elle diminue beaucoup la bienveillance. Est ce que Tchang tzeu n'aurait pas désiré conserver entre lui et sa femme, entre sa femme et son fils les relations habituelles ? Parce qu'il avait offensé son père et ne pouvait plus l'approcher, (il voulut se punir de sa faute), il renvoya sa femme, éloigna son fils, et se priva de leurs soins pour toujours. Il se persuada qu'il serait coupable d'un grand crime, s'il n'agissait pas ainsi. Voilà toute l'affaire de Tchang tzeu. »

31. Lorsque Tseng tzeu demeurait à Ou tch'eng, survint une bande de pillards de la principauté de Iue. Quelqu'un lui dit : « Des brigands sont arrivés ; pourquoi ne vous en allez vous pas ? » (En partant), il dit (au gardien de sa maison) : « Ne logez personne dans ma maison de peur qu'on ne détruise ou qu'on ne casse les arbres et les autres plantes. » Lorsque les pillards se retirèrent, il envoya dire (au gardien de sa maison) : « Faites réparer les murs et les bâtiments ; je serai bientôt de retour. » Les pillards s'étant retirés, Tseng tzeu retourna à Ou tch'eng. Ceux qui l'entouraient, se dirent entre eux : « (Le grand préfet de la ville) avait traité notre maître avec tant de bienveillance et de respect ! A l'arrivée des pillards, il a fui le premier et donné le mauvais exemple au peuple. A leur départ, il est revenu. Cette conduite ne paraît pas convenable. »

Chenn iou Hing dit : « Vous n'y entendez rien. Autrefois, les porteurs d'herbe s'ameutèrent contre le chef de ma famille. Notre maître *Tseng tzeu* avait soixante dix disciples. Aucun d'eux n'aida (à calmer l'émeute). *Au contraire*, lorsque Tzeu seu était dans la principauté de Wei, il vint des pillards de la principauté de Ts'i. Quelqu'un dit à Tzeu seu : « Des pillards sont arrivés ; pourquoi ne vous en allez vous pas ? » Tzeu seu répondit : « Si je m'en vais, qui gardera la principauté avec le prince ? »

Meng tzeu dit : « Tseng tzeu et Tzeu seu avaient les mêmes principes. Mais Tseng tzeu enseignait en qualité de maître ; il était comme le père ou le frère aîné du prince ; (or nul ne doit s'immiscer dans les affaires difficiles d'un autre qui est au-dessous de lui). Au contraire, Tzeu seu était le sujet du prince de Wei ; il était au dessous de lui, (un sujet doit servir son prince). Si Tseng tzeu et Tzeu seu s'étaient trouvés à la place l'un de l'autre, l'un aurait fait ce que l'autre a fait. »

32. Tch'ou tzeu (ministre du prince de Ts'i) dit : « Maître, le roi a donné ordre de vous épier, et de voir si vous différez des autres hommes. » « En quoi différerais-je des autres hommes ; répondit Meng tzeu ? Iao et Chouenn étaient semblables aux autres hommes. »

33. Un homme de Ts'i avait une femme et une concubine, avec lesquelles il vivait. Quand il sortait, toujours il se gorgeait de vin et de viande, disait il. A son retour, si sa femme lui demandait quels étaient ceux avec qui il avait bu et mangé, c'étaient, à l'entendre, des hommes tout à-fait riches et honorables. Sa femme en parla à sa concubine. « Quand notre mari sort, dit elle, *à l'en croire* , il se gorge toujours de vin et de viande. A son retour, si je lui demande quels sont ceux avec qui il a bu et mangé, ce sont, *dit-il* , des hommes tout à fait riches et honorables ; cependant aucun homme distingué n'est encore venu ici. Je l'épierai, pour savoir où il va. »

Le matin, en se levant, elle suivit doucement les pas de son mari. Celui-ci parcourut la ville, et personne ne s'arrêta pour lui parler. Enfin il alla trouver des hommes qui faisaient des offrandes aux morts au milieu des tombes près du faubourg oriental, mendia les restes ; et comme ils ne lui suffirent pas, il regarda autour de lui, et alla en d'autres endroits. C'était par ce moyen qu'il parvenait à se rassasier. Sa femme, de retour à la maison, informa la concubine. « Notre mari, dit elle, était tout notre espoir pour la vie ; à présent, voilà ce qu'il fait. » Elle dénigra son mari avec la concubine, et toutes deux pleurèrent ensemble dans la salle. Le mari ne savait pas (qu'il avait été épié par sa femme). Il rentra avec un air joyeux, et se montra fier en présence de sa femme et de sa concubine.

A juger les choses d'après les principes de la sagesse, il est peu d'hommes dont la femme et la concubine n'auraient pas à rougir et à pleurer, en voyant les moyens qu'ils emploient pour avoir des richesses, des honneurs, du profit et de l'avancement.

LIVRE V. WAN TCHANG

CHAPITRE I

1. Wan Tchang dit : « Chouenn, allant cultiver ses champs, criait, pleurait, implorait la compassion du Ciel. Pourquoi ces cris et ces pleurs ? » « Pour exprimer une plainte et un désir, répondit Meng tzeu. » « Un fils qui se voit aimé de ses parents, reprit Wan Tchang, est heureux de leur affection, et ne les oublie jamais. Un fils qui n'est pas aimé de ses parents, supporte de leur part les plus mauvais traitements sans se plaindre. Est ce que Chouenn se plaignait ? »

Meng tzeu répondit : « Tchang Si dit à Koung ming Kao : « Vous m'avez expliqué comment Chouenn allait cultiver lui-même la terre ; mais je ne comprends pas pourquoi il pleurait, et poussait des cris vers le Ciel miséricordieux et vers ses parents. », Koung ming Kao répondit : « Vous ne pouvez pas le comprendre (la parfaite piété filiale dépasse l'intelligence des hommes ordinaires) : » Koung ming Kao pensait qu'un bon fils ne pouvait pas se consoler si facilement (de n'avoir pas l'affection de ses parents ; que Chouenn s'accusait lui-même, et se disait) : « Je travaille de toutes mes forces à cultiver la terre ; en cela je ne fais que remplir mon devoir de fils. Mais quel défaut mes parents trouvent ils en moi pour ne pas m'aimer ? »

« Chouenn travaillait au milieu des champs. L'empereur Iao mit à son service ses enfants, neuf fils et deux filles, tous ses officiers, ses bœufs, ses brebis, ses magasins, ses greniers ; rien ne manquait. Les lettrés de l'empire se donnèrent à lui en grand nombre. L'empereur voulait d'abord gouverner avec lui l'empire, puis le lui céder entièrement. Parce que Chouenn ne parvenait pas à faire naître dans le cœur de ses parents des sentiments conformes aux siens, il se trouvait comme un homme sans ressource qui ne sait à qui avoir recours.

« Plaire aux lettrés de l'empire, est une chose qui flatte le cœur ; cela ne suffit pas pour dissiper la peine de Chouen. La beauté est une chose qui excite les désirs des hommes. Chouenn épousa les deux filles de l'empereur ; cela ne suffit pas pour dissiper sa peine. L'opulence est une chose que les hommes désirent. Chouenn posséda l'empire ; cela ne suffit pas pour dissiper sa. peine. La grandeur est une chose que les hommes désirent. Chouenn eut la dignité impériale ; cela ne suffit pas pour dissiper sa peine. La faveur des hommes, la beauté, les richesses, les honneurs ne suffirent pas pour dissiper sa peine. Obtenir que ses parents prissent des sentiments conformes aux siens, était la seule chose qui pût dissiper sa peine.

« Un enfant donne toute son affection à ses parents. Lorsqu'il commence à sentir les attraits de la beauté, il aime les jeunes filles. Lorsqu'il a une femme et des enfants, il aime sa femme et ses enfants. Lorsqu'il remplit une charge, il aime son prince ; s'il n'obtient pas les bonnes grâces du prince, un feu intérieur le dévore. Un bon fils aime ses parents de tout son cœur jusqu'à la mort. Je vois dans le grand Chouenn l'exemple d'un homme qui aima ainsi ses parents jusqu'à l'âge de cinquante ans. »

2. Wan Tchang interrogeant Meng tzeu, dit : « On lit dans le Cheu King : « Que doit faire celui qui veut se marier ? Il doit avertir ses parents. » Chouenn aurait dû suivre ce précepte mieux que personne. Pourquoi a-t-il contracté mariage sans avertir ses parents ? » « S'il les avait avertis, répondit Meng tzeu, (il n'aurait pas obtenu leur consentement), il n'aurait pu se marier. Que l'homme et la femme habitent ensemble, c'est l'une des cinq grandes lois de l'humanité. S'il avait averti ses parents, il aurait violé une grande loi, et encouru l'indignation de ses parents (qui se seraient plaints de n'avoir pas de descendants). Voilà pourquoi il ne les a pas avertis. »

« Vous m'avez expliqué, dit Wan Tchang, pourquoi Chouenn a contracté mariage sans avertir ses parents. Mais pourquoi l'empereur a-t-il donné ses filles en mariage à Chouenn sans avertir les parents de son futur gendre ? » Meng tzeu répondit : « L'empereur, lui aussi, savait que, s'il les avertissait, il ne pourrait pas lui donner ses filles en mariage. »

Wan Tchang dit : « Chouenn (déjà associé à l'empire) fut chargé par ses parents d'arranger un grenier. (Quand il y fut monté) et que l'échelle eut été retirée, Kou seou mit le feu au grenier. (Chouenn se protégea contre le feu au moyen de deux claies, et descendit sain et sauf). Ils lui ordonnèrent de nettoyer un puits. (Après y être descendu), il en sortit (par une ouverture latérale secrète. Son père Kou seou et son frère cadet Siang, croyant qu'il était encore dans le puits, y jetèrent de la terre), pour le faire périr. Ensuite, Siang (pensant qu'il était mort, se glorifia de soit crime et) dit : « Le projet de faire périr sous un amas de terre le prince de la nouvelle capitale est mon œuvre, et j'en ai tout le mérite. (Tout ce que l'empereur lui a donné sera à mes parents et à moi). Les bœufs et les brebis, les magasins et les greniers seront à mes parents. Le bouclier et la lance, la guitare et l'arc orné de sculptures seront à moi. Mes deux belles sœurs (filles de Iao) seront chargées d'arranger ma couche. »

« Aussitôt Siang entra dans la maison de Chouenn. Il le trouva assis sur son lit et jouant de la guitare. (Usant de dissimulation) il lui dit : « Mon esprit était tout occupé de vous. » Et il rougit de honte. Chouenn (heureux de voir son frère) lui dit : « Dirigez vous même pour moi tous ces officiers. » Je ne sais si Chouenn ignorait que Siang eût voulu lui donner la mort. Comment l'aurait il ignoré, répondit Meng tzeu ? Mais Chouenn partageait les tristesses et les joies de Siang. »

« Mais alors, dit Wan Tchang, la joie de Chouenn n'était elle pas feinte ? » « Non, répondit Meng tzeu. Autrefois, quelqu'un ayant donné des poissons vivants à Tzeu tch'an, grand préfet de Tcheng, Tzeu tch'an confia au gardien de son vivier le soin de les nourrir. Le gardien du vivier les fit cuire. Puis, rendant compte à son maître de l'exécution de ses ordres, il lui dit : « Quand je les ai lâchés dans l'eau, ils paraissaient engourdis ; bientôt, ils se remuèrent, et reprenant des forces, ils s'en allèrent. » Tzeu tch'an répondit : « Ils ont trouvé leur élément ; ils ont trouvé leur élément. » Le gardien du vivier étant sorti, dit : « Qui dira que Tzeu tch'an est perspicace ? J'ai fait cuire et j'ai mangé ses poissons. Il dit : « Ils ont trouvé leur élément ; ils ont trouvé leur élément. » Ainsi, on peut tromper le sage et lui faire croire une chose vraisemblable ; mais on ne lui ferait pas croire une chose contraire à la raison. Siang avait abordé Chouenn avec l'apparence d'un frère qui aime son frère. Chouenn n'eut aucune défiance, et se réjouit de le voir. Où est la dissimulation ? »

3. Wan Tchang, interrogeant Meng tzeu, dit : « Siang chaque jour faisait sa principale affaire d'attenter à la vie de Chouenn. Pourquoi Chouenn, devenu empereur, s'est il contenté de le bannir ? » « Il lui donna un fief, répondit Meng tzeu. On a dit qu'il l'avait banni. »

« Chouenn, dit Wan Tchang, relégua le ministre des travaux publics dans le Iou tcheou ; il relégua Houan teou au pied du mont Tch'oung ; il mit à mort le prince de San miao à San wei ; il envoya K'ouenn en exil au pied du mont Iu. Il châtia ces quatre coupables, et tout l'empire l'approuva ; car il avait puni des hommes qui n'avaient pas d'humanité ? *Mais* Siang était le plus inhumain des hommes ; Chouenn lui donna en fief la terre de Iou pi. Quel crime les habitants de Iou pi avaient-ils commis (pour mériter d'être livrés à un scélérat) ? Un homme vraiment humain agit il ainsi ? Aux autres coupables il a infligé des châtiments ; à son frère il a donné un fief. »

« Un homme vraiment humain, répondit Meng tzeu ne garde pas de colère et ne conserve pas de ressentiment contre son frère ; il n'a pour lui que de l'affection et de la tendresse. Parce qu'il l'aime, il désire qu'il soit élevé en dignité ; parce qu'il le chérit, il désire qu'il soit riche. Chouenn donna Iou pi à son frère pour lui procurer des honneurs et des richesses. Il était empereur ; s'il avait laissé son frère dans la vie privée, aurait-on pu dire qu'il l'aimait et le chérissait ? »

(Wan Tchang dit) : « Permettez moi de vous demander dans quel sens on a dit que Chouenn avait exilé son frère. » Meng tzeu répondit : « Chouenn ne permit pas à Siang de gouverner lui-même ; mais il chargea un officier de gouverner à la place de Siang, et de remettre à celui-ci, le produit des tributs et des taxes du fief. C'est pour cela qu'on a dit qu'il avait exilé son frère. Comment aurait-il pu permettre à Siang d'opprimer les habitants de Iou pi ? Cependant Chouenn désirait le voir fréquemment ; et Siang allait le voir continuellement. (On lit dans une ancienne histoire) : « Chouenn recevait le prince de Iou pi, sans attendre l'époque du tribut, et sans qu'il y eût aucune affaire publique à traiter. » Ce témoignage confirme ce que j'ai dit. »

4. Hien k'iou Moung interrogeant Meng tzeu, dit : « On dit communément qu'un lettré d'une vertu éminente ne peut être traité comme un sujet par son prince, ni comme un fils par son père (ou bien, ne peut traiter son prince comme son sujet, ni son père comme son fils). Pendant que Chouenn se tenait le visage tourné vers le midi (en qualité d'empereur), Iao à la tête des princes, se tenait le visage tourné vers le nord, et le saluait (comme l'aurait fait un vassal). Kou seou, son *père* , le saluait aussi (comme l'aurait fait un simple sujet), le visage tourné vers le nord. Chouenn, en voyant Kou seou (le saluer ainsi), paraissait embarrassé. Confucius disait : « A cette époque, l'empire était en danger, il menaçait ruine. » Je ne sais si cela est vrai. »

« Non, répondit Meng tzeu. Ces paroles n'ont pas été dites par un sage, mais par les villageois de la partie orientale de Ts'i. Lorsque Iao fut devenu vieux, Chouenn partagea avec lui le gouvernement (sans être empereur). Dans la Règle de Iao il est dit : « Vingt huit ans (après que Chouenn eût été associé à l'empire), le Bien méritant (l'empereur Iao) mourut. Les habitants du domaine impérial gardèrent le deuil durant trois ans, comme à la mort d'un père ou d'une mère. Dans tout l'empire, tous les instruments de musique cessèrent de se faire entendre. » *Lorsqu'un homme meurt, son âme raisonnable monte, et son âme sensitive descend. Pour dire mourir, les anciens disaient monter et descendre.* Confucius dit : « Le ciel n'a pas deux soleils ; le peuple n'a pas deux souverains. » Si Chouenn avait été déjà empereur, et qu'à la tête de tous les princes de l'empire, il eût dirigé le deuil durant trois ans après la mort de Iao, il y aurait eu deux empereurs. »

Hien k'iou Moung dit : « Chouenn n'a pas traité Iao comme un prince son sujet ; vous m'avez donné vos instructions sur ce point. Il est dit dans le Cheu King : « Sous le ciel il n'est pas d'endroit qui n'appartienne à l'empereur ; sur la terre il n'est personne qui ne soit le sujet de l'empereur. » Permettez moi de vous demander comment Kou seou a pu n'être pas le sujet *de son fils* , lorsque Chouenn fut devenu empereur. »

« Ces vers, répondit Meng tzeu, n'ont pas cette signification. Un officier accablé de fatigue au service de l'empereur, et ne pouvant donner ses soins à ses parents, dit : « Toutes ces affaires sont les affaires de l'empereur (et tous les habitants de l'empire sont les sujets de l'empereur). Moi seul je travaille, comme si j'avais seul assez d'habileté. (Pourquoi les autres ne travaillent-ils pas aussi comme moi) ? » Celui qui cite les vers, ne doit pas s'attacher à un mot, au détriment d'une phrase, ni s'attacher à une phrase, au détriment du sens général. Qu'il cherche le sens véritable par la réflexion, et il le trouvera. Ainsi dans l'ode de la *Voie lactée* il est dit : « De tous les hommes à la noire chevelure que les Tcheou avaient laissés, il ne reste plus un seul survivant. » Si l'on ne prend que cette phrase, et si l'on interprète à la rigueur le dernier mot, (Il faudra dire que sous Siuen wang) il ne restait plus aux Tcheou un seul sujet.

« Ce qu'un bon fils peut faire de plus grand pour ses parents, c'est de leur faire honneur. Ce qu'il peut faire de plus honorable pour eux, c'est de subvenir à leurs besoins avec les revenus de l'empire. (Grâce à Chouenn, Kou seou) est devenu le père de l'empereur ; un fils ne pouvait faire plus d'honneur à son père. Chouenn pourvut à l'entretien de Kou seou avec les revenus de l'empire ; c'est la plus noble manière de nourrir ses parents. On lit dans le Cheu King : Il conserva toujours en son cœur des pensées filiales ; par là il est devenu le modèle (des âges à venir). Ces vers expriment ce qu'a fait Chouenn. Les Annales disent : Chouenn servait Kou seou avec respect ; il allait le voir, toujours attentif et plein de crainte. Kou seou lui-même cédait à ses avis avec confiance. (D'ordinaire, le père règle la conduite de son fils. Ici ce fut le fils qui détermina le père à se corriger). Dans ce sens il est vrai de dire qu'un homme d'une vertu éminente ne peut être traité comme un fils par son père. »

5. Wan Tchang dit : « N'est il pas vrai que Iao a donné l'empire à Chouenn ? » « Non, répondit Meng tzeu ; l'empereur ne peut donner l'empire à personne. » « Mais Chouenn a eu l'empire, reprit Wang Tchang ; qui le lui a donné ? » « Le Ciel, dit Meng tzeu. » Wan Tchang

dit : Le Ciel, pour lui donner l'empire, lui a-t-il fait connaître « sa volonté par des avis réitérés ? » « Non, répondit Meng tzeu ; le Ciel ne parle pas. Il a fait connaître sa volonté à Chouenn en l'aidant à régler parfaitement sa conduite et son administration. »

Wan Tchang dit : « Comment le Ciel a-t-il manifesté sa volonté à Chouenn en l'aidant à régler parfaitement sa conduite et son administration ? » Meng tzeu répondit : « L'empereur peut proposer quelqu'un au Ciel (pour la dignité impé-riale) ; mais il n'a pas le pouvoir d'obliger le Ciel à lui donner l'empire. Un prince peut présenter quelqu'un à l'empereur (pour la dignité de prince) ; mais il n'a pas le pouvoir d'obliger l'empereur à la lui donner. Un grand préfet peut présenter quelqu'un au prince (pour la dignité de grand préfet) ; mais il n'a pas le pouvoir d'obliger le prince à la lui donner. Iao proposa Chouenn au Ciel, et le Ciel l'agréa ; il le présenta au peuple, et le peuple l'agréa. C'est pourquoi j'ai dit que le Ciel ne parle pas, qu'il a fait connaître sa volonté à Chouenn en l'aidant à régler parfaitement sa conduite et son administration. »

Wan Tchang dit : « Permettez-moi de vous demander de quelle manière Iao proposa Chouenn au Ciel et le présenta au peuple, et comment le Ciel et le peuple ont manifesté qu'ils l'acceptaient. » Meng tzeu répondit : « Iao ordonna à Chouenn de présider aux sacrifices, et tous les esprits agréèrent ses offrandes ; le Ciel manifesta ainsi qu'il l'acceptait. Iao lui ordonna d'administrer les affaires publiques ; les affaires furent bien réglées, et le peuple eut confiance en lui ; c'est ainsi que le peuple manifesta son acceptation. Le Ciel donna l'empire à Chouenn ; les hommes aussi le lui donnèrent. Comme je l'ai dit, l'empereur ne peut donner l'empire à personne.

« Chouenn aida Iao à gouverner durant vingt huit ans ; c'est ce qu'un homme n'aurait pu faire ; ce fut l'œuvre du Ciel. Après la mort de Iao, quand les trois ans de deuil furent accomplis, Chouenn s'éloigna du fils de Iao (pour lui laisser le pouvoir souverain) et se retira au sud de la rivière méridionale. Les princes de l'empire, qui étaient obligés de se rendre à la cour et de saluer l'empereur, allèrent trouver Chouenn, et non le fils de Iao. Les plaideurs s'adressèrent à Chouenn, et non au fils de Iao.

Ceux qui exécutaient des chants, célébrèrent les louanges de Chouenn, et non celles du fils de Iao. C'est pourquoi j'ai dit que ce fut l'œuvre du Ciel. Chouenn alla ensuite à la capitale, et occupa le trône impérial. S'il était resté dans le palais de Iao, et qu'il eût fait violence au fils de Iao, il aurait eu l'empire par usurpation, et non par la faveur du Ciel. Il est dit dans la Grande Déclaration : « Le Ciel voit comme mon peuple voit ; le Ciel entend comme mon peuple entend. » Ces paroles confirment ce que j'ai dit. »

6. Wan Tchang interrogeant Yang tzeu, dit : « On dit communément que Iu étant moins vertueux (que ses prédécesseurs), quand ce fut à lui de transmettre l'empire, il le donna, non pas au plus digne, mais à son fils. Est ce vrai ? » « Non, répondit Meng tzeu. L'empire est donné au plus digne, quand le Ciel le donne au plus digne, et au fils de l'empereur précédent, quand le Ciel le donne au fils de l'empereur précédent. Autrefois Chouenn proposa Iu au Ciel pour la dignité impériale. Dix sept ans après, Chouenn mourut. Quand les trois années de deuil furent révolues, Iu s'éloigna du fils de Chouenn (pour lui laisser l'empire), et se retira dans la terre de Iang tch'eng. Tout le peuple le suivit, comme après la mort de Iao il avait suivi Chouenn, et non le fils de Iao.

« Iu proposa I au Ciel pour la dignité impériale. Sept ans après, Iu mourut. Les trois années de deuil écoulées, I s'éloigna du fils de Iu (nommé K'i, pour lui laisser l'empire, et se retira) au nord du mont Ki. *Les princes* qui devaient aller saluer l'empereur, et tous ceux qui avaient des procès, au lieu de s'adresser à I, s'adressèrent à K'i ; ils disaient : « C'est le fils de notre souverain. Ceux qui exécutaient ensemble des chants, au lieu de chanter les louanges de I, chantaient les louanges de K'i ; ils disaient : « C'est le fils de notre souverain. »

« Tan tchou (fils de Iao) n'était pas semblable à son père ; le fils de Chouenn (Chang kiun) ne ressemblait pas non plus à son père. Chouenn avait aidé Iao, et Iu avait aidé Chouenn dans le gouvernement, durant une longue suite d'années ; ils avaient fait du bien au peuple pendant longtemps. K'i était vertueux et capable ; il pouvait recevoir avec respect l'héritage de Iu et marcher sur ses traces. I avait aidé Iu durant peu d'années ; il n'avait pas rendu service au peuple depuis longtemps. Que Chouenn et Iu aient servi leur pays beaucoup plus longtemps que I, que les fils des empereurs (Iao, Chouenn et Iu) n'aient pas été également capables ; c'est le Ciel qui a fait tout cela ; les hommes ne l'auraient pu faire. Ce qui se fait sans qu'aucun homme y mette la main, est l'œuvre du Ciel. Ce qui arrive sans que personne l'attire, est ordonné par le Ciel.

« Pour qu'un simple particulier obtienne l'empire, il faut que sa vertu égale celle de Chouenn et de Iu, de plus, il faut que l'empereur le propose au Ciel. C'est pour cette raison (c'est parce qu'il n'a pas été présenté au Ciel par l'empereur) que Confucius n'a pas obtenu l'empire. Pour qu'un prince, après avoir reçu l'empire en héritage, soit rejeté par le Ciel, il faut qu'il soit aussi méchant que Kie et Tcheou. C'est pour cette raison (c'est parce que les fils des empereurs précédents étaient capables de régner) que I, I in et Tcheou koung n'ont pas obtenu l'empire.

« I in aida si bien T'ang que T'ang étendit son pouvoir sur tout l'empire. Après la mort de T'ang, (son fils aîné) T'ai ting (mourut lui-même) avant d'être nommé empereur. Wai ping (deuxième fils de T'ang) régna deux ans (ou, selon Tch'eng tzeu, n'avait que deux ans et ne fut pas reconnu empereur). Tchoung jenn (troisième fils de T'ang) régna quatre ans (ou, d'après Tchen tzeu, n'avait que quatre ans et ne fut pas empereur) : T'ai kia (fils de T'ai ting, ayant été créé empereur) bouleversa les statuts et les lois de T'ang. I in le plaça pour trois ans à T'oung (auprès du tombeau de T'ang). T'ai kia se repentit de ses fautes, s'accusa lui-même et se corrigea. A T'oung, il entretint en son cœur des sentiments d'humanité, changea de conduite et pratiqua la justice pendant trois ans, avec une parfaite docilité aux enseignements de I in. Ensuite il retourna à Pouo, sa capitale.

« Tcheou koung n'a pas eu la dignité impériale pour la même raison que I ne l'avait pas cue sous les Hia, ni I in sous les In. Confucius dit : « Iao et Chouenn ont donné l'empire aux plus dignes ; les Hia, les In et les Tcheou l'ont transmis à leurs fils. La raison de leur conduite a été la même (à savoir, la volonté du Ciel). »

7. Wan Tchang interrogeant Meng tzeu, dit : « On dit que I in gagna les bonnes grâces de T'an par son talent de cuisinier. Est ce vrai ? » « Non, répondit Meng tzeu, ce n'est pas vrai. I in cultivait la terre dans la plaine de Chenn, et faisait ses délices des principes de Iao et de Chouenn. Si, contrairement aux principes de justice suivis par Iao et Chouenn ou contrairement à leur doctrine, on lui avait offert l'empire ou mille attelages de quatre chevaux, il n'aurait pas voulu regarder un tel présent. Il n'aurait rien donné ni rien reçu, pas même un brin de paille, si c'eût été contraire aux principes de justice suivis par Iao et Chouenn ou contraire à leur doctrine.

« T'ang envoya des messagers avec des présents pour l'inviter (à la cour et lui proposer une charge). I in, avec l'air d'un homme content de son sort, répondit : « Que ferais je des présents de T'ang ? Le mieux pour moi n'est il pas de rester au milieu des champs et des canaux, et d'y faire mes délices des principes de Iao et de Chouenn ? »

« T'ang envoya trois fois des messagers pour l'inviter. Enfin il changea de résolution et dit : « Au lieu de rester au milieu des sillons et des canaux, et, d'y faire mes délices de la doctrine de Iao et de Chonenn, n'est-il pas mieux de faire de ce prince un souverain qui gouverne selon les principes de Iao et de Chouenn ? N'est-il pas mieux de faire de ce peuple un peuple semblable à celui de Iao et de Chouenn ? N'est-il pas préférable pour moi de voir, de mon vivant et de mes propres yeux, cette transformation (que d'en parler et de l'espérer seulement) ? Le Ciel, en créant le genre humain, a voulu que ceux qui parviendraient les premiers à la connaissance des principes de la sagesse, les enseignassent à ceux qui devraient les connaître plus tard ; et que ceux qui les comprendraient les premiers les fissent comprendre à ceux qui devraient les comprendre plus tard. Je suis de ceux qui les ont compris les premiers ; je vais les enseigner aux autres. Si je n'enseigne les autres, qui les enseignera ?

« I in pensait que si dans l'empire, même parmi les simples particuliers, il en était qui ne jouissent pas des bienfaits dont les sujets de Iao et de Chouenn avaient joui, lui-même serait aussi coupable que s'il les avait poussés et jetés dans les fossés. C'est ainsi qu'il prenait sur lui et portait le fardeau de l'empire. Il alla donc trouver T'ang, et l'engagea à attaquer Hia (l'empereur Kie), et à délivrer le peuple de ce tyran.

« Je n'ai jamais entendu dire que quelqu'un ait réformé les autres en se déformant lui-même ; encore moins, qu'il ait réformé l'empire en se déshonorant lui-même. Les sages n'ont pas tenu tous la même conduite. Les uns vivaient loin de la cour, les autres près ; les uns ont quitté leurs charges, les autres les ont gardées. Mais tous se sont appliqués également à se préserver de toute tache. J'ai entendu dire que I in avait gagné les bonnes grâces de T'ang par son attachement aux principes de Iao et de Chouenn ; mais non par son habileté dans l'art culinaire. Dans les Instructions de I in il est dit : « Le Ciel, voulant châtier *Kie*, a commencé l'attaque dans le palais de Mou ; moi I in, j'ai commencé à aider T'ang à Pouo. »

8. Wan Tchang interrogeant Meng tzeu, dit : « On rapporte que Confucius reçut l'hospitalité, dans la principauté de Wei, chez un chirurgien royal qui traitait les furoncles, et dans la principauté de Ts'i, chez l'eunuque Tsi Houan. Est ce vrai ? » « Non ; répondit Meng tzeu. Des amateurs de contes ont inventé celui-là.

« Dans la principauté de Wei il logea chez le grand préfet Ien Tch'eou iou, La femme de Mi tzeu et celle de Tzeu lou étaient sœurs. Mi tzeu dit à Tzeu lou : « Si Confucius logeait chez moi, il pourrait obtenir la dignité de ministre de Wei. » Tzeu lou avertit Confucius. Confucius répondit : « C'est le Ciel (qui donne ou refuse les charges). » Confucius acceptait et quittait les charges selon qu'il convenait. Qu'il eût une charge ou qu'il n'en eût pas, il disait toujours : « C'est la volonté du Ciel. » Mais qu'il reçût l'hospitalité chez un chirurgien qui soignait les furoncles, ou chez l'eunuque Tsi Houan, cela n'était ni convenable ni voulu par le Ciel.

« Lorsque Confucius, peu satisfait dans les principautés de Lou et de Wei, (se retira dans celle de Soung), il se trouva exposé aux embûches de Houan, ministre de la guerre qui voulut l'arrêter et le mettre à mort. Déguisé en villageois, il traversa la principauté de Soung. Bien qu'il fût alors dans l'embarras, il logea chez le commandant de place Tcheng tzeu, qui était au service de Tcheou, prince de Tch'enn.

« J'ai entendu dire qu'on pouvait apprécier les ministres qui demeurent à la cour par la qualité des hôtes qu'ils reçoivent, et les ministres qui sont en pays étrangers, par la qualité des hôtes qui les reçoivent. Si Confucius avait reçu l'hospitalité chez un chirurgien qui traitait les furoncles ou chez l'eunuque Tsi Houan, aurait il été Confucius ? »

9. Wan Tchang interrogeant Meng tzeu, dit : « On rapporte que Pe li Hi se vendit lui-même pour cinq peaux de brebis à un éleveur de bestiaux de Ts'in, nourrit les bœufs de son maître, et gagna ainsi les bonnes grâces de Mou, prince de Ts'in. Est ce vrai ? » « Non, répondit Meng tzeu, ce n'est pas vrai. Un amateur de fables aura inventé celle là. Pe li Hi était de la principauté de Iu. Les officiers du prince de Tsin offrirent des pierres précieuses venues de Tch'ouei ki et des attelages de quatre chevaux venus de Kiue, pour que le prince de Iu leur permît de traverser ses États, afin d'aller attaquer la principauté de Kouo. Koung Tcheu k'i fit des représentations au prince de Iu ; Pe li Hi n'en fit pas.

« Sachant qu'elles seraient inutiles, il quitta son pays et alla à Ts'in ; il avait alors soixante dix ans. A cet âge, s'il avait ignoré qu'il eut été honteux de rechercher les bonnes grâces de Mou, prince de Ts'in, en nourrissant des bœufs, pourrait-on dire qu'il fût sage ? Voyant que ses représentations seraient inutiles, il n'en fit pas ; peut-on dire qu'il n'a pas été sage ? Sachant que le prince de Iu courait à sa perte, il le quitta d'avance ; on ne peut pas dire qu'il ait manqué de prudence.

« Alors une charge lui fut offerte dans la principauté de Ts'in. Voyant qu'avec le prince Mou il pourrait faire de grandes choses, il se mit à son service ; peut-on dire qu'il n'a pas été sage ? Devenu ministre de ce prince, il rendit son règne glorieux dans tout l'empire et à jamais mémorable. S'il n'avait pas été vertueux et capable, aurait-il pu le faire ? Pour ce qui est de se vendre afin d'aider ensuite son prince à bien gouverner, un villageois qui se respecte ne le ferait pas. Dira-t-on qu'un sage l'a fait ? »

CHAPITRE II.

1. Meng tzeu dit : « Pe i ne permettait ni à ses yeux de voir ni à ses oreilles d'entendre rien de mal. Il n'aurait pas servi un prince qu'il n'aurait pas cru estimable, ni gouverné des hommes qu'il n'aurait pas jugés dignes de ses soins. En temps de paix intérieure, il acceptait une charge ; en temps de trouble, il la quittait. Il n'aurait pu supporter le séjour d'une cour, où le gouvernement aurait été arbitraire, ni d'un pays dont les habitants auraient été vicieux. S'il s'était trouvé avec des villageois, il se serait cru souillé, comme si, en robe de cour et en chapeau de cérémonie, il s'était assis dans un amas de fange ou de charbon. Sous le règne de Tcheou, il alla demeurer, au nord sur le rivage de la mer, en attendant que l'empire fût exempt de souillure. Le récit des actions de Pe i rend sages (et désintéressés) les hommes insensés (et cupides) ; il inspire des résolutions courageuses aux cœurs les plus timides.

« I in disait : « Le prince que je sers, quel qu'il soit, n'est il pas mon prince ? Les sujets que je gouverne, quels qu'ils soient, ne sont ils pas mes sujets ? » En temps de paix intérieure, il acceptait les charges ; en temps de trouble, il les acceptait aussi. Le Ciel, en créant le genre humain, disait-il, a voulu que ceux qui connaîtraient les premiers les préceptes de la sagesse, les enseignassent aux autres, et que ceux qui les comprendraient les premiers, les fissent comprendre aux autres. Je suis l'un de ceux qui ont compris les premiers les vrais principes ; je veux les faire comprendre aux autres. Il pensait que, si dans l'empire, même parmi les simples particuliers, quelques uns ne jouissaient pas de tous les bienfaits dont le peuple jouissait sous Iao et Chouenn, lui-même serait aussi coupable que s'il les avait poussés et jetés dans les fossés. Il prenait sur lui tout le fardeau de l'empire.

« Houei de Liou hia ne rougissait pas de servir un prince vicieux ; il ne refusait pas un bas emploi. Lorsqu'il était en charge, il déployait toute sa sagesse, toujours conformément à ses excellents principes. Laissé dans la vie privée, il ne se plaignait de personne. Dans les circonstances difficiles, dans le dénûment, il n'éprouvait pas de tristesse. Au milieu des villageois, il était content et ne pouvait se résoudre à les quitter. *Il se disait* : « Vous et moi, nous sommes deux hommes distincts. Quand vous seriez à mon côté, les bras découverts et même sans aucun vêtement, votre présence peut elle me souiller ? » Le récit des actions de Houei de Liou hia élargit les cœurs étroits, et porte les avares à pratiquer la libéralité.

« Confucius, quittant la principauté de Ts'i, saisit un peu de riz lavé (sans attendre qu'il fût cuit), et se hâta de partir. En quittant la principauté de Lou, il dit : « Je pars le plus tard possible. » Il convenait de ne pas se presser de quitter sa patrie. Quand il convenait de partir vite, il partait vite ; quand il convenait de demeurer longtemps, il demeurait longtemps ; quand il convenait de rester dans la vie privée, il restait dans la vie privée ; quand il convenait d'exercer une charge, il exerçait une charge. Tel était Confucius. »

Meng tzeu dit : « Pe i s'est signalé entre tous les sages par son horreur des moindres souillures, I in par sa facilité à accepter les charges, Houei de Liou hia par son caractère accommodant, Confucius par le soin de se régler d'après les circonstances.

« On peut dire que Confucius était semblable à une symphonie exécutée par les huit sortes d'instruments réunis. Quand on exécute une symphonie, les instruments de métal (les cloches) annoncent le commencement, et les instruments de pierre annoncent la fin. Les instruments de métal, annonçant l'ouverture de la symphonie, font commencer les accords particuliers de tous les instruments réunis, et les instruments de pierre, annonçant la fin, font cesser les accords de tous les instruments. Donner le signal au commencement, c'est le propre de la prudence ; donner le signal à la fin, c'est le propre de la parfaite sagesse.

« La prudence peut être comparée à la dextérité, et la sagesse à la force. Supposons que vous tiriez sur un objet à cent pas de distance. Si vous atteignez le but, c'est l'effet de votre force ; si vous frappez dans le milieu, ce n'est pas l'effet de votre force (mais de votre adresse). »

2. Pe koung I, interrogeant Meng tzeu, dit : « Quel a été l'ordre établi parmi les dignités et les domaines féodaux au commencement de la dynastie des Tcheou ? » Meng tzeu répondit : « Il est impossible de connaître les particularités de cet arrangement. Il déplut aux princes, parce qu'il mettait obstacle à leurs usurpations, et ils ont détruit tous les cahiers. Cependant j'en connais les principales dispositions. « (Dans l'em-

pire), on distinguait les dignités d'empereur, de *koung*, de *heou*, de *pe*, et celle de *tzeu* et de *nan*, qui était considérée comme une seule. Il y avait donc en tout cinq classes de dignités. (Dans chaque principauté ou domaine particulier, soit de l'empereur soit d'un autre prince), on distinguait les dignités de prince, de ministre d'État, de grand préfet, d'officier de première, de deuxième, de troisième classe : en tout, six degrés ou grades.

« D'après les règlements, l'empereur possédait un domaine carré (ou égal à un carré) ayant mille stades de chaque côté. Les *koung* et les *heou* possédaient chacun un domaine carré (ou équivalent à un carré) ayant cent stades de chaque côté ; les *pe*, un domaine carré (ou équivalent à un carré) ayant soixante dix stades de chaque côté ; les *tzeu* et les *nan*, un domaine carré ayant cinquante stades de chaque côté. Il y avait ainsi quatre classes de domaines. Un noble dont le domaine n'avait pas au moins cinquante stades en tous sens, n'avait pas accès auprès de l'empereur. Il se mettait sous la dépendance d'un *tchou heou* ; et son domaine s'appelait *fou ioung*, (c'est-à-dire mérites adjoints, parce que son nom, son prénom et le compte rendu de son administration étaient présentés à l'empereur par le *tchou heou* son suzerain).

« Dans le domaine propre de l'empereur, les ministres d'État avaient chacun un territoire égal à celui d'un *heou* ; les grands préfets, un territoire égal à celui d'un *pe* ; les officiers de première classe, un territoire égal à celui d'un *tzeu* ou d'un *nan*. Dans une grande principauté, dont le territoire avait cent stades en tous sens, les revenus du prince étaient dix fois plus considérables que ceux des ministres d'État. Ceux-ci recevaient quatre fois plus que les grands préfets ; les grands préfets, deux fois plus que les officiers de première classe ; les officiers de première classe, deux fois plus que les officiers de deuxième classe ; les officiers de deuxième classe, deux fois plus que les officiers de troisième classe. Les officiers de troisième classe recevaient autant que les hommes du peuple engagés dans les emplois publics. Les revenus de ces derniers étaient équivalents au produit des terres qu'ils auraient cultivées (s'ils n'avaient pas été occupés dans les emplois publics).

« Dans une principauté de second ordre, dont le territoire avait soixante dix stades en tous sens, le prince recevait dix fois plus que les ministres d'État ; les ministres d'État, trois fois plus que les grands préfets ; les grands préfets, deux fois plus que les officiers de première classe ; les officiers de première classe, deux fois plus que les officiers de deuxième classe ; les officiers de deuxième classe, deux fois plus que les officiers de troisième classe. Les officiers de troisième classe recevaient autant que les hommes du peuple engagés dans les emplois publics. Le traitement de ces derniers était équivalent au produit. des terres qu'ils auraient cultivées (s'ils n'avaient pas été dans les emplois publics).

« Dans une petite principauté, dont le territoire avait cinquante stades en tous sens, le prince recevait dix fois plus que les ministres d'État ; les ministres d'État, deux fois plus que les grands préfets ; les grands préfets, deux fois plus que les officiers de première classe ; les officiers de première classe, deux fois plus que les officiers de deuxième classe ; les officiers de deuxième classe, deux fois plus que les officiers de troisième classe. Le officiers de troisième classe recevaient autant que les hommes du peuple engagés dans les emplois publics. Le traitement de ces hommes du peuple était équivalent au produit des terres qu'ils auraient cultivées (s'ils n'avaient pas été occupés dans les emplois publics).

« Pour ce qui est des laboureurs, chaque père de famille avait cent arpents. Quand ces cent arpents étaient fumés, un laboureur très habile pouvait nourrir neuf personnes ; un autre un peu moins habile, huit personnes ; un laboureur médiocre, sept personnes ; un autre plus médiocre, six personnes ; le moins habile, cinq personnes. Le salaire des hommes du peuple engagés dans les emplois publics était réglé d'après les revenus de ces différentes classes de laboureurs. »

3. Wan Tchang interrogeant Meng tzeu, dit : « Je vous prie de m'exposer vos principes sur l'amitié. » Meng tzeu répondit : « A l'égard de ceux dont vous recherchez ou cultivez l'amitié, évitez de vous prévaloir de votre âge, de vos honneurs ou de la condition élevée de vos parents. Car être ami de quelqu'un, c'est aimer sa vertu ; et l'on ne doit se prévaloir de rien (pour se mettre au dessus de lui).

« Meng Hien tzeu, qui (était grand préfet dans la principauté de Lou et) entretenait cent chariots de guerre, eut cinq amis : Io tcheng K'iou, Mou Tchoung, et trois autres dont j'ai oublié les noms. Hien tzeu a pu jouir de leur amitié, parce que ces cinq hommes ne faisaient pas attention au rang de sa famille. Autrement, Hien tzeu n'aurait pu lier amitié avec eux.

« Non seulement le chef d'une famille qui entretenait cent chariots de guerre, a tenu cette conduite ; mais le chef d'une petite principauté a donné le même exemple. Houei, prince de Pi, disait : « Je traite Tzeu seu comme mon maître, Ien Pan comme mon ami, Wang Chouenn et Tchang Si comme mes serviteurs. »

« Non seulement un petit prince a donné cet exemple ; mais un grand prince a fait de même. P'ing, prince de Tsin, allait visiter Hai T'ang. T'ang lui disait d'entrer, il entrait ; T'ang lui disait de s'asseoir, il s'asseyait ; T'ang lui disait de manger, il mangeait. Même lorsque T'ang ne lui offrait qu'une nourriture grossière et du bouillon aux herbes, le prince mangeait toujours jusqu'à se rassasier. Car (docile aux volontés de T'ang), il ne se serait pas permis de ne pas manger assez pour se rassasier. Cependant, il s'en tint toujours là, et ne fit pas davantage (pour Hai T'ang). Il ne lui fit jamais part des dignités que le Ciel a établies, ne lui confia aucune des charges que le Ciel a instituées, ne lui donna aucun des traitements que le Ciel a fixés. Son respect a été le respect d'un officier pour un sage, mais non le respect d'un grand souverain ou d'un prince.

« Lorsque Chouenn alla à la cour, voir l'empereur Iao, l'empereur logea son gendre Chouenn dans le second palais. Lui-même allait s'asseoir à la table de Chouenn. Il était reçu chez Chouenn, et il le recevait à son tour. Ainsi, bien qu'il fût empereur, il se lia d'amitié avec un simple particulier. Le respect qu'on témoigne à un homme d'une condition plus élevée que soi, s'appelle honneur rendu à la dignité ou à la grandeur ; le respect qu'on témoigne à un homme d'une condition moins élevée que soi, s'appelle honneur rendu à la sagesse. L'honneur rendu à la dignité ou à la grandeur, et l'honneur rendu à la sagesse sont tous deux également conformes à la raison et à la justice. »

4. Wan Tchang, interrogeant Meng tzeu, dit : « Permettez moi de vous demander par quel sentiment les hommes se font entre eux des présents d'amitié. » « Par un sentiment de respect, répondit Meng tzeu. » « Pourquoi le refus absolu des présents, dit Wan Tchang, est il considéré comme un manque de respect ? » Meng tzeu répondit : « Un homme d'un rang élevé vous offre des présents. Si, avant de les recevoir, vous dites : « A-t-il acquis ces choses justement ? » cela sera considéré comme un manque de respect. Aussi ne doit on pas refuser les présents. »

« Mais, dit Wan Tchang, je n'exprimerai pas la vraie cause de mon refus ; mais seulement en mon cœur je dirai : « Il a obtenu ces choses du peuple par des voies injustes ; » et je donnerai une autre raison de mon refus. Cela ne conviendra-t-il pas ? » Meng tzeu répondit : « Lorsqu'on offrait des présents à Confucius pour une raison légitime et d'une manière polie, il les acceptait. »

Wan Tchang dit : « Un homme arrête et dépouille les voyageurs dans la campagne. Il offre des présents pour une raison légitime et d'une manière polie. Est il permis de recevoir les objets qu'il a volés ? » « Cela n'est pas permis, répondit Meng tzeu. Dans les Instructions (données par Ou wang à son frère) Wang chou, il est dit : « Il n'est personne qui ne déteste ces brigands qui tuent les hommes et tournent leurs cadavres en tous sens pour les dépouiller ; insensés qui ne savent pas même craindre le dernier supplice. » On doit les punir de mort, sans leur donner d'avis (et sans leur laisser le temps de se corriger). Telle est la loi que les In ont reçue des Hia, et les Tcheou des In. Elle ne peut être mise en question ; elle est encore parfaitement connue à présent. Comment pourriez vous accepter des objets volés ? »

Wan Tchang dit : « Maintenant les princes dépouillent le peuple, comme font les voleurs de grands chemins. Si un prince offre des présents avec beaucoup de politesse, un homme sage les acceptera. Permettez moi de vous demander quelle raison peut expliquer cette conduite. » « S'il surgissait un grand empereur, dit Meng tzeu, prendrait-il à la fois et punirait-il de mort, croyez vous, tous les princes d'à présent ; ou bien, les avertirait il d'abord, et punirait-il ensuite seulement ceux qui ne changeraient pas de conduite ? Appeler brigands tous ceux qui prennent le bien d'autrui, c'est étendre la signification de ce mot jusqu'à ses dernières limites. Lorsque Confucius exerçait une charge dans la principauté de Lou, les habitants du pays, après une chasse, se disputaient entre eux (les animaux tués, afin de les offrir aux esprits). Confucius toléra (ou prit part à) ces disputes (se promettant de les supprimer peu à peu). S'il peut être permis de se disputer les produits d'une chasse, à plus forte raison. peut on recevoir les présents des princes. »

« Ainsi donc, dit Wan Tchang, lorsque Confucius exerçait une charge, ce n'était pas pour faire fleurir la vertu ? » « C'était pour ce motif, répondit Meng tzeu. » « Si c'était pour faire fleurir la vertu, reprit Wan Tchang, pourquoi n'empêchait il pas les disputes après la chasse ? » Meng tzeu répondit : « Confucius commença par déterminer dans un livre la qualité des offrandes, de sorte qu'on pût se procurer les choses indiquées dans ce livre, sans avoir besoin d'aller les chercher dans tout le pays (ni d'offrir les animaux tués à la chasse). » Wan Tchang dit : « (Puisque Confucius ne parvenait pas à corriger les abus), pourquoi n'a-t-il pas quitté (la principauté de Lou) ? » « Il faisait des essais, répondit Meng tzeu. Quand les essais étaient suffisants pour montrer que sa doctrine pouvait être mise en pratique ; si elle ne l'était pas, il s'en allait. Aussi n'est il jamais resté trois années entières dans une même principauté.

« Confucius accepta et remplit des charges, tantôt parce qu'il voyait la possibilité de faire fleurir la vertu, tantôt parce qu'il était accueilli convenablement, tantôt parce qu'il était entretenu honorablement aux frais de l'État. Sous le gouvernement de Ki Houan tzeu (dans la principauté de Lou), il exerça une charge, parce qu'il vit la possibilité de faire fleurir la vertu. Il accepta une charge sous Ling, prince de Wei, parce qu'il reçut un accueil convenable ; et sous Hiao, prince de Wei, parce qu'il était entretenu aux frais de l'État. »

5. Meng tzeu dit : « (Généralement parlant) le sage n'exerce pas une charge, parce qu'il est pauvre ; il le fait cependant quelquefois ; de même que (géné-ralement) on ne se marie pas pour avoir une aide, mais seulement quelquefois. Celui qui veut exercer une charge à cause de sa pau-

vreté, doit refuser celles qui sont honorables et bien rétribuées, et en prendre une qui soit humble et peu lucrative. Dans ce cas, quelle charge convient il de choisir ? (Une charge comme) celle de portier de la ville et de veilleur de nuit. »

« Confucius (a exercé des emplois peu élevés, il) a été intendant des greniers publics. Alors il disait : « Je fais en sorte que les comptes mensuels et le compte annuel soient exacts ; mes soins se bornent là. » Il a été chargé de surveiller les pâturages. Alors il disait : « J'ai soin que les bœufs et les moutons soient gras et vigoureux, et qu'ils profitent ; je n'ai pas d'autre souci. » Dans une condition humble, parler de choses élevées, c'est une faute. Rester à la cour d'un prince, si la voie de la vertu n'y est pas suivie, c'est une honte. »

6. Wan Tchang dit : « Pourquoi un lettré (qui est demeuré dans la vie privée) n'accepte-t-il pas d'un prince une subvention régulière ? » « Il n'oserait l'accepter, répondit Meng tzeu : Un prince, dépossédé de ses États, accepte d'un autre prince une subvention régulière ; cela convient. Un lettré sans charge ne l'accepte pas ; cela ne conviendrait pas. » « Si le prince lui envoie du grain, dit Wan Tchang, l'accepte-t-il ? » « Il l'accepte, répondit Meng tzeu. » « A quel titre l'accepte-t-il, continua Wan Tchang ? » « Un prince, répondit Meng tzeu, donne toujours des secours à ses sujets. »

Wan Tchang reprit : « Pourquoi un lettré accepte-t-il d'un prince un secours, et refuse-t-il une subvention régulière ? » « Il n'oserait accepter une subvention régulière, dit Meng tzeu. » Wan Tchang dit : « Permettez moi de vous demander pourquoi il ne l'ose pas. Les portiers des villes et les veilleurs de nuit, répondit Meng tzeu, remplissent un office permanent, et doivent être nourris par le prince. Mais ce serait manquer de respect au prince que de recevoir de lui une subvention régulière, sans être employé continuellement à son service. » Wan Tchang dit : « Un lettré accepte les présents du prince ; je ne sais s'il pourra continuer à les accepter. » Meng tzeu répondit : « Mou, prince de Lou, envoyait souvent saluer Tzeu seu ; souvent aussi il lui envoyait de la viande cuite. Tzeu seu n'en était pas satisfait. Enfin, faisant signe de la main aux envoyés, il sortit avec eux. Arrivé devant la porte principale de la maison, il se tourna vers le nord, se mit à genoux, salua deux fois en inclinant la tête jusqu'à terme, et n'accepta pas le présent. Il dit : « Désormais je sais que le prince me nourrit comme il nourrirait un chien ou un cheval. » Dès lors les serviteurs du prince ne lui portèrent plus rien. Peut on dire qu'un prince aime véritablement un sage, s'il ne sait pas l'élever aux charges, ni pourvoir convenablement à son entretien ? »

Wan Tchang dit : « Je me permettrai de vous demander ce que doit faire un prince pour qu'on puisse dire qu'il pourvoit convenablement à l'entretien d'un sage. » Meng tzeu répondit : « (La première fois, les envoyés) doivent dire qu'ils offrent le présent par ordre du prince ; le sage saluera à genoux, en inclinant deux fois la tête jusqu'à terre, et il acceptera le présent. Ensuite les gardiens des greniers continueront à lui fournir des grains, et les officiers de la cuisine, des viandes ; mais non sur un ordre renouvelé chaque fois par le prince. Tzeu seu pensait que l'obliger à répéter souvent, pour un peu de viande cuite, des salutations pénibles et humiliantes, ce n'était pas la vraie manière de pourvoir à l'entretien d'un sage.

« Iao ordonna à ses neuf fils de servir Chouenn, et lui donna ses deux filles en mariage. Les officiers, les bœufs, les brebis, les greniers, tout fut destiné à pourvoir Chouenn au milieu de ses champs. Ensuite Iao l'éleva à la dignité impériale. De là vient l'expression : honorer la vertu et le talent en souverain ou en prince. »

7. Wan Tchang dit : « Je me permettrai de vous demander pourquoi un lettré (qui n'a pas encore exercé de charge) ne va pas faire visite aux princes. » Meng tzeu répondit : « Si ce lettré demeure à la capitale, c'est un sujet qui vit auprès du marché ; s'il demeure à la campagne, c'est un sujet qui vit au milieu des herbes ; dans les deux cas, c'est un simple particulier. Un simple particulier qui n'a pas offert au prince le présent ordinaire des nouveaux officiers et n'est pas en charge, ne doit pas se permettre de visiter le prince. »

Wan Tchang dit : « Un simple particulier qui est appelé par son prince pour un service, va s'acquitter de ce service. Si le prince l'appelle, parce qu'il désire le voir, pourquoi ne va-t-il pas voir le prince ? » Meng tzeu répondit : « C'est son devoir d'aller s'acquitter du service demandé ; mais il ne doit pas aller voir le prince. D'ailleurs, pourquoi le prince désire-t-il le voir ? » « Parce qu'il a beaucoup de science, répondit Wan Tchang, ou parce qu'il a une grande vertu et de grands talents. » (Si le prince désire le voir) à cause de sa grande science, (il doit aller le trouver). L'empereur lui-même n'appelle pas son maître ; à plus forte raison un prince (ne doit il pas se permettre d'appeler un savant). (Si le prince désire le voir) à cause de sa vertu et de ses talents ; (qu'il se rende auprès de lui). Je n'ai jamais entendu dire que quelqu'un, désirant voir un sage, se soit permis de l'appeler.

« Dans une des nombreuses visites que Mou, prince de Lou, fit à Tzeu seu, il lui dit : « Anciennement, lorsqu'un prince qui avait mille chariots de guerre, voulait se lier d'amitié avec un lettré, que faisait il ? » Tzeu seu mécontent répondit : « Les anciens disaient : Servez l'homme sage ; comment auraient ils pu dire : Ayez des relations d'amitié avec lui ? » Tzeu seu, dans son mécontentement, ne se disait-il pas : « Si l'on considère la condition de chacun de nous deux, vous êtes prince, et je suis sujet ; comment oserais je contracter amitié avec un prince ? Si l'on considère la vertu, vous devez me servir ; comment pouvez vous prétendre à mon amitié ? » Un prince qui a mille chariots de guerre, recherche l'amitié d'un lettré, et ne peut l'obtenir ; à plus forte raison ne peut il pas l'appeler.

« King, prince de Ts'i, voulant aller à la chasse, fit appeler l'inspecteur de son parc par un envoyé portant un étendard. L'inspecteur refusa d'aller à la cour. Le prince fut sur le point de le mettre à mort. (Confucius dit) : « Un lettré bien résolu à suivre ses principes, garde sa résolution, même au péril d'être précipité dans un fossé ; un homme courageux ne se dément jamais, même au péril de sa tête. » Qu'est ce que Confucius trouvait de louable (dans la conduite de cet inspecteur) ? Il louait son refus d'aller à la cour, parce qu'il n'avait pas été appelé comme il aurait dû l'être. »

Wan Tchang dit : « Je me permettrai de vous demander quel signe un prince doit employer quand il appelle l'inspecteur de son parc. » Meng tzeu répondit : « Il se sert d'un bonnet de peau. Il appelle un simple particulier avec un étendard de soie unie, un officier avec un étendard orné de dragons, un grand préfet avec un étendard orné de plumes. Si un prince appelle l'inspecteur de son parc avec le signe qui sert à appeler les grands préfets, l'inspecteur mourra, s'il le faut ; il ne se permettra pas d'aller à la cour. Si un prince appelle un simple particulier de la même manière qu'il appelle ses officiers, un simple particulier se permettra-t-il d'aller voir le prince ? A plus forte raison un homme distingué par sa vertu et ses talents (n'ira-t-il pas voir le prince), s'il est appelé comme le serait un homme sans vertu ni talent.

« Désirer voir un homme distingué par sa vertu et ses talents, et ne pas prendre la voie convenable, c'est désirer qu'il entre, et lui fermer la porte. La voie, ce sont les convenances ; la porte, c'est l'urbanité. Le sage seul sait passer par cette voie, entrer et sortir par cette porte. On lit dans le Cheu King : « La route de la capitale est unie comme une meule, et droite comme une flèche. Les officiers la parcourent ; le peuple la regarde. » (Ainsi en est il de la voie des convenances). »

Wan Tchang dit : « Lorsque Confucius était appelé par le prince, il partait aussitôt, sans attendre sa voiture. Agissait-il mal ? » « Confucius avait une charge, répondit Meng tzeu ; il devait en remplir les fonctions. Le prince l'appelait à cause de sa charge. »

8. Meng tzeu dit à Wan Tchang : « (Le disciple de la sagesse doit profiter du secours d'autrui). Devenu l'homme le plus vertueux de son village, qu'il se lie d'amitié avec tous les hommes vertueux de son village. Devenu l'homme le plus vertueux de son royaume, qu'il se lie d'amitié avec tous les hommes vertueux de son royaume. Devenu l'homme le plus vertueux de l'empire, qu'il se lie d'amitié avec tous les hommes vertueux de l'empire.

« Après s'être lié d'amitié avec tous les hommes vertueux de l'empire, qu'il croie n'avoir pas assez fait ; mais que, levant plus haut ses regards, il considère les anciens sages. Qu'il récite leurs poésies (spécialement le

Cheu King) et lise leurs livres (spécialement le Chou King). Mais, s'il ne sait pas quels hommes c'étaient, sa tâche est-elle accomplie ? (Après avoir lu leurs poésies, leurs livres), qu'il étudie donc aussi leur histoire. Ainsi il s'élèvera jusqu'à lier amitié avec les anciens sages.

9. Siuen, prince de Ts'i, interrogea Meng tzeu sur les devoirs des ministres d'État. « Prince, de quels ministres parlez vous, demanda Meng tzeu ? » « Y a-t-il plusieurs sortes de ministres, dit le prince ? « « Oui, répondit Meng tzeu. On distingue les ministres qui sont nobles et parents du prince en ligne masculine, et ceux qui ne portent pas le même nom de famille que lui. » « Parlez moi, je vous prie, dit le roi, des ministres qui sont nobles et parents du prince. » « Si le prince commet de grandes fautes, dit Meng tzeu, ils l'avertissent. Si, après des représentations plusieurs fois réitérées, ils ne sont pas écoutés, ils mettent en sa place un autre de leurs parents. » Le roi se troubla et son visage changea de couleur.

« Prince, dit Meng tzeu, ne vous étonnez pas de ma franchise. Vous avez interrogé votre serviteur ; je ne me serais pas permis de ne pas dire la vérité. » Le visage du prince se rasséréna. Il pria Meng tzeu de lui parler des ministres qui ne portent pas le même nom de famille que le prince. « Si le prince commet des fautes, dit Meng tzeu, ils l'avertissent. Si, après des représentations réitérées, ils ne sont pas écoutés, ils se retirent. »

LIVRE VI. KAO TZEU.

CHAPITRE I.

1. Kao tzeu dit : « La nature peut être comparée à l'osier, et la justice (cette disposition qui nous porte à traiter les hommes et les choses comme il convient) peut être comparée à une coupe ou à une autre écuelle d'osier. La nature humaine reçoit les dispositions à la bienfaisance et à la justice, comme l'osier reçoit la forme d'une coupe ou d'une autre écuelle. »

Meng tzeu dit : « Pouvez vous faire une coupe ou une autre écuelle avec de l'osier sans contrarier les tendances de sa nature ? Vous ne le pouvez ; vous devez couper et maltraiter l'osier. Si vous coupez et maltraitez l'osier pour en faire une écuelle, irez vous aussi léser et maltraiter la nature humaine pour lui donner des dispositions à la bienfaisance et à la justice ? S'il est une doctrine capable de porter les hommes à rejeter comme nuisibles la bienveillance et la justice, c'est certainement la vôtre. »

2. Kao tzeu dit : « La nature est comme une eau qui tourbillonne. Qu'on lui ouvre une voie vers l'orient, elle coulera vers l'orient ; qu'on lui ouvre une voie vers l'occident, elle coulera vers l'occident. La nature humaine ne discerne pas le bien du mal, de même que l'eau ne discerne pas l'orient de l'occident. »

Meng tzeu dit : « L'eau ne met aucune différence, il est vrai, entre l'orient et l'occident ; mais n'en met elle pas entre le haut et le bas ? La nature de l'homme tend au bien, comme l'eau tend en bas. Tout homme est bon comme l'eau tend toujours à descendre. »

« Cependant, si en frappant sur l'eau vous la faites jaillir, elle pourra dépasser la hauteur de votre front ; si vous l'arrêtez dans son cours et la refoulez, vous pourrez la faire demeurer sur une montagne. En cela obéira-t-elle à sa tendance naturelle ? Elle obéira à la force. L'homme peut se déterminer à faire le mal ; alors sa nature souffre violence. »

3. Kao tzeu dit : « La nature n'est autre chose que la vie. » Meng tzeu dit : « La nature doit elle être appelée vie, comme tout objet blanc est appelé blanc. » « Oui, répondit Kao tzeu. » « La blancheur d'une plume blanche, dit Meng Tzeu, est elle la même que celle de la neige ; et la blancheur de la neige, la même que celle d'une perle blanche ? » « Oui, répondit Kao tzeu. » « Alors, dit Meng tzeu, la nature du chien est la même que celle du bœuf, et la nature du bœuf, la même que celle de l'homme. »

4. Kao tzeu dit : « La nature elle-même nous porte à aimer les mets savoureux, les belles couleurs. (Cette tendance est en nous). De même, la bienveillance est en nous, et non hors de nous. Mais la justice (par laquelle nous traitons chaque chose comme il convient) est hors de nous, et non en nous. » Meng tzeu dit : « Pourquoi dites vous que la bienveillance est en nous, et la justice hors de nous ? » Kao tzeu dit : « Lorsque je me trouve avec quelqu'un plus âgé que moi, je le respecte à cause de son âge ; cette supériorité d'âge n'est pas en moi. De même, quand je vois un objet blanc, je dis qu'il est blanc ; la blancheur est hors de moi. Pour cette raison, je dis que la justice n'est pas en nous. »

Meng tzeu dit : « Nous disons qu'un cheval est blanc comme nous disons qu'un homme est blanc. Mais je ne sais si le jugement que nous exprimons sur l'âge d'un vieux cheval ne diffère pas du respect que nous témoignons à un homme plus âgé que nous. Faites vous consister la justice dans la supériorité d'âge, ou bien plutôt dans le respect envers l'âge ? » (Les commentateurs font observer que les deux lettres *I iû* , au commencement de ce paragraphe, se sont glissées dans le texte par erreur).

Kao tzeu dit : « Pour mon frère cadet ; j'ai de l'affection ; pour le frère cadet d'un habitant de Ts'in, je n'en ai pas. C'est moi-même qui me détermine à aimer. Pour cette raison, je dis que la bienveillance réside en nous. Je respecte un habitant de Tch'ou qui est plus âgé que moi ; je respecte de même un habitant de mon pays plus âgé que moi. C'est leur âge qui me détermine à les respecter. Pour cette raison, je dis que la justice est hors de nous. »

Meng tzeu dit : « La même inclination me porte à manger le rôti d'un habitant de Ts'in, et à manger mon propre rôti. Or, ces mets excitent mon appétit comme l'âge appelle mon respect. Mon désir de manger du rôti est il aussi hors de moi ? »

5. Meng Ki tzeu interrogeant Koung tou tzeu, dit : « Pourquoi dit-on que la justice réside en nous ? » (On croit que Meng Ki tzeu était le frère cadet de Meng Tchoung tzeu et le proche parent de Meng tzeu). « Nous produisons les marques de notre respect, répondit Koung ton tzeu ; voilà pourquoi l'on dit que la justice est en nous. » « Si un habitant de mon pays, dit Meng Ki tzeu, a un an de plus que mon frère aîné, lequel des deux dois je respecter le plus ? » « Votre frère aîné, répondit Koung tou tzeu. » « Mais, dit Meng Ki tzeu, si (je les invite à venir chez moi et que) je leur verse à boire, lequel des deux dois je servir en premier lieu ? » « Vous servirez d'abord l'habitant de votre pays, répondit Koung ton tzeu. » (Meng Ki tzeu dit) : « Ce que je respecte en mon frère aîné, est en lui ; ce que j'honore en cet habitant de mon pays, est en lui. Tout cela est hors de moi, et non en moi. »

Koung tou tzeu ne put répondre ; il proposa la question à Meng tzeu. Meng tzeu répondit : « (Vous lui direz) : Lequel des deux respectez vous le plus, du frère puîné de votre père ou de votre frère puîné ? Il répondra : Le frère puîné de mon père. Vous lui direz : Si dans une cérémonie, votre frère puîné représente votre aïeul, lequel des deux honorerez vous le plus (de votre oncle ou de votre frère) ? Il répondra : Ce sera mon frère. Vous lui direz : Que deviendra alors votre respect pour votre oncle ? Il répondra : (Je témoignerai un plus grand respect à mon frère), parce qu'il tiendra la place de mon aïeul. Vous lui répondrez à votre tour : (De même, vous verserez à boire en premier lieu à cet habitant de votre pays), parce qu'il sera alors votre invité. Vous devez respecter constamment votre frère aîné, et donner des marques passagères de respect à cet étranger. »

Koung tou tzeu ayant rapporté cette réponse à Ki tzeu, Ki tzeu dit : « Quand je dois témoigner du respect à mon oncle, je lui en témoigne ; quand je dois en témoigner à mon frère puîné, je lui en témoigne aussi.

Mon respect est fondé sur une chose qui est hors de moi, et ne vient pas de moi. » Koung tou tzeu répondit : « Nous buvons chaud en hiver, et froid en été. Si votre principe est vrai, le choix de la boisson et de la nourriture se fait aussi hors de nous, et non en nous. »

6. Koung tou tzeu dit à Meng tzeu : « Kao tzeu dit : « La nature de l'homme n'est ni bonne ni mauvaise. » Quelques-uns disent : « La nature peut servir à faire le bien ou à faire le mal. Ainsi au temps de Wenn wang et de Ou wang, le peuple aima la vertu ; sous les règnes de Iou wang et de Li wang, le peuple fut enclin au mal. » D'autres disent : « Les hommes sont, les uns naturellement bons, les autres naturellement mauvais. Ainsi, sous un prince excellent comme Iao, il y eut un homme méchant comme Siang ; d'un père détestable comme Keou seou naquit un grand sage comme Chouenn ; avec un neveu et un souverain comme Tcheou, il y eut des hommes vertueux comme K'i, prince de Wei, et Pi kan, fils d'un empereur. » Vous dites que la nature de l'homme est bonne. Kao tzeu et tous les autres sont donc dans l'erreur. »

Meng tzeu répondit : « Les tendances de notre nature peuvent toutes servir à faire le bien ; voilà pourquoi je dis que la nature est bonne. Si l'homme fait le mal, on ne doit pas en attribuer la faute à ses facultés naturelles. »

« Tout homme a des sentiments de compassion pour les malheureux, de pudeur et d'aversion pour le mal, de déférence et de respect pour les autres hommes. Il sait discerner le vrai du faux et le bien du mal. La commisération, c'est la bienveillance. La honte et l'horreur du mal, c'est la justice (cette disposition qui nous porte à traiter les hommes et les choses comme il convient). La déférence et le respect constituent l'urbanité. La vertu par laquelle nous discernons le vrai du faux et le bien du mal, c'est la prudence. La bienveillance, la justice, l'urbanité, la prudence ne nous viennent pas du dehors, comme un métal fondu qu'on verse dans un moule. La nature les a mises en nous. (Mais la plupart des hommes) n'y font pas attention. Aussi dit on : « Si vous les cherchez, vous les trouverez ; si vous les négligez, vous les perdrez. » Parmi les hommes, les uns sont deux fois, cinq fois, un nombre indéfini de fois meilleurs ou pires que les autres, parce que la plupart n'arrivent pas à user pleinement de leurs facultés naturelles pour faire le bien.

« Il est dit dans le Cheu King : « Le Ciel donne à tous les hommes avec l'existence les principes constitutifs de leur être et la loi morale. Les hommes, grâce à cette loi, aiment et cultivent la vertu. » Confucius dit : « L'auteur de cette ode ne connaissait il pas la voie de la vertu ? » Ainsi l'homme reçoit toujours, avec les principes constitutifs de son être, la loi morale ; et parce qu'il a cette loi, il aime et cultive la vertu. »

7. Meng tzeu dit : « Dans les bonnes années, la plupart des jeunes gens restent bons ; dans les mauvaises années, beaucoup de jeunes gens se corrompent (parce que l'indigence les porte à mal faire). Ce n'est pas que le Ciel ne leur donne à tous les mêmes dispositions naturelles ; mais beaucoup étouffent les bons sentiments de leurs cœurs, à cause des circonstances dans lesquelles ils se trouvent. (*Eùl* , comme cela, de cette manière, ainsi).

« Supposons que vous cultiviez de l'orge ou du blé. Vous répandez la semence et la recouvrez de terre. Les terrains dans lesquels vous semez, sont les mêmes, c'est-à-dire propres à la culture de l'orge ou du blé. Vous semez partout en même temps. La semence germe ; la moisson croît. Au solstice, elle est entièrement mûre. Si elle présente des différences, (elle ne les doit pas à la nature de la semence), c'est qu'elle n'a pas eu des terrains également fertiles, et n'a pas reçu partout dans une égale mesure la pluie, la rosée et les soins de l'homme.

« Les choses de même espèce sont toutes semblables entre elles. Serait-ce seulement pour l'homme que cette loi générale paraîtrait incertaine ? Les plus grands sages avaient la même nature que nous. Loung tzeu dit : « Je suppose qu'un homme fasse des souliers de paille pour un autre, sans connaître la grandeur de son pied ; je suis certain qu'il ne fera pas des paniers. » Tous les souliers sont semblables entre eux, parce que tous les pieds se ressemblent.

« Tous les hommes jugent des saveurs de la même manière. I Ia a discerné avant moi ce qui est agréable à mon palais. Si le palais de I Ia n'avait pas eu naturellement les mêmes goûts que celui des autres hommes, ce qui a lieu pour les chiens et les chevaux, qui forment des espèces différentes de la nôtre ; comment tous les hommes s'accorderaient-ils avec I Ia au sujet des saveurs ? Tous les hommes jugent des saveurs comme I Ia, parce que le palais est semblable chez tous les hommes.

« Il en est de même pour l'oreille. Tous les hommes jugent des sons comme le musicien K'ouang ; c'est que l'oreille est semblable chez tous les hommes. Il en est aussi de même pour l'œil. Il n'y avait personne qui ne reconnût la beauté de Tzeu tou. Celui qui n'aurait pas reconnu que Tzeu tou était beau, n'aurait pas eu d'yeux.

« Pour cette raison, je dis que, chez tous les hommes, le palais apprécie de même les saveurs, l'oreille les sons, et l'œil les couleurs. L'esprit serait-il le seul qui ne portât pas sur certaines choses les mêmes jugements chez tous les hommes ? Quelles sont ces choses sur lesquelles tous les hommes portent les mêmes jugements ? Je dis que ce sont les premiers principes et leurs applications. (*Li* , les principes innés dans l'âme ; *i* , l'application de ces principes). Les plus grands sages ont trouvé avant nous ce que notre esprit approuve généralement. L'esprit de l'homme agrée les principes de la raison et leurs applications, comme son palais agrée la chair des animaux qui se nourrissent d'herbe ou de grain. »

8. Meng tzeu dit : « Autrefois, sur la Montagne des Bœufs (dans le Ts'ing tcheou fou actuel), les arbres étaient beaux. Parce qu'ils étaient sur la limite du territoire d'une grande principauté, la hache et la cognée les ont coupés. Pouvaient ils conserver leur beauté ? Comme la sève continuait à circuler (dans les souches mutilées), et que la pluie et la rosée les humectaient, ils ont poussé des bourgeons et des rejets. Mais les bœufs et les brebis, survenant à leur tour, les ont mangés. Voilà pourquoi cette montagne est si nue. En la voyant toute nue, on s'imagine qu'elle n'a jamais eu d'arbres capables de servir pour les constructions. Est-ce un défaut inhérent à sa nature ?

« (N'en est-il pas de même) des sentiments que l'homme reçoit de la nature ? N'a-t-il pas des sentiments de bienveillance et de justice ? Ce qui les lui fait perdre, est comme la hache et la cognée à l'égard des arbres. Si chaque jour il leur porte des coups, peuvent ils se développer ? Nuit et jour, ils tendent à reprendre des forces. Le matin (après le repos de la nuit, quand l'esprit est calme), les affections et les aversions sont quelque peu telles que l'homme doit les avoir. Mais les actions faites pendant la journée interrompent et étouffent les bons sentiments. Après qu'elles les ont étouffés maintes et maintes fois, l'action réparatrice de la nuit n'est plus suffisante. pour les préserver d'un anéantissement complet. Quand l'influence bienfaisante de la nuit ne suffit plus pour les conserver, l'homme diffère à peine des animaux. En le voyant devenu comme un être sans raison, on croirait qu'il n'a jamais eu de bonnes qualités. L'homme est il tel par nature ?

« Tout être se développe, s'il trouve ce qui est nécessaire à son entretien ; il périt, s'il en est privé. Confucius disait : « Si vous les tenez ferme, ils se conserveront ; si vous les laissez aller, ils se perdront. Ils vont et viennent sans avoir de temps déterminé. Personne ne connaît le lieu où ils demeurent. » Il disait cela en parlant des sentiments du cœur. »

9. Meng tzeu dit : « Il n'est pas étonnant que le roi de Ts'i manque de sagesse. La plante qui croît le plus facilement du monde, ne se développera jamais, si elle est exposée un jour au soleil et dix jours au froid. J'ai rarement visité le roi. Dès que j'étais loin de sa présence, des flatteurs allaient refroidir l'ardeur de ses bons désirs. Comment aurais je pu entretenir en son cœur les germes des bons sentiments ?

« (De plus, il ne donnait pas à mes avis toute son attention). L'habileté d'un joueur d'échecs a peu de valeur. Celui-là ne l'acquerra pas, qui ne donne pas toute son application au jeu. I Ts'iou était le plus habile joueur d'échecs de toute sa nation. Supposons que I Ts'iou enseigne à deux hommes les règles de ce jeu. L'un d'eux s'y applique de tout son pouvoir, et s'occupe uniquement d'écouter I Ts'iou. L'autre l'écoute aussi ; mais son esprit est tout occupé de l'arrivée prochaine d'une oie ou d'un cygne sauvage. Il pense à bander son arc, à lier sa flèche et à frapper l'oiseau. Bien que cet homme apprenne avec le premier, il ne l'égalera pas. Faut il en conclure qu'il a moins d'intelligence ? Je dis que non. » (Le mot I est devenu comme le nom propre du joueur d'échecs Ts'iou).

10. Meng tzeu dit : « J'aime le poisson, et j'aime les pattes d'ours. (Les pattes d'ours sont un mets recherché). Si je ne puis avoir les deux à la fois, je laisserai le poisson, et je prendrai une patte d'ours. J'aime la vie, et j'aime aussi la justice. Si je ne puis garder les deux à la fois, je sacrifierai ma vie, et je garderai la justice.

« Sans doute j'aime la vie ; mais parce qu'il est d'autres choses que j'aime plus que la vie, je n'emploierai pas indistinctement tous les moyens pour la conserver. Je crains la mort ; mais parce qu'il est d'autres choses que je crains plus que la mort, il est des maux que je ne chercherai pas à éviter (dussé-je perdre la vie).

« Si l'homme n'aimait rien plus que la vie, n'emploierait il pas tous les moyens pour la conserver ? S'il ne craignait rien plus que la mort, ne ferait il pas tout pour éviter un malheur ?

« (Parce qu'il est des choses que l'homme aime plus que la vie), il est des moyens qu'il ne voudra pas employer pour conserver sa vie. (Parce qu'il est des choses qu'il craint plus que la mort), il est des choses qu'il ne voudra pas faire pour conjurer un malheur. Ce ne sont pas seulement les sages, qui aiment certaines choses plus que la vie, et en craignent d'autres plus que la mort ; tous les hommes ont (reçu de la nature) les mêmes sentiments. Les sages (ont de particulier qu'ils) les conservent.

« Je suppose qu'un homme soit dans une telle extrémité que, s'il peut avoir une écuelle de riz, une tasse de bouillon, il conservera la vie ; s'il ne les a pas, il mourra. On les lui offre en criant d'une manière impolie ; fût il voyageur, il ne les acceptera pas. On les lui offre en les foulant du pied ; fût il mendiant, il les dédaignera.

« On m'offrirait dix mille *tchoung* de grain ; et je les accepterais, sans examiner si les convenances et la justice me le permettent ! Que me feraient, à moi, dix mille tchoung de grain ? (Les accepterais-je) pour avoir une maison et des appartements magnifiques, pour me procurer les services d'une femme et de plusieurs concubines, pour me rendre agréable aux pauvres, aux indigents qui m'entourent ? (Dix mille *tchoung* de grain étaient le traitement ordinaire d'un ministre d'État. Cf. p. 399)

Précédemment, je n'ai rien accepté, même pour échapper à la mort ; accepterai-je à présent quelque chose, pour avoir une maison et des appartements magnifiques ? Précédemment, je n'ai rien accepté, même pour échapper à la mort ; accepterai-je à présent quelque chose pour me procurer les services d'une femme et de plusieurs concubines ? Précédemment, je n'ai rien accepté, même pour échapper à la mort ; accepterai-je à présent quelque chose pour me rendre agréable aux pauvres qui m'entourent ? Ces trois avantages doivent ils me déterminer à accepter ? (Accepter quelque chose contrairement aux lois de la bienséance ou de la justice), cela s'appelle étouffer ses bons sentiments naturels. »

11. Meng tzeu dit : « La bienveillance est essentielle au cœur de l'homme ; la justice est la voie que l'homme doit suivre. Que l'homme quitte sa voie et ne la suive pas, qu'il perde ses bons sentiments et ne cherche pas à les recouvrer, n'est ce pas lamentable ! Une poule ou un chien s'échappe ; on sait chercher cet animal. On perd ses bons sentiments, et on ne cherche pas à les recouvrer. Tous les efforts du disciple de la sagesse doivent tendre à recouvrer ses bons sentiments perdus. » (La bienveillance est la perfection du cœur).

12. Meng tzeu dit : « Je suppose un homme dont le quatrième doigt est courbé et ne peut se redresser. Ce défaut n'est pas une maladie, ne cause pas de douleur, ne nuit pas au travail. Cependant, si cet homme entend parler de quelqu'un qui pourra redresser son doigt, pour aller le voir, il ne trouvera pas trop longue la route de Ts'in ou de Tch'ou, parce que son doigt n'est pas comme celui des autres hommes. Un homme aura un doigt qui ne sera pas comme celui des autres hommes ; il trouvera que c'est un mal. Il n'aura pas un cœur d'homme, et il ne trouvera pas que ce soit un mal. C'est ne pas savoir apprécier l'importance des choses. »

13. Meng tzeu dit : « Les hommes savent tous la manière de soigner et de faire croître un petit éléococca ou un petit catalpa qu'on peut saisir avec les deux mains ou avec une seule main ; et ils ne savent pas se perfectionner eux-mêmes. Est ce qu'ils s'aimeraient moins qu'ils n'aiment un jeune arbre ? Leur manque de réflexion est extrême. »

14. Meng tzeu dit : « L'homme aime toutes les parties de son être sans exception. Parce qu'il les aime toutes, il doit les soigner toutes sans exception. Parce qu'il n'y a pas un pouce de sa peau qu'il n'aime, il n'y a pas un pouce de sa peau qu'il ne soigne. Pour savoir s'il soigne sa personne bien ou mal, le seul moyen n'est il pas de faire réflexion sur lui-même (et d'examiner s'il ne donne pas plus de soin à son corps qu'à son âme) ?

« Entre les différentes parties qui constituent l'homme, les unes sont nobles, les autres sont viles ; les unes sont importantes, les autres ne le sont pas. Il doit éviter de soigner les moins importantes au détriment des plus importantes, et les moins nobles au détriment des plus nobles. Celui qui soigne spécialement les moins importantes, est un homme vil ; celui qui soigne spécialement les plus importantes, est un homme vraiment grand. Un directeur de jardins publics qui négligerait les sterculiers et les catalpas pour soigner les jujubiers sauvages, serait un mauvais directeur de jardins. Un homme qui soignerait l'un de ses doigts, et laisserait perdre son dos et ses épaules, sans qu'il s'en aperçût, serait semblable à un loup qui court précipitamment (sans regarder autour de lui).

« Celui qui ne fait que boire et manger est un objet de mépris, parce qu'il soigne la partie la moins importante de lui-même au détriment de la plus importante. Si celui qui ne fait que boire et manger, ne laissait rien perdre (ne négligeait pas son âme), la bouche et l'estomac seraient ils considérés seulement comme un peu de peau ? » (Ils sont méprisés, parce que les soins donnés au corps font ordinairement négliger l'âme).

15. Koung tou tzeu interrogeant Meng tzeu dit : « Tous les hommes sont également hommes. Comment se fait il que les uns deviennent de grands hommes, et les autres, des hommes vulgaires ? » Meng tzeu répondit : « Ceux qui suivent la direction de la plus noble partie de leur être, deviennent de grands hommes ; ceux qui suivent les penchants de la moins noble, deviennent des hommes méprisables. »

« Puisqu'ils sont tous également hommes, reprit Koung tou tzeu, pour quoi suivent ils, les uns la direction de la plus noble partie de leur être, les autres, les penchants de la moins noble ? » « Les oreilles et les yeux, répondit Meng tzeu, n'ont pas pour office de penser, et sont trompés par les choses extérieures. Les choses extérieures sont en relation avec des choses dépourvues d'intelligence, à savoir, avec nos sens, et ne font que les attirer. L'esprit a le devoir de penser. S'il réfléchit, il arrive à la connaissance de la vérité ; sinon, il n'y parvient pas. Tout ce qui est en nous, nous a été donné par le Ciel. Lorsqu'un homme suit fermement la direction de la plus noble partie de lui-même ; la partie inférieure ne peut usurper ce pouvoir. il devient un homme vraiment grand. »

16. Meng tzeu dit : « Il y a des dignités conférées par le Ciel, et des dignités conférées par les hommes. La bienveillance, la justice, la sincérité, la bonne foi, une ardeur infatigable pour faire le bien sont des dignités conférées par le Ciel. Celles de prince, de ministre d'État, de grand préfet sont des dignités conférées par les hommes.

« Les anciens donnaient leurs soins aux dignités conférées par le Ciel, et les dignités humaines leur venaient d'elles-mêmes. Les hommes de notre temps donnent leurs soins aux dignités conférées par le Ciel, en vue d'obtenir les dignités humaines. Quand ils ont obtenu les dignités humaines, ils négligent celles qu'ils ont reçues du Ciel. C'est le comble de l'aveuglement. A la fin, ils perdent tout (même les dignités humaines). »

17. Meng tzeu dit : « Le désir des dignités est un sentiment commun à tous les hommes. Tous possèdent en eux-mêmes des dignités ; et ils n'y pensent pas. Les dignités conférées par les hommes ne sont pas de véritables dignités. Les hommes que Tchao Meng a comblés d'honneurs, Tchao Meng peut les dépouiller de leurs honneurs. « On lit dans le Cheu King : « Enivré de vin, et plein de vertu. » Ces paroles signifient : « La bienveillance et la justice suffisent pour le rassasier ; il ne désire ni les viandes succulentes ni aucun autre mets exquis. Sa renommée et sa gloire sont pour lui comme un vêtement splendide ; il ne désire ni les riches tissus ni les broderies des hommes. »

18. Meng tzeu dit : « La vertu triomphe des mauvaises inclinations, comme l'eau triomphe du feu. A présent, ceux qui cultivent la vertu, (agissent mollement et) sont comme des hommes qui, voyant une voiture de chauffage dévorée par les flammes, voudraient éteindre le feu avec une tasse d'eau, et qui, n'y parvenant pas, diraient que l'eau ne

triomphe pas du feu. Leur conduite encourage beaucoup les hommes vicieux (à persévérer dans le désordre). Ils finissent infailliblement par se perdre tout à fait. »

19. Meng tzeu dit : « Les grains qui servent à la nourriture de l'homme, sont les plus précieux de tous. Quand ils ne sont pas mûrs, ils valent moins que le faux millet. De même, pour la vertu, il importe surtout qu'elle atteigne la perfection. »

20. Meng tzeu dit : « Lorsque I enseignait à tirer de l'arc, il veillait certainement à ce que la corde de l'arc fût tirée le plus fortement possible par celui qui voulait décocher une flèche, et ses élèves avaient aussi la même attention. Un maître charpentier, qui enseigne son art, emploie certainement le compas et l'équerre ; ses apprentis emploient aussi le compas et l'équerre. » (Dans l'école de la sagesse, les préceptes des anciens sages sont comme le compas et l'équerre).

CHAPITRE II.

1. Un homme de la principauté de Jenn, interrogeant Ou liu tzeu (disciple de Meng tzeu), dit : « Lequel des deux est le plus important, du manger ou des règles à observer dans le manger ? » Ou liu tzeu répondit : « Les règles sont plus importantes. » L'interlocuteur continua : « Lequel des deux est le plus important, du mariage ou des règles prescrites pour le mariage ? » Les règles sont plus importantes, répondit Ou lin tzeu. « Mais, reprit l'interlocuteur, supposons une circonstance dans laquelle, si je veux observer toutes les règles pour le manger, je mourrai de faim ; si je ne les observe pas, je pourrai manger ; suis je tenu de les observer ? Supposons que, si je dois aller en personne inviter et amener chez moi ma fiancée, je ne puisse pas me marier, (ma pauvreté ne me permettant pas de me procurer les choses nécessaires à cette cérémonie) ; et qu'au contraire, si je n'y vais pas en personne, je puisse me marier ; suis je tenu d'accomplir cette cérémonie ? » (*Jênn* , à présent Tsi gning tcheou dans le Chan toung).

Ou liu tzeu ne put répondre. Le lendemain il alla à Tcheou consulter Meng tzeu. (Tcheou était la patrie de Meng tzeu). Meng tzeu dit : « La réponse à ces questions est elle difficile ? Si, ne tenant aucun compte de l'extrémité inférieure, vous élevez au même niveau l'extrémité supérieure, un bâton d'un pouce d'épaisseur pourra dépasser la hauteur d'une tour très élevée. Quand on dit que le métal est plus lourd que la plume, veut-on dire qu'un anneau de métal est plus lourd qu'une voiture de plume ?

« Si vous mettez en parallèle la nécessité de manger et l'observation d'une petite règle, le manger ne sera-t-il pas incomparablement plus important ? Si vous mettez en parallèle le devoir de se marier et l'observation d'une petite règle, le mariage ne sera-t-il pas incomparablement plus important ?

« Allez dire à celui qui vous a interrogé : « Supposons une circonstance dans laquelle vous aurez de la nourriture, si vous en prenez de force à votre frère aîné en lui tordant le bras ; vous n'en aurez pas, si vous ne lui tordez pas le bras. Lui tordrez vous le bras ? Si vous franchissez le mur du voisin qui demeure à l'est de votre maison, et si vous lui enlevez une fille qui n'est pas mariée, vous aurez une femme ; sinon, vous n'en aurez pas. Enlèverez vous cette fille ? »

2. Kiao (frère cadet du prince) de Ts'ao, interrogeant Meng tzeu, dit : « Est-il vrai que tous les hommes peuvent égaler Iao et Chouenn ? » « C'est vrai, répondit Meng tzeu. » Kiao reprit : « J'ai entendu dire que Wenn wang avait dix pieds de taille (deux mètres) et T'ang neuf pieds. Moi, j'ai neuf pieds et quatre dixièmes. Je ne fais que manger. Comment puis je égaler Iao et Chouenn ? »

« Cela dépend-il de la taille, répondit Meng tzeu ? Il faut agir (imiter la conduite de Iao et de Chouenn) ; voilà tout. Voici un homme qui *autrefois* n'avait pas la force de soulever un jeune canard ; il passait alors pour un homme très faible. A présent, on dit qu'il soulève un poids de trois mille livres ; il passe pour un homme très fort. Ainsi ; celui qui soulèverait le même poids que Ou Houe (un poids de trente mille livres), serait par cela seul un second Ou Houe. Les hommes ont ils lieu de s'affliger de leur impuissance ? C'est l'action qui leur manque (et non la force).

« Marcher lentement derrière ceux qui sont plus âgés que nous, cela s'appelle les respecter ; marcher vite et les devancer, cela s'appelle leur manquer de respect. Marcher lentement, est ce une chose impossible à quelqu'un ? (Non, mais) c'est ce que plusieurs ne veulent pas faire. La voie que Iao et Chouenn ont suivie, a été celle du respect envers les parents et les personnes âgées, et rien de plus.

« Habillez vous comme Iao, parlez et agissez comme Iao ; vous serez un autre Iao. Si vous imitez Kie dans vos vêtements, dans vos paroles, dans votre conduite ; dès lors vous serez un second Kie. »

Kiao dit : « J'obtiendrai une audience du prince de Tcheou ; il me permettra d'avoir un logement. Je désire demeurer ici, et recevoir vos enseignements. » « La voie de la vertu, répondit Meng tzeu, est comme un grand chemin. Est-il bien difficile de la connaître ? Les hommes ne la cherchent pas ; c'est là leur défaut. Retournez dans votre pays, et cherchez la. Vous trouverez plus de maîtres qu'il ne vous en faut. »

3. Koung suenn Tch'eou interrogeant Meng tzeu, dit : « Kao tzeu prétend que l'ode Siao P'an est l'œuvre d'un homme vulgaire. » « Pourquoi dit il cela ? demanda Meng tzeu. » « C'est, dit Koung suenn Tch'eou, parce que dans cette ode un fils se plaint de son père. »

« Que Kao comprend mal le Cheu King, dit Meng tzeu ! Un homme se trouve ici, je suppose ; un barbare de Iue tire à soi la corde de son arc pour le frapper. Je tâcherai d'arrêter ce barbare en lui parlant d'une manière douce et aimable, parce que nous sommes étrangers l'un à l'autre. Mais si mon frère aîné tirait à lui la corde de son arc pour frapper quelqu'un, je l'en détournerais en versant des larmes, parce que c'est mon frère. Si, dans l'ode Siao P'an, *un fils* se dit malheureux, c'est par affection pour son père. Cette affection prouve la bonté de son cœur. Que Kao comprend mal le Cheu King ! »

« Dans l'ode K'ai foung, dit Koung suenn Tch'eou, pourquoi les sept fils ne se plaignent-ils pas de leur sort ? » Dans l'ode K'ai foung, répondit Meng tzeu, les sept fils expriment leur douleur d'une faute qui n'a pas de graves conséquences (qui ne trouble qu'une famille). Dans l'ode Siao Pan, il s'agit d'une faute grave (qui trouble toute la principauté). Ne pas

294

déplorer une faute grave de ses parents, c'est les traiter comme des étrangers. Exprimer son affliction d'une faute légère de ses parents, c'est ne pouvoir supporter la moindre contrariété. Traiter ses parents comme des étrangers, c'est manquer à la piété filiale ; ne pouvoir supporter la moindre contrariété, c'est aussi manquer à la piété filiale. Confucius disait : « Chouenn est parvenu au plus haut degré de la piété filiale ; à l'âge de cinquante ans, il témoignait encore son affection pour eux (en déplorant leur mauvaise conduite). »

4. Soung K'eng voulait aller dans la principauté de Tch'ou. Meng tzeu le rencontra à Cheu k'iou, et lui dit : « Maître, où allez vous ? » Soung K'eng répondit : « J'ai entendu dire que les princes de Ts'in et de Tch'ou se font la guerre. Je veux voir le prince de Tch'ou, et l'engager à cesser les hostilités. Si ce conseil ne lui plaît pas, je verrai le prince de Ts'in, et l'engagerai à déposer les armes. Mon avis sera agréé de l'un de ces deux princes, sinon de tous les deux. »

Meng tzeu dit : « Je désirerais vous entendre exposer, non pas au long, mais en résumé, le discours que vous avez l'intention de leur tenir. Quels motifs leur donnerez-vous ? » « Je leur dirai, répondit Soung K'eng, que la guerre ne leur sera pas profitable. » « Maître, dit Meng tzeu, votre but est élevé ; mais vous invoquez un mauvais motif.

« Si vous parlez de profit aux princes de Ts'in et de Tch'ou, et qu'ils arrêtent la marche de leurs troupes par raison d'intérêt ; les soldats de leurs trois légions garderont volontiers le repos en vue de leur propre intérêt. Le sujet servira son prince en vue de son propre intérêt. Le fils servira son père, et le frère puîné son frère aîné en vue de l'intérêt propre. Le prince et le sujet, le père et le fils, le frère aîné et le frère puîné banniront tout sentiment d'affection et de justice, et dans leurs relations mutuelles, ne chercheront que leur propre intérêt. Une telle conduite a toujours amené la ruine de l'État. Si vous parlez de bienveillance et de justice aux princes de Ts'in et de Tch'ou, et que ces princes, par motif de bienveillance et de justice, tiennent au repos leurs trois légions ; les soldats de leurs trois légions garderont volontiers le repos, par motif de bienveillance et de justice. Les sujets serviront leur prince par motif d'affection et de justice. Le fils servira son père par motif d'affection et de justice. Le frère puîné servira son frère aîné par motif d'affection et de justice. Le prince et le sujet, le père et le fils, le frère aîné et le frère puîné, oubliant leur intérêt propre, s'acquitteront de leurs devoirs mutuels par motif d'affection et de justice. Un prince, qui a obtenu ce résultat, est toujours parvenu à gouverner tout l'empire. Est-il besoin de parler de profit ? »

5. Meng tzeu demeurant à Tcheou, Ki Jenn (le plus jeune des frères du prince de Jenn), qui gouvernait la principauté de Jenn (en l'absence de son frère aîné), envoya des pièces de soie en présent à Meng tzeu. Meng tzeu les reçut ; mais il n'alla pas remercier le prince. Lorsqu'il était à P'ing lou (ville de la principauté de Ts'i), Tch'ou tzeu, qui était ministre d'État, lui envoya des pièces de soie en présent. Meng tzeu les reçut, mais il n'alla pas remercier le ministre.

Plus tard, étant allé de Tcheou à Jenn, il visita Ki Jenn ; étant allé de P'ing lou à la capitale de Ts'i, il ne visita pas Tch'ou tzeu. Ou liu tzeu plein de joie, dit : « Voici une bonne occasion (pour demander et obtenir une explication). » « Maître, dit il à Meng tzeu, lorsque vous êtes allé à Jenn, vous avez visité Ki Jenn ; lorsque vous êtes allé à la capitale de Ts'i, vous n'avez pas visité Tch'ou tzeu. Est ce parce que Tch'ou tzeu n'était que ministre d'État, (tandis que Ki Jenn était régent) ? »

« Non, répondit Meng tzeu. Il est dit dans le Chou King : « Lorsqu'on offre quelque chose à un supérieur, les témoignages de respect sont de la plus grande importance. S'ils ne sont pas en rapport avec les présents offerts, c'est comme si l'on n'offrait rien, parce que le cœur n'y a aucune part ; parce que ce n'est vraiment pas offrir un présent à un supérieur. » Ou liu tzeu fut satisfait. Quelqu'un l'ayant interrogé à ce sujet, il répondit : « Ki Jenn ne pouvait pas aller à Tcheou ; mais Tch'ou tzeu pouvait aller à P'ing lou (saluer Meng tzeu, et il aurait dû lui donner cette marque de respect). »

6. Chouenn iu K'ouenn dit : « Celui qui s'applique avant tout à faire des actions d'éclat, c'est-à-dire à bien mériter du public, travaille dans l'intérêt des autres ; celui qui met en seconde ligne les actions éclatantes

(et en première ligne, sa propre perfection), cherche son propre avantage. Maître, vous étiez l'un des trois ministres d'État de Ts'i ; avant d'avoir rendu aucun service signalé au prince ou au peuple, vous vous êtes retiré. Est ce vraiment la conduite d'un homme qui aime ses semblables ? »

Meng tzeu répondit : « Il y eut un sage qui demeura dans une humble condition, et ne voulut pas mettre sa sagesse au service d'un prince vicieux ; ce fut Pe i. Un autre se rendit cinq fois à l'invitation de T'ang, et cinq fois à l'invitation de Kie (il les servit l'un et l'autre) ; ce fut I in. Un autre n'avait pas horreur d'un prince vicieux, et ne refusait pas une petite charge ; c'était Houei de Liou hia. Ces trois sages n'ont pas suivi la même voie ; mais leur but a été le même. Quel était ce but ? La vertu parfaite. Les sages tendent à la perfection de la vertu, et c'est assez. Est-il besoin qu'ils suivent tous la même voie ? »

Chouenn iu K'ouenn dit : « Sous le règne de Mou, prince de Lou, Koung i tzeu était à la tête des affaires ; Tzeu liou et Tzeu seu étaient ministres d'État. Le territoire de Lou diminua de plus en plus. Il semble que les sages sont inutiles dans un État. » « Le prince de Iu, répondit Meng tzeu, n'employa pas Pe li Hi, et il perdit ses États. Mou, prince de Ts'in, l'employa, et soumit tous les autres princes à son autorité. Ainsi, un prince qui n'emploie pas les sages, perd ses États. Comment pourrait-il réussir à n'en perdre qu'une partie ? »

« Lorsque Wang Pao demeurait près de la K'i, dit Chouenn iu K'ouenn, à l'occident du Fleuve Jaune, les habitants apprirent à fredonner des chants. Lorsque Mien Kiu habitait Kao t'ang, dans la partie occidentale de Ts'i, les habitants apprirent à chanter. Les femmes de Houa Tcheou et de K'i Leang (ministres d'État de Ts'i) pleurèrent parfaitement la mort de leurs maris, et déterminèrent un changement de mœurs dans toute la principauté. Les vertus et les talents qui sont dans l'âme se manifestent toujours au dehors dans les actions. Jamais je n'ai vu un homme qui, étant capable de faire les actions d'un sage, ne rendît pas les services qu'on attend d'un sage. J'en conclus qu'il n'existe pas de sages à présent. S'il y en avait, je les connaîtrais. »

Meng tzeu répondit : « Lorsque Confucius était ministre de la justice dans la principauté de Lou, on ne suivit pas son conseil. (Dès lors, il résolut de se retirer. Mais, pour ne pas rendre manifeste à tous les yeux une faute grave de son prince, il voulut attendre que celui-ci commît une faute légère). Plus tard, un sacrifice eut lieu. La viande cuite (qui avait été offerte aux esprits), ne fut pas (selon la coutume) distribuée (aux grands préfets). Confucius se retira, sans même prendre le temps de déposer son bonnet de cérémonie. Ceux qui ne le connaissaient pas, crurent qu'il s'en était allé, parce qu'il n'avait pas eu de viande. Ceux qui le connaissaient, jugèrent que c'était à cause de l'omission d'une cérémonie. Sans doute Confucius voulait s'en aller à l'occasion d'une faute légère ; mais il n'aurait pas voulu le faire sans une raison *apparente*. Les hommes ordinaires ne savent pas apprécier la conduite des sages. »

7. Meng tzeu dit : « Les cinq dominateurs des princes se sont rendus coupables envers les fondateurs des trois dynasties. A présent, les princes sont coupables envers les cinq dominateurs, et les grands préfets envers les princes.

« L'empereur visitait les princes ; cela s'appelait visiter les pays confiés à la garde des princes. Les princes allaient à la cour de l'empereur ; cela s'appelait rendre compte de l'administration. Au printemps, (l'empereur et les princes) inspectaient la culture des champs, et fournissaient aux laboureurs ce qui leur manquait (pour atteindre le temps de la moisson). En automne, ils inspectaient la moisson, et fournissaient aux laboureurs ce qui leur manquait (pour passer l'année). Lorsque l'empereur, entrant dans une principauté, trouvait les terres défrichées, les champs bien cultivés, les vieillards soignés et les sages honorés, les hommes de talent pourvus de charges, il récompensait le prince, en lui donnant de nouvelles terres. Si l'empereur, entrant dans une principauté, trouvait que les terres étaient en friche ou couvertes d'herbe, que les vieillards n'étaient pas soignés, ni les sages pourvus d'emplois, que des exacteurs rapaces occupaient les charges, il adressait au prince une réprimande. Lorsqu'un prince négligeait de se rendre à la cour de l'empereur, la première fois, il était abaissé d'une dignité inférieure ; la deuxième fois, il perdait une partie de son territoire ; la troisième fois, les six légions allaient le chasser de sa principauté. L'empereur fixait et commandait le châtiment ; mais il n'allait pas lui-même attaquer le prince coupable. Les princes (sur l'ordre de l'empereur) attaquaient le coupable ; mais ils ne fixaient pas le châtiment. Les cinq dominateurs ont soumis les princes à leur autorité, et les ont forcés à châtier ceux d'entre eux qui leur résistaient. Pour cette raison, je dis qu'ils ont été coupables envers les fondateurs des trois dynasties.

« Le plus puissant des cinq dominateurs fut Houan, prince de Ts'i. Il réunit les princes à K'ouei k'iou, fit lier la victime, et mit sur elle l'écrit qui contenait les ordonnances ; mais on ne se frotta pas les lèvres avec le sang de la victime. *Pour jurer l'observation d'un traité, on creusait une fosse carrée et sur le bord on immolait une victime. On coupait l'oreille gauche de la victime, et on la mettait sur un bassin orné de pierreries. On mettait aussi le sang dans un vase de jade. Ce sang servait à confirmer la foi jurée. Les articles du traité étant écrits, on les lisait, après s'être frotté les coins de la bouche avec le sang. On mettait la victime dans la fosse ; on plaçait sur elle les articles du traité, et on en jurait l'observation. Cela s'appelait mettre le traité sur la victime.* Les ordonnances étaient les suivantes. Premièrement : « Punissez de mort le fils qui ne respecte pas ses parents ; l'héritier présomptif une fois désigné, ne le changez pas ; une femme de second rang ne doit pas devenir femme de premier rang. » Deuxièmement : « Que les hommes capables soient élevés aux honneurs et les hommes de talent entretenus ; que la vertu obtienne des distinctions. » Troisièmement : « Respectez les vieillards ; prenez soin des enfants et des jeunes gens ; ne négligez pas les hôtes ni les étrangers : Quatrièmement : « Que les charges ne soient pas héréditaires, ni les emplois cumulés ; qu'on ne choisisse aucun officier dont la capacité ne soit reconnue ; qu'aucun prince de son autorité privée, ne mette à mort un grand préfet. » Cinquièmement : « Qu'on ne construise pas de digues qui soient préjudiciables aux pays voisins ; qu'on n'empêche pas les étrangers de venir acheter des grains ; qu'aucun fief ne soit conféré sans l'autorisation de l'empereur. » (A la fin de ces cinq articles) il était dit : « Nous tous qui avons contracté cet engagement, après en avoir juré l'observation, nous aurons soin de maintenir entre nous la bonne intelligence. » A présent, tous les princes violent les défenses contenues dans ces cinq articles. Pour cette raison je dis que les princes d'à présent sont coupables envers les cinq dominateurs.

« C'est un crime beaucoup plus grand d'aller au devant des mauvais désirs d'un prince, que de les entretenir seulement. A présent les grands préfets vont tous au devant des mauvais désirs des princes. Aussi je dis qu'ils sont coupables envers les princes actuels. »

8. Le prince de Lou voulait mettre à la tête de son armée Chenn tzeu (son ministre, et l'envoyer prendre la ville de Nan iang, qui appartenait au prince de Ts'i). Meng tzeu dit à Chenn tzeu : « Employer à faire la guerre un peuple qui n'a pas été habitué à la pratique des vertus, c'est le perdre. Un prince destructeur de son peuple n'aurait pas été toléré au temps de Iao et de Chouenn. Quand même une seule bataille suffirait pour terrasser vos ennemis et prendre Nan iang, vous ne devriez pas entreprendre cette guerre. » Chenn tzeu, changeant de contenance, dit d'un air mécontent : « C'est ce que moi Kou li, je ne comprends pas. »

« Je vais vous l'expliquer, répondit Meng tzeu. Le territoire soumis immédiatement à l'empereur a mille stades en tous sens. S'il était moins étendu, les revenus ne suffiraient pas pour recevoir et traiter les princes. Le territoire de chaque prince a cent stades en tous sens. S'il était moindre, les revenus ne suffiraient pas pour observer les règles concernant les temples des ancêtres.

« Tcheou koung reçut en fief la principauté de Lou. Elle avait cent stades en tous sens. Son territoire n'était pas insuffisant ; cependant il n'avait que cent stades. T'ai koung reçut en fief la principauté de Ts'i ; elle avait aussi cent stades en tous sens. Le territoire n'était pas insuffisant ; cependant il ne dépassait pas cent stades.

« A présent, la principauté de Lou a une étendue cinq fois plus grande. S'il surgissait un empereur vraiment puissant, la principauté de Lou, dites moi, serait elle de celles qu'il diminuerait, ou bien de celles qu'il augmenterait ? Un honnête homme ne voudrait pas enlever une place à un prince pour la donner à un autre (même quand il le pourrait sans coup férir) ; à plus forte raison, s'il fallait faire périr des hommes. Un ministre sage s'efforce d'amener son prince à rester dans la voie de la vertu, et à tendre toujours à la perfection. »

9. Meng tzeu dit : « De nos jours, ceux qui servent les princes disent : « Je puis, dans l'intérêt du prince, augmenter l'étendue des terres cultivées, remplir ses greniers et ses magasins. » De tels hommes sont considérés à présent comme de bons ministres ; les anciens les appelaient spoliateurs du peuple. Chercher à enrichir un prince qui ne suit pas la voie de la vertu et ne tend pas à la perfection, c'est enrichir Kie.

« (Quelques uns disent) : « Je puis, dans l'intérêt du prince, former des alliances, et par ce moyen, faire la guerre avec la certitude de remporter la victoire. » De tels hommes sont considérés à présent comme de bons ministres ; les anciens les appelaient fléaux du peuple. Vouloir faire la guerre avec acharnement pour un prince qui ne suit pas la voie de la vertu et ne tend pas à la perfection, c'est seconder Kie. Donnez l'empire d'un prince qui suit le courant et ne réforme pas les habitudes actuelles ; il ne pourra le garder l'espace d'un matin. »

10. Pe Kouei dit à Meng tzeu : « Je voudrais n'exiger en tribut que la vingtième partie des produits de la terre. Qu'en pensez vous ? » Meng tzeu répondit : « La mesure que vous proposez est bonne pour les barbares du nord. Dans une capitale qui compté dix mille familles, s'il n'y avait qu'un seul potier, serait-ce assez ? » « Non, dit Pe Kouei, les vases ne seraient pas en nombre suffisant. »

Meng tzeu reprit : « Dans le pays de ces barbares du nord, le millet à panicules est la seule espèce de grain qui arrive à maturité. Ils n'ont ni villes munies d'une double enceinte de murailles, ni édifices, ni maisons ; ni temples des ancêtres, ni sacrifices, ni princes à qui l'on offre des présents et des festins ; ils n'ont ni officiers ni employés du gouvernement. La vingtième partie des produits de la terre suffit pour les dépenses publiques.

« En Chine, serait il raisonnable de supprimer les relations sociales et de n'avoir plus d'officiers ? Si les potiers étaient trop peu nombreux, un État ne pourrait subsister commodément ; à plus forte raison, s'il n'avait pas d'officiers. Celui qui voudrait exiger moins d'impôt que Iao et

Chouenn deviendrait un petit barbare formé sur le modèle des barbares du nord. Celui qui voudrait exiger plus que Iao et Chouenn, deviendrait un petit Kie formé à l'image du trop fameux Kie. »

11. Pe Kouei dit : « J'ai fait écouler les eaux mieux que Iu. » « Vous vous trompez, répondit Meng tzeu. Iu a fait suivre à l'eau son cours naturel ; il lui a donné les quatre mers pour déversoirs. Vous, vous l'avez fait déverser dans les principautés voisines (à leur grand détriment). L'eau qui déborde produit l'inondation. L'inondation est un fléau, qui excite l'horreur de tout homme vraiment humain. Je le répète, vous vous trompez. »

12. Meng tzeu dit : « Si celui qui s'applique à l'étude de la sagesse, n'a pas foi en ses principes, sur quel fondement appuiera-t-il sa conduite ? »

13. Meng tzeu ayant appris que le prince de Lou voulait donner à Io tcheng tzeu une part dans l'administration, dit : « Cette nouvelle m'a causé une telle joie que je n'ai pu dormir. » Koung suenn Tch'eou dit : « Io tcheng tzeu est il un homme énergique ? » « Non, dit Meng tzeu. » — « Est il prudent et fécond en ressources ? » « Non, dit Meng tzeu. » — « A-t-il beaucoup de connaissances, une grande expérience ? » « Non, dit Meng tzeu. » — « Alors pourquoi cette joie qui vous a empêché de dormir ? » « C'est un homme qui veut le bien, dit Meng tzeu. »

— « Suffit il d'aimer ce qui est bien ? » « L'amour du bien, dit Meng tzeu, est plus que suffisant pour gouverner l'empire ; à plus forte raison, pour gouverner la principauté de Lou. Si un ministre veut le bien, dans tout l'empire personne ne trouvera trop pénible un voyage de mille stades pour venir lui donner un bon avis.

« S'il n'aime pas ce qui est bien, chacun dira : « Il est plein de confiance en lui-même ; (si je lui donne un avis, il pensera) : je le savais déjà. » La voix et le visage d'un homme présomptueux repoussent tout le monde à mille stades de distance. Les hommes de bien se tiennent à distance, mais les détracteurs, les adulateurs, les flatteurs hypocrites approchent. Un ministre entouré de détracteurs, d'adulateurs et de flatteurs hypocrites, pourrait-il, quand il le voudrait, établir le bon ordre dans l'État ? »

14. Tch'enn tzeu dit : « Anciennement, dans quelles circonstances les sages acceptaient-ils les charges publiques ? » Meng tzeu répondit : « Il y avait trois cas dans lesquels ils acceptaient les offres des princes, et trois cas dans lesquels ils se retiraient. Quand ils étaient reçus avec beaucoup d'honneur et selon toutes les règles, et qu'ils avaient lieu d'espérer que le prince suivrait leurs avis ; ils acceptaient un emploi. Mais ensuite, s'ils voyaient que le prince ne suivrait pas leurs avis, les marques de respect fussent-elles encore les mêmes, ils se retiraient. (Voilà le premier cas).

« Voici le deuxième. Lors même que le prince ne leur paraissait pas encore disposé à suivre leurs avis, s'ils étaient reçus avec grand respect et selon toutes les règles, ils acceptaient un emploi ; mais si plus tard les témoignages de respect diminuaient, ils se retiraient.

« Le troisième cas était celui-ci. Un sage n'avait à manger ni le matin ni le soir ; il était tellement exténué, par la faim qu'il n'avait pas la force de sortir de sa maison. Le prince, informé de son indigence, disait : « Pour ce qui est du point principal, je ne puis ni faire pratiquer les enseignements de ce sage ni suivre ses avis. Mais j'ai honte de le laisser souffrir de la faim sur mon territoire. » Le prince offrait un secours. Le sage pouvait accepter ce qui lui était nécessaire pour ne pas mourir de faim, mais rien de plus. »

15. Meng tzeu dit : « Les honneurs allèrent chercher Chouenn au milieu ces champs qu'il cultivait, Fou Iue dans une cabane de terre qui lui servait d'habitation, Kiao ko au milieu des poissons et du sel qu'il vendait, Kouan I *ou dans une prison entre les mains d'un geôlier, Suenn chou Ngao sur le bord de la mer où il vivait retiré, Pe li Hi dans un lieu de marché. Chouenn cultivait, la terre près du mont Li (dans le Chan si) ; à l'âge de trente ans, il fut associé à l'empire par Iao. Iue habitait une cabane de terre dans le désert de Fou ien (près de P'ing lou hien dans le Chan si) ; il fut promu par Ou ting. Kiao ko, à une époque de trouble, faisait le commerce de sel et de poisson ; il fut promu, par Wenn wang. Kouan Tchoung était tenu dans les fers par le gardien de la prison ; il fut nommé ministre d'État par le prince Houan. Suenn chou Ngao vivait retiré au bord de la mer ; il fut créé premier ministre par Tchouang, prince de Tch'ou (qui fut le dernier des cinq*

dominateurs). L'histoire de Pe li Hi est rapportée dans un chapitre précédent. Voy. page 531.

« Ainsi, lorsque le Ciel veut imposer à quelqu'un une grande charge, auparavant il abreuve son cœur d'amertumes, soumet à la fatigue ses nerfs et ses os, livre au tourment de la faim ses membres et tout son corps, le réduit à la plus extrême indigence, contrarie et renverse toutes ses entreprises. Par ce moyen il réveille en lui les bons sentiments, fortifie sa patience, et lui communique ce qui lui manquait encore (soit de connaissance soit de vertu).

« Les hommes ordinaires (ne reconnaissent et) ne corrigent leurs défauts, qu'après avoir commis des fautes. Ils ne font de généreux efforts, qu'après avoir eu le cœur dans l'angoisse et vu leurs desseins traversés. Ils ne commencent à comprendre que quand ils ont lu sur les visages et entendu dans les discours les sentiments que leur conduite excite dans les cœurs. Un royaume périt ordinairement, quand il n'a pas, à l'intérieur, d'anciennes familles attachées à l'observation des lois, et de sages ministres, et à l'extérieur, des ennemis et des difficultés. Ou voit par là que la vie est dans la sollicitude et la souffrance, et la mort dans le repos et le bien-être. »

16. Meng tzeu dit : « On peut enseigner de bien des manières. Quand je dédaigne de former et d'instruire quelqu'un, mon refus de l'enseigner est une leçon que je lui donne. »

LIVRE VII. TSIN SIN.

CHAPITRE I.

1. Meng tzeu dit : « Celui qui cultive parfaitement son intelligence, connaît sa nature (et la nature de toutes choses). Celui qui connaît sa nature, connaît le Ciel. *L'intelligence est cette faculté spirituelle avec laquelle l'homme a reçu les principes de toutes les connaissances, et par laquelle il se dirige en toutes choses. La nature est l'ensemble des principes que l'intelligence connaît naturellement. Le Ciel est le principe de tous les principes. Il n'est personne dont l'intelligence ne pos-*

304

sède les principes de toutes les connaissances. Cf. Ta Hio, p. 2 et 11. Conserver parfaitement ses facultés intellectuelles, entretenir en soi les dons de la nature, c'est le moyen de servir le Ciel. Être indifférent au sujet de la longueur ou de la brièveté de la vie, et travailler à se perfectionner soi-même jusqu'à la fin de sa carrière, c'est le moyen d'affermir les dons que l'on a reçus du Ciel. » (*Ming*, ce que le Ciel donne à l'homme).

2. Meng tzeu dit : « Rien n'existe qui ne soit voulu et ordonné par le Ciel. Il faut accepter avec soumission ce qu'il veut et ordonne directement. (Seules les choses qui arrivent sans qu'aucun homme les attire, sont voulues et ordonnées directement par le Ciel. Il ne veut et n'ordonne les autres que d'une manière indirecte, et souvent l'homme doit faire en sorte de les éviter). Pour cette raison, celui qui a une juste idée de la providence céleste ne se tient pas au pied d'un mur qui menace ruine (pour ne pas s'attirer une mort que le Ciel ne veut pas *directement*). La mort de celui qui termine ses jours dans l'accomplissement de ses devoirs, est ordonnée directement par le Ciel. La mort du criminel qui périt dans les fers ne l'est pas. »

3. Meng tzeu dit : « Il est utile de chercher les biens que nous trouvons, quand nous les cherchons, et que nous perdons, quand nous les négligeons. Ces biens soit ceux qui sont en nous, à savoir les vertus. Rien ne sert de chercher les biens dont la poursuite est soumise à certaines règles, et dont l'acquisition dépend de la volonté du Ciel. Ces biens sont ceux qui sont hors de nous. »

4. Meng tzeu dit : « Nous avons en nous les principes de toutes les connaissances. Le plus grand bonheur possible est celui de voir, en s'examinant soi-même, qu'il ne manque rien à sa propre perfection. Si quelqu'un s'efforce d'aimer les autres comme lui-même, la perfection qu'il cherche est tout près de lui. »

5. Meng tzeu dit : « La plupart des hommes agissent sans savoir la raison de leur conduite. Ils ont des habitudes, et ils ne s'en demandent pas compte. Ils continuent ainsi toute leur vie, et ils ne savent pas pourquoi. »

6. Meng tzeu dit : « Il faut que l'homme ait honte de mal faire. Celui qui a honte de n'avoir pas eu honte de mal faire, ne fera plus rien dont il doive avoir honte. »

7. Meng tzeu dit : « La honte est un sentiment d'une grande importance. Les adroits machinateurs de ruses et de fourberies, ne rougissent de rien. Celui qui n'a plus ce sentiment essentiel à l'homme de bien, que peut-il avoir de ce qui constitue l'homme de bien ? »

8. Meng tzeu dit : « Les sages souverains de l'antiquité aimaient la vertu des hommes sages, et (dans leurs relations avec eux), ils oubliaient leur propre puissance. Comment les sages de l'antiquité n'auraient-ils agi de même ? Ils mettaient tout leur bonheur dans leur sagesse, et ne faisaient pas attention à la puissance des grands. Aussi, lorsqu'un roi ou un prince n'avait pas pour eux le plus profond respect, et ne les traitait pas avec la plus exquise urbanité, il n'obtenait pas de les voir souvent. S'il n'obtenait pas même de les voir souvent, à plus forte raison n'obtenait-il pas de les avoir à son service. »

9. Meng tzeu dit à Soung Keou tsien, (l'un de ces lettrés qui allaient offrir leurs conseils à tous les princes) : « Aimez-vous à aller dans les cours (donner des avis aux princes) ? Je vous dirai mon sentiment au sujet de ces voyages. Si les princes suivent vos conseils, soyez content ; s'ils ne les suivent pas, soyez également content. »

« Que dois je faire, dit Keou tsien, pour être toujours content ? » « Estimez la vertu, dit Meng tzeu, mettez votre bonheur dans la justice ; et vous pourrez être toujours content. Le disciple de la sagesse, dans la pauvreté, garde toujours la justice, et dans la prospérité, ne s'écarte jamais de la voie de la vertu. Parce que, dans la pauvreté, il possède la justice, il se possède lui-même (il garde son cœur exempt de corruption). Parce que, dans la prospérité (et les honneurs), il ne s'écarte pas de la voie de la vertu, le peuple n'est pas trompé dans ses espérances. Lorsque les sages de l'antiquité obtenaient ce qu'ils désiraient, à savoir les charges publiques, ils répandaient leurs bienfaits sur le peuple. Lorsqu'ils n'obtenaient pas l'objet de leurs désirs, ils se perfectionnaient eux-mêmes, et devenaient ainsi illustres dans le monde. S'ils étaient pauvres, ils travaillaient dans la

solitude à se rendre parfaits. S'ils étaient dans la prospérité (et les honneurs), en se perfectionnant eux mêmes, ils rendaient tous les autres
hommes parfaits. »

10. Meng tzeu dit : « Les hommes vulgaires auraient besoin d'un
Wenn wang qui les excitât à pratiquer la vertu. Mais les hommes d'élite
s'excitent eux mêmes, sans le secours d'un Wenn wang. »

11. Meng tzeu dit : « Donnez à un homme les richesses et la puissance
de la famille des Han ou de celle des Wei ; s'il n'en conçoit aucun orgueil,
il est bien supérieur au commun des hommes. »

12. Meng tzeu dit : « Lorsqu'un prince impose des travaux à ses sujets
en vue d'assurer leur repos, ses sujets supportent volontiers les plus
grandes fatigues. Lorsqu'un prince, afin de protéger la vie de ses sujets,
en fait périr quelques uns, ceux-ci acceptent la mort sans se plaindre du
prince qui les fait périr. »

13. Meng tzeu dit : « Les sujets d'un puissant chef des princes sont
transportés de joie (quand ils reçoivent de lui un bienfait). Les sujets d'un
empereur véritable sont toujours heureux. Ils accepteraient de lui, sans se
plaindre, même leur sentence de mort. Lorsqu'ils reçoivent de lui un
bienfait, ils ne lui en font pas un mérite extraordinaire, (parce que ses
bienfaits sont continuels). Le peuple devient meilleur chaque jour, sans
apercevoir l'action de celui qui le rend meilleur. Un prince sage opère des
transformations partout où il passe. Dans tout ce qu'il entreprend, son
action est merveilleuse. Son influence s'étend partout, unie à celle du ciel
et de la terre. Dira -t-on qu'il ne rend pas de grands services ? »

14. Meng tzeu dit : « Un langage empreint de bonté fait sur les
hommes une impression moins profonde qu'une réputation de bonté.
Un bon gouvernement est moins propre à gagner le peuple que les bons
enseignements. Un bon gouvernement inspire la crainte ; les bons enseignements inspirent l'affection. Un bon gouvernement enrichit le peuple
et le prince ; les bons enseignements gagnent les cœurs. »

15. Meng tzeu dit : « Ce que l'homme sait faire sans l'avoir appris, il le
sait faire naturellement. Ce qu'il connaît sans y avoir réfléchi, il le connaît
naturellement. Les petits enfants savent tous aimer leurs parents. Deve-

nus grands, ils savent tous respecter leurs frères aînés. L'affection envers les parents est un effet de la bienveillance ; le respect envers ceux qui sont plus âgés que nous, est un effet de la justice. Ce qui montre que ces sentiments procèdent de ces deux vertus innées, c'est qu'ils se rencontrent partout sous le ciel. »

16. Meng tzeu dit : « Lorsque Chouenn vivait au fond d'une montagne, demeurant au milieu des arbres et des rochers, allant et venant au milieu des cerfs et des sangliers, il ne paraissait pas différer beaucoup des sauvages habitants des montagnes. Quand il entendait une bonne parole ou qu'il voyait une bonne action, (il s'empressait d'en faire la règle de sa conduite), semblable au Kiang ou au Fleuve-Jaune, qui, après avoir rompu ses digues, répand partout ses eaux et ne peut être arrêté. »

17. Meng tzeu dit : « Ne faites pas ce que vous savez ne devoir pas faire ; ne désirez pas ce que vous savez ne devoir pas désirer. Cela suffit. »

18. Meng tzeu dit : « Les hommes d'une vertu éclairée et d'une prudence industrieuse se forment d'ordinaire dans les souffrances et les contrariétés. Seuls les ministres délaissés et les enfants de concubines gardent leur cœur avec soin, comme des hommes en péril, et savent se prémunir contre les malheurs dont ils sont menacés. Aussi deviennent-ils très perspicaces. »

19. Meng tzeu dit : « Il est des hommes méprisables qui servent les princes ; lorsqu'ils sont au service d'un prince, ils s'appliquent à garder ses bonnes grâces et à le flatter. (Il dit des hommes, et non des ministres, par mépris.) Il est des ministres qui maintiennent la paix dans l'État ; ils font leur bonheur de remplir ce devoir. Il est des hommes favorisés des plus grands dons du Ciel ; lorsqu'ils jugent que, dans les honneurs, ils pourront faire pratiquer la vertu par tout l'empire, ils (acceptent des charges et) font régner partout la vertu. Il est des grands hommes ; ils se rendent eux mêmes parfaits, et tous les autres les imitent. »

20. Meng tzeu dit : « Trois choses donnent au sage une grande joie, et la dignité impériale n'est pas de ce nombre. La première, c'est d'avoir encore son père et sa mère, de voir ses frères exempts de tout embarras sé-

rieux. La deuxième, c’est de n’avoir rien dont il doive rougir ni devant le Ciel ni devant les hommes. La troisième, c’est d’attirer à lui tous les hommes de talent, de les former par ses leçons. Trois choses lui donnent une grande joie ; la dignité impériale n’est pas de ce nombre. »

21. Meng tzeu dit : « Un vaste territoire, un peuple nombreux sont des choses conformes aux désirs de l’homme sage ; mais ce n’est pas ce qui lui cause une grande joie. Être à la tête de l’empire et procurer la paix à tous les peuples, est pour l’homme sage une grande joie ; mais ce qu’il a reçu de la nature (et qui est le plus grand de tous les biens), ne consiste pas en cela. Ce que le sage a reçu de la nature, ne peut être augmenté, lors même qu’il ferait de grandes choses, ni diminué, lors même qu’il vivrait dans la pauvreté, parce c’est la part qui lui a été assignée par le Ciel. Ce que l’homme sage tient de la nature, ce sont les vertus de bienveillance, de justice, d’urbanité et de prudence : Elles ont leurs racines dans le cœur ; mais leurs effets apparaissent manifestement sur le visage, se voient dans la tenue des épaules et de tous les membres. Tout le corps comprend son devoir, sans qu’on l’en avertisse. »

22. Meng tzeu dit : « Pe i, fuyant le tyran Tcheou, était allé demeurer au nord sur le bord de la mer. Lorsqu’il apprit les belles actions de Wenn wang, il se leva en disant : « Pourquoi n’irais je pas vivre sous sa dépendance ? J’ai entendu dire que le prince de l’ouest a grand soin des vieillards. » T’ai koung, fuyant Tcheou, s’était retiré à l’est, près du rivage de la mer. Lorsqu’il apprit les belles actions de Wenn wang, il se leva en disant : « Pourquoi n’irais je pas me mettre sous sa dépendance ? J’ai entendu dire que le Prince de l’ouest a grand soin des vieillards. » Si dans l’empire un prince prenait soin des vieillards, les hommes vertueux se donneraient tous à lui.

« Chaque habitation occupait cinq arpents de terrain ; on y plantait des mûriers le long du mur d’enceinte. La mère de famille nourrissait des vers à soie ; elle avait de quoi faire des vêtements de soie aux vieillards : Elle nourrissait cinq poules et deux truies, avait soin le les faire produire aux temps convenables ; et les vieillards n’étaient jamais privés de viande.

Chaque père de famille avait cent arpents de terre ; en les cultivant, il pouvait nourrir huit personnes.

« La raison pour laquelle Pe i et T'ai koung disaient que le prince de l'ouest prenait grand soin des vieillards, c'est qu'il assignait à chacun de ses sujets un champ et une habitation, leur apprenait à planter des mûriers et à nourrir des animaux domestiques, dirigeait leurs femmes et leurs enfants, et obtenait ainsi qu'ils prissent soin des vieillards. Un homme de cinquante ans n'a pas chaud, s'il n'a pas de vêtements de soie. Un homme de soixante dix ans, n'est pas rassasié, s'il ne mange pas de viande. N'avoir pas chaud et n'être pas rassasié, cela s'appelle souffrir du froid et de la faim. Dans les États de Wenn wang, aucun vieillard ne souffrait du froid ni de la faim. Voilà ce que voulaient dire Pe i et T'ai koung. »

23. Meng tzeu dit : « Si le prince rend facile la culture des terres, modère les taxes et les impôts, le peuple sera dans l'abondance. S'il a soin que ses sujets ne mangent qu'à des heures réglées, et ne fassent de dépenses que pour les cérémonies, ils auront plus de provisions qu'ils n'en pourront consommer. L'eau et le feu sont nécessaires pour vivre. Si quelqu'un, même au crépuscule du soir, allait frapper à la porte d'un autre et demander de l'eau ou du feu, certainement il en obtiendrait, parce que l'eau et le feu abondent partout. Les empereurs les plus sages faisaient en sorte que les pois et les grains fussent aussi abondants que l'eau et le feu. Quand les pois et les grains sont si abondants, le peuple peut-il n'être pas vertueux ? »

24. Meng tzeu dit : « Lorsque Confucius était sur la montagne à l'est de la capitale, la principauté de Lou lui paraissait petite. Lorsqu'il montait sur le T'ai chan, l'empire lui paraissait petit. De même, celui qui étend ses regards sur la mer, a de la peine à compter pour quelque chose les autres amas d'eau. Celui qui fréquente l'école d'un grand sage, compte difficilement pour quelque chose les discours des autres hommes.

« Il est des règles à suivre pour observer l'eau et juger de sa profondeur. Il faut la considérer lorsqu'elle a des vagues. Le soleil et la lune étant des corps lumineux, leurs rayons reçus (même à travers une petite ouverture) éclairent les objets. L'eau remplit d'abord les fossés, avant d'aller plus loin. De même, le disciple de la sagesse (avance par degrés) dans l'étude de la doctrine des sages ; il n'apprend une nouvelle leçon, que quand il possède bien la précédente. »

25. Meng tzeu dit : « Celui qui se lève au chant du coq et s'applique tout entier à la pratique de la vertu, est un disciple de Chouenn. Celui qui se lève au chant du coq et se livre tout entier à la poursuite du gain, est un disciple du brigand Tcheu. Voulez vous savoir quelle distance sépare Chouenn de Tcheu ? C'est celle qui existe entre le désir du gain et l'amour de la vertu. » Voy. page 457.

26. Meng tzeu dit : « Iang Tchou a pour maxime qu'il peut à peine assez faire pour lui-même (chacun pour soi). Il ne voudrait pas sacrifier un de ses cheveux dans l'intérêt de l'empire. Me Ti aime tous les hommes également et sans distinction. Pour se rendre utile à l'empire, il consentirait à se laisser racler tout le corps de la tête aux pieds. Tzeu mouo tient le milieu entre ces deux philosophes. Tenant le milieu, il approche davantage de la vérité. Mais, parce qu'il veut garder le juste milieu sans tenir compte des circonstances, il s'attache aussi obstinément à un point. La raison pour laquelle je hais celui qui s'attache obstinément à un point, c'est qu'il altère la vraie doctrine. Il prend un principe unique, et en laisse de côté cent autres. »

27. Meng tzeu dit : « La nourriture paraît toujours agréable ; à ceux qui ont faim, et la boisson à ceux qui ont soif. Ils ne peuvent en bien juger ; la faim ou la soif leur a gâté le goût. La faim et la soif ne nuisent elles qu'au palais et à l'estomac ? Ordinairement elles nuisent aussi au cœur de l'homme. Si quelqu'un est capable de supporter la faim et la soif, c'est-à-dire la pauvreté, sans détriment pour son cœur, pour sa vertu, il n'aura pas à déplorer de ne pas égaler les hommes les plus vertueux. »

28. Meng tzeu dit : « Houei de Liou hia n'aurait pas, pour les trois plus hautes dignités de l'empire, changé quoi que ce fût à sa conduite. »

29. Meng tzeu dit : « Celui qui s'adonne à la pratique de la vertu peut être comparé à un homme qui creuse un puits. Cet homme eût-il creusé

à une profondeur de neuf fois huit pieds, s'il ne va pas jusqu'à la source, il est vrai de dire qu'il abandonne son puits. »

30. Meng tzeu dit : « Iao et Chouenn ont reçu de la nature la vertu parfaite ; Tch'eng T'ang et Ou wang l'ont acquise par leurs efforts ; les cinq chefs des princes l'ont simulée. Après l'avoir longtemps simulée, sans chercher à l'acquérir, ne s'imaginaient ils pas la posséder ? »

31. Koung suenn Tch'eou dit : I in dit : « Je ne puis m'habituer à un prince qui ne se conduit pas d'après la raison. » Et il relégua le jeune empereur T'ai kia dans le palais de T'oung. Le peuple en fut très satisfait. T'ai kia étant devenu vertueux, I in le reconduisit à la capitale. Le peuple fut encore très satisfait. Lorsqu'un prince n'est pas vertueux, un sage ministre peut il le reléguer loin de la cour ? » Meng tzeu répondit : « Il le peut, s'il a la même intention que I in. S'il a une autre intention, c'est un usurpateur. » Voy. page 525.

32. Koung suenn Tch'eou dit : « On lit dans le Cheu King : « Il ne mangera pas sa nourriture, sans l'avoir obtenue par son travail. » Comment un sage peut il se dispenser de cultiver la terre pour en tirer sa nourriture ? » Meng tzeu répondit : « Lorsqu'un sage demeure dans un pays, le prince, s'il suit ses avis, devient tranquille, riche, honoré, glorieux. Les jeunes gens, s'ils suivent ses enseignements, deviennent obéissants envers leurs parents, respectueux envers ceux qui sont plus âgés qu'eux, sincères, véridiques. Peut-on mieux gagner sa nourriture ? »

33. Tien, fils du roi de Ts'i, interrogeant Meng tzeu, dit : « Quelle est l'occupation d'un lettré sans charge ? » Meng tzeu dit : « Il élève les aspirations de son cœur. » Tien dit : « Qu'appelez vous élever ses aspirations ? » « C'est, répondit Meng tzeu, aspirer à la pratique de la bienveillance et de la justice. Ainsi, mettre à mort un innocent est contraire à la vertu d'humanité ; prendre le bien d'autrui est contraire à la justice ; (un lettré prend la résolution d'éviter ces fautes). Quelle est sa demeure ? C'est la vertu d'humanité. Quelle est sa voie ? C'est la justice. Demeurer dans la vertu d'humanité, et suivre la voie de la justice, c'est toute l'occupation d'un homme vraiment grand. »

34. Meng tzeu dit : « Tch'enn Tchoung tzeu n'aurait pas accepté la principauté de Ts'i, si on la lui avait offerte contrairement à la justice. Aussi, tout le monde est persuadé qu'il était un grand sage. Mais sa justice a été celle d'un homme qui refuse d'accepter une écuelle de riz et un peu de bouillon. Il n'y a pas de crime plus grand que celui de ne reconnaître ni père, ni mère, ni parents, ni prince, ni sujet, ni supérieur, ni inférieur. Parce qu'un homme a une petite vertu, croire qu'il en a de grandes, n'est-ce pas déraisonnable ? » Voy. page 456.

35. T'ao Ing (disciple de Meng tzeu) dit : « Lorsque Chouenn était empereur et Kao iao ministre de la justice, si Kou seou avait tué quelqu'un, qu'aurait fait Kao iao ? » Meng tzeu répondit : « Il aurait simplement observé la loi. » — « Chouenn ne le lui aurait donc pas défendu ? » « Comment Chouenn aurait il pu le lui défendre, répondit Meng tzeu. Kao iao avait reçu la loi de plus haut, (il devait l'appliquer, même malgré l'empereur). »

« Alors, qu'aurait fait Chouenn ? » « Chouenn, répondit Meng tzeu, aurait abandonné l'empire sans plus de regrets que s'il avait quitté une paire de souliers usés. Prenant son père sur ses épaules, il se serait enfui secrètement. Il aurait fixé sa demeure sur le bord de la mer, et vécu, heureux et content, sans plus penser à l'empire. »

36. Meng tzeu, allant de Fan à la capitale de Ts'i, aperçut de loin un fils du prince de Ts'i. Il dit, en poussant un soupir : « La condition change l'air du visage, et la fortune l'apparence extérieure. Tant est grande l'influence du rang que l'on occupe ! Tout homme n'est il pas enfant d'un homme ? L'habitation, les appartements, les voitures, les chevaux, les vêtements du fils d'un prince sont généralement semblables à ceux des autres hommes. Cependant, le fils du prince est tel que nous le voyons (différent des autres hommes) ; sa condition seule en est la cause. A plus forte raison celui qui reste dans la vaste demeure de l'univers, c'est-à-dire dans la vertu parfaite, paraît il différent des autres hommes.

« Le prince de Lou, arrivant à la capitale de Soung, cria à la porte appelée Tie tche. Les gardiens se dirent : « Ce n'est pas notre prince ; comment se fait-il, que sa voix ressemble à celle de notre prince ? » Cette ressemblance de voix n'avait d'autre cause que la ressemblance de condition. »

37. Meng tzeu dit : « Fournir à l'entretien d'un sage et ne pas l'aimer, c'est le traiter comme un animal immonde. L'aimer et ne pas le respecter, c'est le nourrir comme un animal domestique. Les témoignages d'honneur et de respect doivent précéder l'offrande des présents. S'ils ne partent du cœur et sont de vaines démonstrations, ils ne pourront retenir un sage. »

38. Meng tzeu dit : « Les différentes parties du corps et leurs fonctions sont de la nature même de l'homme. Le sage est le seul qui sache en user parfaitement. »

39. Siuen, roi de Ts'i, voulait diminuer la durée du deuil. Koung suenn Tch'eou dit : « Ne vaut-il pas mieux garder le deuil une seule année que de s'en dispenser entièrement ? » Meng tzeu répondit : « (Parler ainsi au prince) c'est comme si, voyant quelqu'un tordre le bras de son frère aîné, vous vous contentiez de lui dire : Tordez le doucement, lentement. Vous devriez l'engager à pratiquer la piété filiale et à respecter son frère aîné, et voilà tout. »

L'un des fils du roi de Ts'i ayant perdu sa mère, son précepteur demanda pour lui l'autorisation de garder le deuil pendant quelques mois. Koung suenn Tch'eou pria Meng tzeu de lui dire ce qu'il en pensait. Meng tzeu répondit : « Le fils du roi désirait garder le deuil le temps ordinaire ; mais il ne pouvait en obtenir l'autorisation. N'eût-il demandé qu'un seul jour de deuil, c'eût été mieux que de ne faire absolument rien. (Ce que j'ai dit précédemment), je l'ai dit de celui qui, n'étant arrêté par personne, se dispenserait de la loi du deuil. »

40. Meng tzeu dit : « Le sage enseigne de cinq manières différentes : il est des hommes sur lesquels il agit comme une pluie bienfaisante ; il en est dont il perfectionne la vertu ; il en est dont il développe les talents ; il en est auxquels il répond quand il est interrogé ; il en est qui, (recevant ses enseignements par d'autres), se corrigent et se perfectionnent en leur particulier. Telles sont les cinq manières d'enseigner employées par le sage. »

41. Koung suenn Tch'eou dit : « Votre doctrine est élevée, elle est belle ; mais en vérité, il semble que ce soit comme si l'on voulait monter jusqu'au ciel, et qu'il soit impossible de parvenir si haut : Ne pourriez vous pas mettre la perfection à la portée de vos disciples ; et les encourager ainsi à faire chaque jour des efforts ? »

Meng tzeu répondit : « Un maître charpentier ne change ni ne laisse de côté son cordeau pour un apprenti maladroit. Il ne changeait pas sa manière de tirer à lui la corde de son arc pour un archer malhabile. Le sage tire à lui la corde de l'arc, mais il ne décoche pas la flèche. Il saute en quelque sorte ; (c'est-à-dire, le sage enseigne ses disciples beaucoup plus par ses exemples que par ses paroles ; il les précède dans la voie, et avance comme par bonds). Il garde toujours le juste milieu, (et ne fait pas fléchir les principes). Le suit qui peut. »

42. Meng tzeu dit : « Quand les vrais principes sont en vigueur dans le monde, (le sage exerce une charge, et) les vrais principes l'accompagnent toujours. Quand les vrais principes ne sont pas en vigueur dans le monde, le sage s'applique tout entier à les suivre (dans la vie privée). Je n'ai jamais entendu dire qu'un sage ait accommodé les principes aux désirs des hommes. »

43. Koung tou tzeu dit : « Lorsque Keng (frère du prince) de T'eng venait à votre école, il était, ce semble, de ceux qu'il fallait traiter avec honneur. Pourquoi n'avez vous pas répondu à ses questions ? » Meng tzeu dit : « Je ne réponds pas aux interrogations de ceux qui se prévalent ou de leur dignité, ou de leur sagesse, ou de leur âge, ou des services qu'ils m'ont rendus, ou de leur ancienne amitié avec moi. Keng de T'eng avait deux (de ces défauts ; il se prévalait de sa dignité et de sa sagesse). »

44. Meng tzeu dit : « Si quelqu'un s'abstient de ce dont il doit le moins s'abstenir, il s'abstiendra de tout. Si quelqu'un ne traite pas bien ceux qu'il devrait traiter le mieux, il ne traitera bien personne. Celui qui s'avance avec trop d'empressement, recule bientôt. »

45. Meng tzeu dit : « Le sage épargne les êtres dépourvus de raison, c'est-à-dire les animaux et les plantes ; mais il n'exerce pas envers eux sa bienfaisance. Il fait du bien à tous les hommes, mais il ne les aime pas

tous d'une affection spéciale. Il aime d'une affection spéciale ceux qui lui sont unis par le sang, et il fait du bien à tous les autres hommes. Il fait du bien aux hommes, et il épargne les autres êtres. »

46. Meng tzeu dit : « Il n'est rien qu'un homme sage ne désire connaître ; mais il s'applique en premier lieu à connaître ce qui réclame sa première attention. Un homme bienfaisant fait du bien à tout le monde ; mais avant tout il a soin de s'attacher les hommes sages. Iao et Chouenn, malgré toute leur sagesse, ne cherchaient pas à tout connaître en même temps, mais ils commençaient par les choses les plus importantes. Iao et Chouenn, malgré leur affection pour les hommes, n'étendaient pas leurs bienfaits sur tous en même temps ; ils travaillaient d'abord à s'attacher les hommes sages.

« Ne pouvoir s'astreindre à trois années de deuil, et cependant faire des recherches minutieuses sur le deuil de trois mois ou celui de cinq mois ; manger immodérément, boire sans discontinuer, et cependant interroger sur l'usage de ne pas déchirer la viande avec les dents ; cela s'appelle ne pas distinguer les choses importantes de celles qui ne le sont pas. (Voy. le Mémorial des Rites).

CHAPITRE II.

1. Meng tzeu dit : « Que Houei, prince de Leang, a été barbare ! Un prince humain fait du bien, d'abord à ceux qui lui sont chers, c'est-à-dire à ses proches, ensuite, à ceux qui ne lui sont pas spécialement chers, c'est-à-dire aux étrangers. Un prince inhumain traite cruellement, d'abord ceux auxquels il ne doit pas une affection spéciale, c'est-à-dire, les étrangers, puis ceux qui lui sont spécialement chers, c'est-à-dire ses proches. »

« Que voulez vous dire ? demanda Koung suenn Tch'eou. Meng tzeu répondit : « Houei, roi de Leang, pour la possession d'un territoire, a fait massacrer ses sujets, en les envoyant à la guerre. Après une grande défaite, il voulut recommencer les hostilités. Craignant de n'avoir pas la victoire, il força son jeune fils (son fils aîné), qui lui était très cher, (à prendre part à l'expédition, afin d'exciter l'ardeur des soldats) ; il sacrifia ainsi son fils avec ses sujets. C'est ce que j'appelle traiter, inhumainement, d'abord ceux à qui l'on ne doit pas une affection spéciale, puis ceux que l'on aime le plus. »

2. Meng tzeu dit : « Le Tch'ouenn Ts'iou relate des guerres injustes (entreprises par les princes sans l'autorisation de l'empereur). Il en mentionne quelques unes qui sont plus louables que les autres. Châtier par les armes se dit de l'empereur soumettant un prince désobéissant. Les princes qui se font la guerre, ne se châtient pas l'un l'autre. »

3. Meng tzeu dit : « Il vaudrait mieux n'avoir pas de livres historiques que de les interpréter à la lettre. Dans le chapitre du Chou King qui a pour titre Fin de la guerre, je ne prends à la lettre que deux ou trois passages seulement. Un prince humain n'a pas d'adversaires dans le monde. Un prince très bon, Ou wang, ayant attaqué un tyran très cruel, Tcheou, comment a t il péri tant d'hommes que les pilons (ou les boucliers) aient frotté dans le sang ? » *Meng tzeu dit que ce fait est incroyable. Mais le vrai sens de ce passage du Chou King, c'est que les partisans des Chang se sont tués les uns les autres, et non qu'ils ont été tués par Ou wang.*

4. Meng tzeu dit : « Il en est qui disent : Je suis habile à ranger une armée en bataille ; je suis habile à diriger un combat. Ils sont gravement coupables. Un prince qui aime à faire du bien, n'a pas d'ennemi sur la terre.

« Lorsque (Tch'eng T'ang) châtiait les princes du midi, les barbares du nord n'étaient pas satisfaits ; lorsqu'il châtiait les princes de l'est, les barbares de l'ouest n'étaient pas satisfaits. Les uns et les autres disaient : Pourquoi ne vient-il pas à nous en premier lieu ? Lorsque Ou wang attaqua le dernier empereur de la dynastie des In, il n'avait que trois cents chariots de guerre, et trois mille soldats courageux comme des tigres. Il dit (aux sujets du tyran) : « Ne craignez pas ; je viens (vous délivrer de la tyrannie et) vous apporter la paix ; je ne fais pas la guerre au peuple. Ils inclinèrent tous le front comme un taureau qui frappe la terre de ses cornes. Le mot *tchēng* signifie rendre droit, régler. Lorsque chacun désire que le gouvernement de son pays soit réglé (par un prince sage et bon), ce prince a-t-il besoin de recourir aux armes ? »

5. Meng tzeu dit : « Le charpentier et le charron peuvent donner à un homme le compas et l'équerre ; ils ne peuvent lui donner l'habileté à s'en servir. (Cette habileté s'acquière par l'exercice. Il en est de même de la sagesse). »

6. Meng tzeu dit : « Chouenn vivait d'aliments secs et de légumes, comme s'il avait dû vivre ainsi toute sa vie (sans désirer les richesses). Devenu empereur, il portait des vêtements brodés, jouait de la guitare, recevait les services des deux filles de Iao ; comme s'il avait tenu de la nature tous ces avantages (sans le moindre orgueil). »

7. Meng tzeu dit : « Enfin je comprends à présent combien c'est un grand crime de tuer le père ou le frère aîné d'un autre. Si quelqu'un tue le père d'un autre, cet autre (pour venger son père) tue à son tour le père du meurtrier. Si quelqu'un tue le frère aîné d'un autre, cet autre (par vengeance) tue à son tour le frère aîné du meurtrier. Ainsi, celui qui tue le père ou le frère aîné d'un autre, est presque aussi coupable que s'il tuait lui-même son propre père ou son propre frère (il le fait tuer par un autre). »

8. Meng tzeu dit : « Anciennement les barrières étaient établies pour protéger contre le brigandage ; à présent elles le sont pour exercer le brigandage, à savoir, pour exiger des droits exorbitants. »

9. Meng tzeu dit : « Si quelqu'un ne suit pas lui-même la voie de la vertu, il ne la fera suivre à personne, pas même à sa femme et à ses enfants. Si quelqu'un donne des ordres mauvais, il ne pourra les faire exécuter par personne, pas même par sa femme et ses enfants. »

10. Meng tzeu dit : « Une mauvaise année ne fera pas périr un homme qui a des provisions en abondance. La corruption du siècle n'ébranlera pas celui dont la vertu est parfaite. »

11. Meng tzeu dit : « Celui qui veut avoir la réputation (d'un homme qui méprise les honneurs et les richesses), pourra céder un royaume muni de mille chariots de guerre. Mais, s'il n'est pas tel qu'il veut paraître,

son visage trahira ses véritables sentiments, à l'occasion d'une écuelle de riz ou d'un peu de bouillon. »

12. Meng tzeu dit : « Si le prince n'a pas confiance en ceux qui se distinguent par leur vertu et leur sagesse, l'État n'aura pas d'appui. Si l'urbanité et la justice font défaut, les rangs, les offices seront confondus. Si les principes et les règlements administratifs font défaut, les revenus de l'État ne seront pas suffisants. »

13. Meng tzeu dit : « On a vu des hommes dépourvus d'humanité obtenir la dignité de prince. Jamais un homme dépourvu d'humanité n'a obtenu l'empire. »

14. Meng tzeu dit : « Le peuple est la partie la plus importante d'un État ; les esprits protecteurs de la terre et des grains viennent en deuxième lieu ; et le souverain, seulement en troisième lieu. Aussi, la dignité impériale s'obtient par la faveur du peuple des campagnes, la dignité de prince par la faveur de l'empereur, et la dignité de grand préfet par la faveur du prince. Lorsqu'un prince met en péril (sa principauté et avec elle) les autels des esprits tutélaires, un autre est établi en sa place (parce que les esprits tutélaires doivent être préférés au prince). Lorsque les sacrifices ont été faits aux temps ordinaires, avec des victimes sans défaut et du millet pur dans les vases sacrés, et que cependant il survient des sécheresses ou des inondations, (il est manifeste que les esprits tutélaires n'ont pas la puissance d'écarter les calamités), on les change (ou on change de place leurs autels, parce que le peuple est plus important que les esprits tutélaires). »

15. Meng tzeu dit : « Les grands sages sont les maîtres et les modèles de cent générations. Tels sont Pe i et Houei de Liou hia. Le récit des actions de Pe i rend sages les hommes ignorants (ou rend désintéressés les hommes cupides), et inspire des résolutions énergiques aux hommes d'un caractère faible. Au récit des actions de Houei de Liou hia, les avares deviennent généreux, les hommes d'un esprit étroit prennent des idées larges. Ces deux sages ont signalé leur vertu ; après leur mort, durant cent générations, tous ceux qui entendent parler d'eux, sont portés à les imiter. S'il n'avaient pas été de grands sages, leur influence serait elle

si grande ? Et combien plus n'a t elle pas dû l'être, pendant leur vie, sur ceux qui les ont approchés ! »

16. Meng tzeu dit : « La vertu d'humanité est ce qui distingue l'homme de tous les autres êtres : Considérée d'une manière concrète, elle est la voie du devoir. »

17. Meng tzeu dit : « Confucius, sur le point de quitter la principauté de Lou, dit : « Je pars le plus tard possible. » C'est ainsi qu'il quittait sa patrie. En quittant la capitale de Ts'i, il saisit à la hâte un peu de riz lavé, et il partit. C'est ainsi qu'il quittait une contrée étrangère. »

18. Meng tzeu dit : « Le Sage (Confucius) fut réduit à l'indigence dans les principautés de Tch'enn et de Ts'ai, parce que les princes et les ministres n'avaient aucune relation avec lui. »

19. Me Ki dit : « Les discours des hommes ne me sont nullement favorables. » Meng tzeu dit : « La calomnie ne saurait vous nuire. Le disciple de la sagesse est plus exposé que les autres hommes aux attaques des mauvaises langues. Il est dit dans le Cheu King : « Mon cœur est dans la tristesse et l'angoisse. Je suis odieuse à la troupe des concubines. » Confucius fut ainsi en butte à la haine. (Ailleurs il est dit) : « Bien qu'il n'ait pu comprimer leur fureur, il n'a rien perdu de sa renommée. » Ces paroles peuvent s'appliquer à Wenn wang. »

20. Meng tien dit : « Les anciens sages avec les lumières de leur intelligence éclairaient les autres. A présent, les princes veulent avec les ténèbres de leur esprit éclairer leurs sujets. »

21. Meng tzeu dit à Kao tzeu : « Sur les montagnes, dès que le milieu des sentiers a été un peu battu, c'est un vrai chemin. S'il reste quelque temps sans être fréquenté, il est obstrué par les herbes. A présent, les mauvaises herbes (les passions) obstruent votre cœur. » 22. Kao tzeu dit : « Le chant de Iu l'emporte sur celui de Wenn wang ». Meng tzeu dit : « Pourquoi dites vous cela ? » Kao Leu répondit : Parce que l'anneau de la cloche de Iu paraît comme rongé par les vers (ce qui montre que le chant de Iu a été exécuté plus souvent). « Est ce une preuve suffisante, répondit Meng tzeu ? Les ornières profondes qui sont à la porte d'une

ville, ont elles été creusées par les roues d'une seule voiture à deux chevaux ? (La cloche de Iu est plus usée, parce qu'elle est plus ancienne). »

23. Le pays de Ts'i souffrant de la famine, Tch'enn Tchenn dit à Meng tzeu : « Les habitants de la principauté pensent tous que de nouveau vous ferez ouvrir les greniers de T'ang (et distribuer du grain). Mais peut être ne le pourrez-vous pourrez vous pas. » Meng tzeu répondit : « Je serais un second Foung Fou, c'est-à-dire comme Foung Fou, je ferais une chose qui ne convient plus à présent. Un certain Foung Fou, de la principauté de Tsin, saisissait les tigres avec les mains. Enfin il se livra à l'étude de la sagesse. Un jour dans la plaine, il vit une troupe d'hommes qui poursuivaient un tigre. Le tigre s'adossa dans l'anfractuosité d'une montagne ; personne n'osait l'attaquer. La foule ayant aperçu de loin Foung Fou, courut au devant de lui. Foung Fou se dénuda les bras, et descendit de voiture. La multitude l'admira ; mais les sages se moquèrent de lui. »

24. Meng tzeu dit : « C'est par une tendance naturelle que le goût se porte vers les saveurs, la vue vers les couleurs, l'ouïe vers les sons, l'odorat vers les odeurs, tous les membres vers le bien-être et le repos. Mais la Providence est la dispensatrice des biens extérieurs. Pour cette raison, le sage ne donne pas à cette tendance naturelle le nom de nature, c'est-à-dire de loi naturelle que l'homme puisse ou doive suivre en toutes choses. »

« L'affection mutuelle du père et du fils, la justice mutuelle du prince et du sujet, l'urbanité mutuelle du maître de la maison et de l'hôte qu'il reçoit, l'habileté à discerner les sages, la sagesse parfaite qui marche toujours dans la voie droite, toutes ces vertus sont des dons de la Providence. Mais il y a la nature ou la loi naturelle qui nous oblige à les mettre en pratique. Pour cette raison, le sage n'appelle pas don du Ciel la pratique de ces vertus. (L'homme vulgaire, au contraire, appelle nature ou loi naturelle la convoitise des biens extérieurs, et veut la suivre en toutes choses ; il appelle don du ciel la pratique des vertus ; et ne fait aucun effort pour les pratiquer). »

25. Hao chen Pou hai (qui était de la principauté de Ts'i) dit à Meng tzeu : « Que faut il penser de Io tcheng tzeu ? » « C'est un homme bon,

un homme sincère, répondit Meng tzeu. » — « Qu'appelez vous homme bon, homme sincère ? » Meng tzeu répondit : « On appelle bon celui qui est digne d'être aimé ; sincère, celui dont la bonté est réelle et véritable ; excellent, celui dont la bonté est parfaite ; grand, celui dont la bonté est parfaite et brille d'un grand éclat ; sage par excellence, celui qui est grand, et pour qui la vertu est devenue comme naturelle ; spirituel, celui dont la sagesse est si grande que personne ne peut la connaître parfaitement. Io tcheng tzeu a dépassé le premier de ces six degrés ; il n'atteint pas le second, encore moins les quatre autres. »

26. Meng tzeu dit : « Ceux qui abandonnent la doctrine de Me se tournent ordinairement vers celle de Iang. Ceux qui abandonnent celle de Iang, se tournent ordinairement vers la vraie doctrine, qui est la nôtre. Lorsqu'ils viennent à nous, contentons nous de les recevoir. A présent, ceux qui discutent avec les sectateurs de Iang et de Me, font comme un homme qui poursuivrait un porc échappé de son étable, et qui, après l'avoir fait rentrer, le lierait par les pattes. » (Lorsque les sectateurs de Iang et de Me reviennent de leurs erreurs, les lettrés continuent à les attaquer, au lieu de les recevoir et de les instruire avec bonté).

27. Meng tzeu dit : « Il y a une contribution en toile de chanvre et en fil de soie, une contribution en grains, une contribution par le service personnel. Un prince sage n'en exige qu'une d'abord, et remet les deux autres à plus tard. Si le prince en exigeait deux à la fois, parmi le peuple on verrait des hommes mourir de faim ; s'il exigeait les trois en même temps, le père et le fils (forcés par l'indigence) se sépareraient l'un de l'autre. (Il exige la toile de chanvre et le fil de soie en été, les grains en automne, le service personnel en hiver). »

28. Meng tzeu dit : « Un prince doit estimer surtout trois choses : son territoire, son peuple, les règles et les affaires administratives. Celui qui estime beaucoup les perles et les pierres précieuses, attire des malheurs sur sa personne. »

29. P'enn tch'eng Kouo ayant obtenu une charge dans la principauté de Ts'i, Meng tzeu dit : « P'enn tch'eng Kouo périra. » P'enn tch'eng Kouo ayant été tué, les disciples de Meng tzeu dirent à leur maître :

« Maître, comment saviez vous qu'il serait tué ? » Meng tzeu répondit :
« C'était un homme qui avait quelque talent, mais ne connaissait pas la
grande voie de la sagesse ; il avait juste ce qu'il fallait pour s'attirer la
mort. »

30. Meng tzeu étant allé à la capitale de T'eng, fut logé par le prince
dans le Palais Supérieur (qui était destiné aux hôtes). Sur l'appui d'une fenêtre était déposé un soulier de chanvre encore inachevé. Le gardien du
palais le cherchait, et ne le trouvait pas. Quelqu'un dit à Meng tzeu :
« Est ce ainsi que vos disciples cachent les objets ? » Meng tzeu répondit : « Pensez vous qu'ils soient venus pour voler des souliers ? » « Non,
(mais j'ai lieu d'avoir des soupçons. Car) vous, maître, vous vous conten-
tez de diviser vos disciples en catégories ; vous ne recherchez pas leurs
fautes passées. Vous ne repoussez personne ; vous recevez tous ceux qui
viennent à vous avec un désir sincère de s'instruire. »

31. Meng tzeu dit : « Tout homme éprouve un sentiment de compassion au sujet de certaines choses. S'il étendait ce sentiment aux choses
qui (devraient exciter et cependant) n'excitent pas encore sa compassion,
il acquerrait la vertu d'humanité. Tout homme se refuse à commettre certaines actions mauvaises ; s'il étendait ce sentiment aux actions mauvaises dont il se rend coupable, il acquerrait la vertu de justice. »

« Si les hommes développaient le plus possible le sentiment qui les
porte à ne nuire à personne, leur bonté ne ferait jamais défaut. S'ils développaient le plus possible le sentiment qui les porte à ne pas vouloir per-
cer ou franchir les murs pour voler, leur justice ne ferait jamais défaut.
S'ils développaient le plus possible le sentiment qui les porte à ne pas
vouloir être désignés par les pronoms *èul* , *jou* , tu, toi, partout où ils
iraient, ils observeraient les lois de la justice, (afin que nul n'osât, en leur
parlant, employer ces pronoms dont on se sert en parlant à des jeunes
gens ou à des personnes viles).

« Si un lettré parle quand il ne faut pas parler, c'est pour gagner par ses
discours les bonnes grâces de quelqu'un. S'il ne parle pas, quand il faut
parler, c'est pour gagner par son silence les bonnes grâces de quelqu'un.

Dans les deux cas, il se rend semblable au voleur qui perce ou franchit un mur. »

32. Meng tzeu dit : « Une maxime qui renferme un sens profond sous une expression simple, est une bonne maxime. S'astreindre soi-même à une règle sévère, et étendre au loin l'influence de ses vertus, est une bonne manière d'agir. Les paroles d'un sage ne descendent pas au dessous de la ceinture (sont claires) ; les principes de la sagesse y sont renfermés. (Les anciens regardaient toujours la partie du corps qui est au dessus de la ceinture. Pour dire qu'une chose était manifeste, on disait qu'elle était au dessus de la ceinture). « Le sage s'applique à se perfectionner lui-même, et bientôt la paix règne dans tout l'empire. Le défaut ordinaire des hommes, c'est de négliger leurs propres champs, et de nettoyer les champs d'autrui, d'exiger beaucoup des autres, et de ne s'imposer à eux mêmes qu'un léger fardeau. »

33. Meng tzeu dit : « Iao et Chouenn ont reçu de la nature la sagesse la plus parfaite. Tch'eng T'ang et Ou wang l'ont acquise en cultivant leurs qualités naturelles. La bienséance dans les mouvements, dans la tenue et la démarche est l'indice de la plus haute perfection. (Celui qui est naturellement sage), pleure les morts avec un regret sincère ; mais ce n'est pas pour s'attirer l'estime des vivants. Il suit la voie de la vertu avec constance ; mais ce n'est pas en vue d'obtenir une charge et des appointements. Dans ses paroles il est sincère ; mais sans se préoccuper de régler sa conduite, (car sa conduite est toujours parfaitement réglée, sans qu'il ait besoin d'y penser ou de faire des efforts). Celui qui est devenu sage (par ses efforts), observe la loi naturelle, et attend les dispositions du Ciel à son égard. »

34. Meng tzeu dit : « Si vous donnez des conseils aux grands, faites peu de cas de leur grandeur, et ne considérez pas leur pompeuse magnificence. Si j'obtenais ce que je désire, à savoir, une charge importante, je n'aurais ni salle haute de plusieurs fois huit pieds, ni chevrons dépassant de plusieurs pieds le bord des toits. Si j'obtenais ce que je désire, je n'aurais pas devant moi une multitude de mets couvrant un carré de dix pieds, ni à mes côtés plusieurs centaines de femmes. Si j'obtenais ce que

je désire, je n'irais pas çà et là chercher des plaisirs et faire des orgies ; je n'irais pas à la chasse avec des chevaux et mille chariots à ma suite. Toutes ces choses que les grands se permettent, je ne me les permettrais pas. Tout ce qui est en moi est conforme aux règles établies par les anciens. Pourquoi craindrais je les grands ? »

35. Meng tzeu dit : « Le meilleur moyen de développer les vertus naturelles du cœur, c'est de diminuer les désirs. Celui qui diminue ses désirs, pourra s'écarter de la voie de la vertu, mais ce sera rarement. Celui qui a beaucoup de désirs, pourra faire des actes de vertu, mais ce sera rarement. »

36. Tseng Si aimait les jujubes de brebis ; son fils Tseng tzeu n'en voulait pas manger. *Les jujubes de brebis, appelées aussi jujubes crottes de brebis, sont de petits fruits noirs et ronds, de la grosseur d'une crotte de brebis. Ils croissent dans les pays septentrionaux. Tseng Si les aimait. Après sa mort, si Tseng tzeu en avait mangé, le souvenir de son père aurait renouvelé sa douleur.*

Koung suenn Tch'eou dit : « Lequel vaut le mieux, du hachis ou du rôti, ou bien des jujubes de brebis ? » « Le hachis ou le rôti, répondit Meng tzeu. » « (Tseng Si devait donc aimer le hachis et le rôti), reprit Koung suenn Tch'eou ; pourquoi Tseng tzeu mangeait-il de la viande hachée ou rôtie, et ne mangeait-il pas de petites jujubes noires ? » « C'est, répondit Meng tzeu, parce que le goût pour la viande hachée ou rôtie est commun à tout le monde, tandis que le goût pour les petites jujubes noires était particulier à Tseng Si. C'est ainsi qu'après la mort d'un homme, on s'abstient de prononcer son nom propre, mais on prononce encore son nom de famille ; parce que le nom de famille est commun à plusieurs, et que le nom propre est particulier à un seul. »

37. Wan Tchang interrogeant Meng tzeu, dit : « Lorsque Confucius était dans la principauté de Tch'enn, il s'écriait : « Pourquoi ne retournerais-je pas dans ma patrie ? Les étudiants de mon pays ont de grandes aspirations, mais leur conduite est imparfaite. Ils progressent dans la vertu, en prenant modèle sur les anciens ; mais ils ne renoncent pas à leurs premières habitudes. » Pourquoi Confucius, dans la principauté de Tch'enn,

regrettait-il les disciples aux grandes aspirations qu'il avait dans son pays ? »

Meng tzeu répondit : « Confucius ne trouvait pas de disciples qui gardassent le juste milieu. Ne devait-il pas désirer d'en avoir qui au moins eussent de grandes aspirations ou fussent inviolablement attachés au devoir ? Ceux qui ont de grandes aspirations avancent dans la vertu en prenant modèle sur les anciens. Ceux qui sont attachés au devoir, s'abstiennent de mal faire. Est ce que Confucius n'aurait pas désiré avoir des disciples qui gardassent le juste milieu ? Voyant que certainement il n'en trouverait pas, il tournait ses désirs vers ceux qui étaient d'un degré inférieur. »

« Permettez moi de vous demander ce que c'est qu'un homme aux grandes aspirations. » « C'est, répondit Meng tzeu ; un homme semblable à Wan Tchang, à Tseng Si, à Mou P'i, que Confucius disait avoir de grandes aspirations. » — « Pourquoi disait-il qu'ils avaient de grandes aspirations ? » Meng tzeu répondit : « Ils répétaient avec emphase : Oh ! les anciens ! Oh ! les anciens ! Mais, en bien examinant leur conduite, on voyait qu'elle n'était pas à la hauteur de leurs aspirations. Lorsque Confucius ne pouvait trouver des disciples qui eussent de grandes aspirations, il désirait en trouver qui eussent horreur de toute souillure. De tels hommes sont attachés au devoir, et tiennent le premier rang après ceux qui ont de grandes aspirations. »

(Wan Tchang reprit) : « Confucius disait : « Ceux que je suis content de voir passer devant ma porte et ne pas entrer dans ma maison, (parce que je ne désire pas avoir de tels disciples) ; ne sont-ce pas les hommes que les villageois considèrent comme vertueux ? Ces hommes sont le fléau de la vertu. » (Voy. Liun iu, page 267). Qu'appelle-t-on homme vertueux aux yeux des villageois ? »

(Meng tzeu répondit : « C'est celui qui, en parlant de ceux qui ont de grandes aspirations), dit : « Pourquoi ces désirs et ce langage si élevés ? Leur langage ne répond pas à leur conduite, ni leur conduite à leur langage. Ils s'écrient : Oh ! les anciens ! Oh ! les anciens ! » (Le même blâme les hommes du devoir). « Pourquoi, dit-il, dans leur conduite cherchent-ils à se distinguer, et sont-ils si froids à l'égard des autres ? » Ce prétendu sage agit comme les hommes de son siècle, et s'il obtient leur approbation, cela lui suffit : Il flatte les hommes de son siècle, comme font les eunuques. Tel est l'homme qui passe pour vertueux aux yeux des villageois. »

Wan Tchang dit : « Tous les habitants de son village le disent vertueux ; partout où il va, il agit en homme de bien. Pourquoi Confucius le considère-t-il comme le fléau de la vertu ? »

Meng tzeu répondit : « On ne trouve en lui rien de blâmable, rien de répréhensible. Mêlé à la foule, il suit le courant ; il imite les hommes vicieux de son siècle. Dans ses sentiments, il paraît sincère et digne de foi ; dans sa conduite, il paraît intègre et irréprochable. Il plaît à la multitude, lui-même se croit parfait ; et il est impossible de le faire entrer dans la voie suivie par Iao et Chouenn. C'est pourquoi Confucius l'appelle le fléau de la vertu.

« Confucius disait : « Je hais une apparence sans réalité. Je hais le faux millet, parce que je crains qu'on ne le confonde avec le vrai. Je hais les raisons spécieuses, parce que je crains qu'on ne les prenne pour de bonnes raisons. Je hais les discours verbeux et vides de sens, parce que je crains qu'on ne les prenne pour des discours dignes d'attention. Je hais les chants de Tcheng, parce que je crains qu'on ne les prenne pour des chants vraiment beaux. Je hais la couleur rouge bleu, parce que je crains qu'on ne la confonde avec la couleur rouge. Je hais les hommes qui dans les villages sont réputés parfaits, parce que je crains qu'on ne confonde leur vertu apparente avec la vraie vertu. » Le sage se contente de remettre en vigueur les lois immuables de la vertu. Aussitôt le peuple s'applique à pratiquer la vertu. La perversité et la fourberie disparaissent de la terre. »

38. Meng tzeu dit : « Depuis Iao et Chouenn jusqu'à T'ang, il s'est écoulé plus de cinq cents ans. (2356-1766). Iu et Kao Iao ont vu, connu (et entendu) Iao et Chouenn. T'ang ne les a connus que par la tradition. Depuis T'ang jusqu'à Wenn wang, il s'est écoulé plus de cinq cents ans. (1766-1231). I in et Lai tchou ont vu, connu (et entendu) Tch'eng T'ang.

Wenn wang ne l'a connu que par la tradition. (Lai tchou était, *dit on*, Tchoung houei, ministre de T'ang).

« Depuis Wenn wang jusqu'à Confucius, il s'est écoulé plus de cinq cents ans. (1135-551). T'ai koung Wang et San I cheng ont vu, connu (et entendu) Wenn wang, (ils furent ses ministres). Confucius ne l'a connu que par la tradition.

« Depuis Confucius jusqu'à nos jours, il s'est écoulé un peu plus de cent ans. A un intervalle de temps si peu considérable, dans un pays si rapproché du lieu où ce grand sage demeurait, n'existe-t-il plus personne (qui l'ait vu, connu et entendu) ? Au moins, n'existe-t-il plus personne (qui l'ait connu, lui et sa doctrine, par la tradition) ? » (Les principautés de Lou et de Tcheou étaient voisines l'une de l'autre. Dans la dernière phrase, Meng tzeu, d'après les commentateurs, veut faire entendre qu'il a reçu des disciples de Tzeu seu les enseignements de Confucius, et qu'il prend soin de les transmettre fidèlement à la postérité).

Le Ta-Hio, ou la Grande Étude ouvrage de Confucius et de son disciple Tseng-Tseu

attribué à Confucius

Imprimerie d'Éverat, Paris, 1832

大學

LE TA-HIO,

OU

LA GRANDE ÉTUDE,

OUVRAGE DE CONFUCIUS ET DE SON DISCIPLE TSENG-TSEU.

TRADUIT DU CHINOIS

PAR M. G. PAUTHIER.

PARIS,

DE L'IMPRIMERIE D'ÉVERAT, RUE DU CADRAN, N° 16.

1832.

EXTRAIT DE LA REVUE ENCYCLOPÉDIQUE. MAI-JUIN 1832.

LE TA-HIO, OU LA GRANDE ÉTUDE,

OUVRAGE DE CONFUCIUS ET DE SON DISCIPLE TSENG-TSEU,

(Traduit littéralement du chinois [1].)

TA HIO [2]. — LA GRANDE ÉTUDE.

§ I. La voie de la grande étude consiste à mettre en lumière, cultiver ou développer la nature rationnelle, ou la faculté intelligente que nous avons reçue du Ciel en naissant [3], à renouveler le peuple, et à ne s'arrêter que lorsque l'on est parvenu à la perfection ou à son but final [4].

§ II. La fin ou le but auquel on doit tendre étant une fois connu, l'esprit prend une détermination ; ayant pris une détermination, il peut se reposer tranquillement dans cette détermination [5]. ; étant en repos dans sa détermination, l'ame est sereine et calme ; l'ame étant sereine et calme, elle considère attentivement la nature des choses ; ayant bien considéré la nature des choses, elle est sûre de parvenir à son but de perfection.

§ III. Les choses [dans la nature végétale] ont des racines et des rejetons : toute affaire a un commencement et une fin. Connaître ce qui vient le premier (*la cause* ou *le principal*), et ce qui vient après (*l'effet* ou *le secondaire*), c'est approcher de la Suprême Raison (du *Tao*) [6].

§ IV. Les anciens princes [7] qui désiraient rendre à sa pureté primitive et remettre en lumière dans tout l'empire la vertu (ou la faculté vertueuse) que nous tenons du ciel, s'attachaient d'abord à bien gouverner leurs provinces ; — désirant bien gouverner leurs provinces, ils commençaient par bien administrer leurs familles ; — désirant bien administrer leurs familles, ils commençaient par orner leur personne (c'est-à-dire *par se corriger eux-mêmes*) ; — désirant orner leur personne, ils commençaient par rectifier leur cœur (ou principe intelligent) ; — désirant rectifier leur cœur, ils commençaient par purifier (*litt* . : *verum-facere*) leurs intentions ; — désirant purifier leurs intentions, ils commençaient par perfectionner leurs connaissances ; perfectionner ses connaissances, c'est pénétrer la nature (ou *l'origine et la fin*) de toutes choses [8].

§ V. La nature des choses étant pénétrée, la connaissance de l'esprit sera ensuite parfaite ; — étant devenue parfaite, les intentions seront ensuite purifiées ; — les intentions étant purifiées, le cœur sera ensuite rectifié ; — le cœur étant rectifié, la personne sera ensuite ornée (*corrigée*) ; — la personne étant ornée, la famille sera ensuite bien administrée ; — la famille étant bien administrée, le royaume sera ensuite bien gouverné ; — le royaume étant bien gouverné, alors tout ce qui est sous le ciel sera tranquille et heureux [9].

§ VI. Depuis le fils du ciel (*l'Empereur de la Chine*) jusqu'au dernier du commun des hommes, devoir égal pour tous : orner sa personne (*se corriger soi-même*) est le fondement (*de toute perfection* .)

§ VII. La principale affaire (*celle de se corriger soi-même*) étant troublée, en désordre, comment celle qui n'est que secondaire (*la famille et le royaume*) serait-elle bien gouvernée ? — Traiter légèrement ce qui est *le principal* ou le plus important, et gravement ce qui n'est que *secondaire* : c'est agir contrairement à la raison.

Le chapitre du *King* ou *Livre* qui précède, contient les propres paroles de CONFUCIUS, recueillies par son disciple THSÊNG-TSEU, qui les a commentées dans les dix sections ou chapitres suivans, renfermant ses propres idées, recueillies à leur tour par ses disciples. Dans les anciennes copies se trouvent quelques fautes que TCHING-TSEU a corrigées : nous avons suivi ses leçons dans le texte suivant revu par nous.

TCHOU-HI.

COMMENTAIRE DE THSÊNG-TSEU [10].

CHAPITRE PREMIER.

§ 1. Le *Kang-Kao* [11] dit : « Il était capable (*Wen-Wang*) de rendre à la vertu sa pureté et son éclat primitif du ciel. »

§ 2. Le *Taï-Kia* [12] dit : « Le roi TANG était sans cesse occupé à développer et à cultiver le don de l'intelligence qu'il avait reçu du ciel. »

§ 3. Le *Ti-Tien* [13] dit : « Il était propre (*Yao*) à faire briller la haute vertu. » Tous développèrent et cultivèrent par eux-mêmes leur nature rationnelle [14].

Le *Premier Chapitre* qui précède (du Commentaire de THSÊNG-TSEU) explique ce que l'on doit entendre par *mettre en lumière, cultiver ou développer la nature rationnelle, la faculté intelligente que nous avons reçue du ciel en naissant*. (§ I du texte de CONF.).

CHAPITRE II.

§ 1. Des caractères gravés sur la baignoire de l'Empereur *Tang* disaient : « Renouvelle (*ou* purifie)-toi chaque jour ; fais-le de nouveau, encore de nouveau, et toujours de nouveau [15]. »

§ 2. Le *Kang-Kao* dit encore : « Renouvelle ou fais nouveau le peuple. »

§ 3. Les Odes disent : [16]

> « Quoique le royaume de *Tchèou* fût très-ancien (eût des habitudes invétérées),
>
> » *Wen-Wang*, en se conformant à la volonté du ciel, opéra une rénovation. »

§ 4. Cela prouve qu'il n'y a rien en dehors du pouvoir du sage, quand il veut user de tous ses efforts pour parvenir à la perfection.

> Le *Second Chapitre* qui précède explique ce que l'on entend par *renouveler le peuple*.

CHAPITRE III.

§ 1. Les Odes disent :

> « C'est dans un rayon de mille *Li* (cent lieues) de la résidence royale
>
> » Que le peuple aime à fixer sa demeure [17]. »

§ 2. Les Odes disent :

> « L'oiseau jaune au chant plaintif *miên-màn*
>
> » Demeure dans le creux touffu des montagnes [18]. »

Tseu (Confucius) observe :

« En se reposant, l'oiseau connaît le lieu qui lui est convenable ; est-ce que l'homme n'en sait pas autant que l'oiseau ? »

§ 3. Les Odes disent :

> « Que la vertu de *Wen-Wang* était vaste et profonde !
>
> » Comme il sut réunir et faire briller toutes les vertus, en atteignant la perfection ! »

Comme roi, il faisait consister la perfection [19] ou la première qualité d'un prince, dans l'humanité, qui est la bienveillance universelle ; comme ministre, dans le respect ; comme fils, dans la piété filiale ; comme père, dans la tendresse paternelle : comme membre de la société, dans la sincérité et la fidélité.

§ 4. Les Odes disent :

> « Regarde là-bas sur les bords du *Ki*,
> » Oh ! qu'ils sont beaux et abondans les verts bambous !
> » Telle est la vertu de l'homme supérieur.
> » Comme l'ivoire divisé et uni ;
> » Comme les pierres précieuses taillées et polies ;
> » Qu'elle est exquise ! qu'elle est imposante !
> » Qu'elle est resplendissante ! qu'elle est illustre
> » La vertu de l'homme supérieur !
> » Elle ne peut jamais tomber dans l'oubli [20] ! »

Comme on divise et polit l'ivoire, l'homme sage embellit son esprit en étudiant la suprême raison. *Comme on taille et polit les pierres précieuses*, il corrige et orne sa personne. Les expressions : *qu'elle est exquise ! qu'elle est imposante !* désignent la vénération qu'inspire sa vertu. *Qu'elle est resplendissante ! qu'elle est illustre !* expriment combien cette vertu est majestueuse et belle. *La vertu de l'homme sage ne peut jamais être oubliée*, caractérise cette perfection de la raison, cette suprême vertu que le peuple ne peut oublier.

§ 5. Les Odes disent :

> « Comme la mémoire des anciens rois (*Wou* et *Wang*) est restée dans le souvenir des hommes ! »

Les sages (ou les bons princes) doivent imiter leur sagesse, et chérir ce qu'ils chérissaient.

Les hommes inférieurs (le peuple) se réjouissent de ce qui fut leur joie et profitent de ce qu'ils firent de bien et de profitable. Voilà pourquoi ils ne seront point oubliés dans les siècles à venir.

> Le *Troisième Chapitre* qui précède explique ce que l'on entend par *ne se reposer qu'au sommet du souverain-bien, ou lorsque l'on a atteint la perfection, le but final*.

CHAPITRE IV.

§ 1. *Koung-Tseu* (Confucius) a dit :

« En écoutant plaider, je juge comme les autres hommes ; mais ce qui serait nécessaire, ce serait de faire en sorte d'empêcher les procès et les dissensions. Ceux qui sont fourbes et méchans, il ne faut pas permettre qu'ils épuisent leurs mauvaises paroles [21]. Par là un respect salutaire pour la vertu s'empare de l'esprit du peuple. Cela s'appelle connaître l'origine ou la source [22]. »

> Le *Quatrième Chapitre* qui précède explique la *racine et les branches ou les rejetons :* ou le *principal* et le *secondaire* .

CHAPITRE V.

§ 1. Cela s'appelle connaître la racine ou l'origine des choses.

§ 2. Cela s'appelle le dernier terme de la science.

> Le *Cinquième Chapitre* qui précède (il n'y a qu'un court fragment) explique *la considération attentive de la nature des choses et le sens de la suprême science* ; il est maintenant presque entièrement perdu.

T CHOU-HI ajoute : Le reste du *Cinquième Chapitre* , qui explique dans quel sens on doit entendre *la perfection des connaissances* , comme existant dans *la connaissance parfaite de la nature des choses* , étant maintenant presque entièrement perdu, j'ai essayé de recourir aux idées de T CHING-TSEU [autre commentateur de C ONFUCIUS , un peu plus ancien que *Tchou-hi*], pour suppléer à cette lacune. Il observe que ce qui est appelé dans le texte *la connaissance parfaite* qui *consiste dans une perception distincte de la nature des choses* , c'est comme si *Confucius* avait dit : « *Celui qui désire atteindre la connaissance que je possède, doit méditer long-tems sur une chose, et examiner attentivement son principe = sa raison d'être* ; car, comme la raison ou l'intelligence de l'homme n'est pas évidemment incapable de connaître, = ou est adéquate à toute connaissance : (*mou pou yeou tchi : haud non habet scientiam* , vel *sciendi facultatem*), et que les choses du monde ou les êtres de la nature ne sont pas sans avoir un principe, une cause, ou une raison d'être (*li*), ce n'est qu'en examinant, en scrutant attentivement ces causes, ces principes, que l'on peut obtenir une *connaissance parfaite* ; autrement elle est inexacte et incomplète. C'est pourquoi le T A-HIO , la *Grande Étude* , commence par enseigner que l'étudiant de la sagesse doit examiner attentivement toutes les choses du monde (*litt. : qui sont sous le ciel* , = les actions humaines, et les êtres de la nature) en raisonnant d'après ce qu'il connaît déjà de la nature des choses ou de leur raison d'être (*li*) pour porter ses connaissances à leur dernière limite ; et qu'il doit s'appliquer constamment à augmenter ses connaissances, en cherchant à pénétrer dans la nature la plus intime des choses. En exerçant ainsi ses facultés intellectuelles, toute son énergie (*li* , force), pendant long-tems, l'esprit s'étend et parvient enfin à acquérir une compréhension ou connaissance profonde des choses ; alors la nature *intrinsèque* et *extrinsèque* (*litt. :* le *vêtement* ou l'aspect extérieur, et *la partie la plus cachée du vêtement* ou l' *intérieur*), l' *essence intime* la plus abstraite, et la *partie la plus grossière* des choses seront complètement connues, et notre intelligence étant pour ainsi dire incorporée avec leur substance, par une longue investigation, une expérience suivie, notre esprit deviendra parfaitement éclairé sur la nature des choses. Cela s'appelle *perfectionner ses connaissances* , cela s'appelle *pénétrer la nature des choses* [23]. »

CHAPITRE VI.

§ 1. Ce qui est appelé *purifier les intentions* (est ceci) : Ne t'abuse point toi-même, hais le vice comme une odeur désagréable (une contagion dangereuse) ; aime la vertu comme une belle couleur ou une belle forme. Voilà ce qui est appelé le contentement de soi-même. C'est pourquoi le sage veille attentivement sur ce qu'il a en lui de plus secret (*sa conscience*).

§ 2. Les hommes vulgaires retirés dans leur intérieur ne pratiquent point la vertu ; il n'est rien qu'ils ne poussent à l'excès. Quand ils voient un homme sage, alors ils feignent de lui ressembler, en cachant leur conduite vicieuse, et en faisant parade d'une vertu simulée.

§ 3. L'homme sage les voit, et il est comme s'il pénétrait leur foie et leurs reins ; alors à quoi leur sert-il (de dissimuler) ? C'est là ce que l'on entend par le proverbe : « la droiture de l'*intérieur* se montre au *dehors* . » C'est pourquoi le sage veille attentivement sur ses pensées intimes (ou sur ce qu'il a en lui de plus secret).

§ 4. *Thseng-tseu* a dit : « De ce que dix yeux regardent quelqu'un, et de ce que dix mains le désignent, qu'a-t-il à redouter ? »

§ 5. Comme la richesse orne une maison, la vertu orne la personne. Le cœur étant agrandi, le corps profite de même ; c'est pourquoi le sage doit purifier ses intentions.

Le *Sixième Chapitre* qui précède explique le précepte de *purifier les intentions* .

CHAPITRE VII.

§ 1. Ce qui est appelé « *orner sa personne* » consiste à *rectifier son cœur* ; le cœur étant troublé par la passion de la colère, alors il ne peut obtenir cette *rectitude* ; étant livré à la crainte, alors il ne peut obtenir cette *rectitude* ; étant agité par la passion du plaisir, alors il ne peut obtenir cette *rectitude* ; étant oppressé par la douleur, alors il ne peut obtenir cette *rectitude* .

§ 2. Le cœur n'étant point maître de lui-même, on regarde et on ne voit pas ; on écoute, et on n'entend pas ; on mange, et on ne connaît point la saveur des alimens.

§ 3. Voilà ce qui est appelé *orner sa personne* , consistant à *rectifier son cœur* .

Le *Septième Chapitre* qui précède explique le précepte de *rectifier son cœur* pour *orner sa personne* .

CHAPITRE VIII.

§ 1. Ce qui est appelé *bien administrer sa famille* consiste à *orner de vertus sa personne* (ou *commander à ses passions*).

Les hommes sont partiaux envers ceux qu'ils aiment : ils sont aussi partiaux (injustes) envers ceux qu'ils méprisent et qu'ils haïssent ; envers ceux qu'ils craignent et qu'ils respectent, ils sont également partiaux (serviles) ; envers ceux dont ils ont pitié et qu'ils protègent, ils sont partiaux (peu indulgens) ; envers ceux qu'ils traitent avec supériorité, ils sont également partiaux (hautains). C'est pourquoi aimer, et connaître les défauts de ceux que l'on aime ; haïr, et reconnaître les bonnes qualités de ceux que l'on hait, est une chose bien rare sous le ciel !

§ 2. De là vient le proverbe qui dit : « Les pères ne veulent pas reconnaître les défauts de leurs enfans, et les laboureurs la fertilité de leurs champs. »

§ 3. Cela prouve qu'un homme qui ne sait pas orner sa personne (ou se corriger soi-même) est incapable de bien administrer sa famille.

> Le *Huitième Chapitre* qui précède explique le précepte d' *orner de vertus sa personne* ou de *commander à ses passions* pour *bien administrer la famille* .

CHAPITRE IX.

§ 1. De même celui qui est appelé à *gouverner un royaume* doit avant tout *savoir bien administrer sa famille* . Quelqu'un qui ne sache pas instruire sa famille, et qui soit capable d'enseigner une nation d'hommes, cela ne s'est pas encore vu. C'est pourquoi le sage, sans sortir de sa famille, est capable de se perfectionner dans l'art d'instruire et de gouverner un peuple. Celui qui honore ses parens sert par là le prince ; celui qui remplit ses devoirs fraternels sert par là ses supérieurs ; celui qui est bienveillant étend cette bienveillance à toute la multitude.

§ 2. Le *Kang-Kao* dit :

(Un prince doit veiller sur son peuple) « comme une mère veille sur son jeune enfant. » Si le cœur de la mère est réellement attentif aux désirs de son enfant, quoiqu'elle ne connaisse pas exactement ce qu'il désire, elle ne se méprend pas beaucoup sur l'objet de ses vœux. Une mère ne commence pas par apprendre à nourrir et à élever ses enfans pour se marier ensuite.

§ 3. Si la famille du prince est humaine et charitable, la nation acquerra ces mêmes vertus. Si la famille a des manières condescendantes et polies, la nation deviendra condescendante et polie ; si le prince est avare et cupide, la nation se livrera aux troubles et à l'anarchie.

§ 4. *Yao* et *Chun* gouvernèrent l'empire avec l'amour de l'humanité, et le peuple les imita. *Kie* et *Tchèou* gouvernèrent l'empire avec cruauté, et le peuple les imita. Les choses qu'ils ordonnaient de suivre étaient contraires à ce qu'ils aimaient, et le peuple ne s'y soumit pas. C'est pourquoi le prince doit (lui-même) pratiquer la vertu, et ensuite inviter les autres hommes à l'imiter. Sa conduite doit être irréprochable ; alors il pourra répréhender celle des autres hommes. Que n'ayant rien de bon dans le cœur et dans sa conduite, on puisse être capable de commander aux hommes ce qui est bon ! cela est impossible.

§ 5. C'est pourquoi le *bon gouvernement d'une nation* se trouve dans la *bonne administration de la famille*.

§ 6. Les Odes disent :

« Que le pêcher est délicieux et ravissant !
» Que son feuillage est abondant !
» Telle une fiancée entrant dans la demeure de son époux,
» Et mettant le bon ordre dans sa famille. »

Mettez le *bon ordre dans votre famille*, ensuite *vous pourrez instruire et diriger une nation d'hommes*.

§ 7. Les Odes disent :

« Faites ce qui est convenable entre frères et sœurs de différens âges. »

Si vous faites ce qui est convenable entre frères et sœurs de différens âges, alors vous pourrez *instruire et diriger une nation* d'hommes.

§ 8. Les Odes disent :

« Le prince dont la conduite est exempte de fautes verra tout son royaume imiter sa droiture. »

Il remplit ses devoirs de père, de fils, de frère aîné et de frère cadet, et ainsi le peuple l'imite.

§ 9. Cela veut dire que le *gouvernement d'une nation* consiste dans (les mêmes principes que) la *bonne administration de la famille* [24].

Le *Neuvième Chapitre* qui précède explique le précepte qu' *il faut bien savoir administrer la famille* pour *bien gouverner une nation*.

CHAPITRE X.

§ 1. Celui que l'on dit pacifier la terre, c'est celui qui administre bien son royaume.

Exaltez (honorez) la vieillesse respectable, et le peuple aura beaucoup de piété filiale ; exaltez la supériorité d'âge, et le peuple sera plein de frères cadets qui auront des égards pour leurs frères aînés ; exaltez celui qui a pitié de l'orphelin, et le peuple ne le délaissera pas.

C'est ce qui fait que (en donnant ainsi l'exemple lui-même) un prince a en lui la règle et la mesure des choses [25].

§ 2. Ce que vous haïssez dans ceux qui sont au-dessus de vous, ne le pratiquez pas envers ceux qui sont au-dessous ; ce que vous haïssez dans vos inférieurs, ne le pratiquez pas envers vos supérieurs ; ce que vous haïssez dans ceux qui vous précèdent, ne le laissez pas à ceux qui vous suivent ; ce que vous haïssez dans ceux qui vous suivent, ne le faites pas à ceux qui vous précèdent ; ce que vous haïssez dans ceux qui sont à votre droite, ne le faites pas à ceux qui sont à votre gauche ; ce que vous haïssez dans ceux qui sont à votre gauche, ne le faites pas à ceux qui sont à votre droite : voilà ce qui est appelé la raison et la règle de toutes choses.

§ 3. Les Odes disent :

« Quelle vive joie pour un prince
» D'être le père et la mère de son peuple ! »

Ce que le peuple aime, l'aimer ; ce que le peuple hait, le haïr : voilà ce qui est appelé « *être le père et la mère du peuple* . »

§ 4. Les Odes disent :

« Voyez au loin cette grande montagne du Midi,
» Avec ses rochers entassés et menaçans !
» Ainsi, ministre *Yn* , tu brillais dans ta fierté !
» Et le peuple te contemplait avec terreur ! »

Celui qui possède un empire ne doit pas être négligent (du bonheur de son peuple) ; s'il ne tient compte de ces principes, alors la ruine de son empire en sera la conséquence.

§ 5. Les Odes disent :

> « Avant que les Princes de la dynastie de *Yn* eussent perdu l'af-
> fection du peuple,
>> » Ils pouvaient être comparés au Très-Haut.
>> » Nous pouvons considérer dans eux, comme dans un miroir,
>> » Que le *décret* ou la *volonté* du ciel n'est pas facile à conserver. »

Ce qui veut dire :

> Obtiens l'affection du peuple, tu obtiendras et conserveras
> l'empire ;
>
> Perds l'affection du peuple et tu perdras l'empire [26].

§ 6. C'est pourquoi un prince doit, avant tout, se livrer soigneusement à la pratique de la vertu. S'il possède la vertu, il possédera le cœur des hommes ; s'il possède le cœur des hommes, il possédera aussi le territoire ou la souveraineté ; s'il possède le territoire, il en aura les revenus ; s'il en a les revenus, il pourra en faire usage (pour l'administration de l'état).

§ 7. Celui qui possède la vertu possède la chose principale ; celui qui possède la richesse possède la chose secondaire.

§ 8. Quand la première (la vertu) est repoussée, et que la seconde (la richesse) est accueillie, le peuple se livre à la discorde et à la violence.

§ 9. C'est pourquoi, en accumulant les richesses, vous dispersez (ou éloignez) le peuple ; et en dispersant ces richesses, vous réunissez le peuple.

§ 10. C'est pourquoi, si quelqu'un laisse échapper des paroles contraires à la raison (injustes), il en recevra de contraires à la raison ; si quelqu'un acquiert des richesses par des moyens contraires à la raison (injustes), il les perdra aussi par des moyens contraires à la raison.

§ 11. Le *Kang-Kao* dit :

« La faveur du ciel (la possession du royaume) ne dure pas toujours. »

Ce qui signifie qu'en suivant la vertu, on peut l'obtenir ; en ne la suivant pas, on la perd.

§ 12. Les chroniques de *Thsou* disent :

« La nation de *Thsou* ne regarde pas les richesses comme précieuses : mais pour elle, la vertu seule est précieuse. »

§ 13. *Kioue Fan* a dit :

« Homme errant et fugitif, je n'ai rien trouvé de précieux (sur la terre) ; l'humanité, et l'amitié pour ses parens, sont ce que j'ai trouvé seulement de précieux. »

§ 14. Le *Tsin-chi* (instruction du roi de *Tsin*, dans le *Chou-King*) dit :

« Que n'ai-je un ministre d'une droiture parfaite, quand même il paraîtrait n'avoir d'autre habileté qu'un cœur grand et généreux ! Lorsqu'il verrait des hommes de grande capacité il se les associerait, et n'en serait pas plus jaloux que s'il possédait (leurs talens) lui-même. S'il venait à distinguer un homme d'une vertu et d'une intelligence vastes, il ne se bornerait pas à en faire l'éloge du bout des lèvres, il l'estimerait avec cordialité et l'emploierait dans les affaires. Un tel ministre pourrait protéger mes enfans, leurs enfans et le peuple. Quel avantage n'en résulterait-il pas ?

» Mais si un ministre est jaloux des hommes de talent et qu'il éloigne ou tienne à l'écart ceux qui possèdent une vertu et une habileté éminentes, en ne les employant pas dans les charges importantes, — un tel ministre, quoique possédant des talens, est incapable de protéger mes enfans, leurs enfans et le peuple. Ne pourrait-on pas dire alors que ce serait une calamité ? »

§ 15. L'homme vertueux et plein d'humanité peut seul éloigner de lui de tels hommes, et les rejeter parmi les barbares des quatre extrémités (de la terre), ne leur permettant pas d'habiter dans le royaume du milieu (la Chine).

Cela veut dire que l'homme vertueux et plein d'humanité seul est capable d'aimer et de haïr convenablement les hommes.

§ 16. Voir un homme de bien et de talent, et ne pas lui donner de l'élévation ; lui donner de l'élévation et ne pas le traiter avec toute la déférence qu'il mérite, c'est lui faire injure. Voir un homme pervers et ne pas le repousser ; le repousser et ne pas l'éloigner à une grande distance, c'est une chose condamnable (pour un prince).

§ 17. Un (prince) qui aime ceux qui sont l'objet de la haine générale, et qui hait ceux qui sont aimés de tous, fait ce que l'on appelle un outrage à la nature de l'homme. Des malheurs menacent certainement un tel prince.

§ 18. C'est pourquoi le prince qui a sa grande règle de conduite tracée par la propre dignité qu'il occupe, la conservera inviolable par sa confiance dans le peuple et sa fidélité au peuple ; l'orgueil et la violence la lui feraient perdre.

§ 19. Il y a un grand principe pour accroître les revenus (de l'état ou de la famille). Que ceux qui les produisent (les revenus) soient nombreux, et ceux qui les dissipent, en petit nombre. Que ceux qui veulent en amasser se donnent beaucoup de peine ; et que ceux qui les consomment pratiquent l'économie. Alors, de cette manière, les revenus seront toujours suffisans.

§ 20. Le prince qui est vertueux acquiert de la considération à sa personne, en usant de ses richesses ; celui qui n'est pas vertueux augmente ses richesses aux dépens de sa considération.

§ 21. Il n'est jamais arrivé que, lorsque le prince (ou le supérieur) est vertueux et bienveillant, le peuple n'aimât pas la justice. Il n'est jamais arrivé qu'un peuple, plein d'amour pour la justice, ait négligé ses devoirs ; et l'on n'a jamais vu, dans de telles circonstances, que les revenus publics n'aient pas été exactement payés.

§ 22. *Meng-hien-tseu* [27] a dit : « Ceux qui nourrissent des chevaux et entretiennent des chars ne s'inquiètent pas des poules et des pourceaux [28]. Une famille qui recueille de la glace [29], ne nourrit pas de bœufs et de moutons. Une famille de cent chars (un prince) n'a pas de ministres qui ne pensent qu'à amasser des trésors. Si elle avait des ministres qui ne pensassent qu'à amasser des trésors, mieux vaudrait qu'elle eût des ministres publiquement déprédateurs. »

Ce qui veut dire que ceux qui gouvernent les royaumes ne doivent pas faire consister leur richesse privée dans les richesses ; mais qu'ils doivent la faire consister dans l'équité (*ou* la droiture) et l'amour du peuple.

§ 23. Si ceux qui gouvernent les peuples ne pensent qu'à amasser des richesses pour leur usage personnel, ils attireront indubitablement auprès d'eux des hommes dépravés ; ces hommes leur feront croire par leurs flatteries qu'ils sont bons et vertueux, et ces hommes dépravés gouverneront le royaume. Mais l'administration de ces indignes ministres appellera sur le gouvernement les jugemens divins et les vengeances du peuple. Quand les affaires publiques sont arrivées à ce point, quels ministres, fussent-ils les plus habiles et les plus vertueux, détourneraient de tels malheurs ?

Ce qui confirme cette maxime, que la prospérité d'un royaume ne dépend pas de la pompe et des richesses du prince, mais de l'administration de ministres habiles et vertueux.

> Le *Dixième Chapitre* qui précède explique la *bonne administration du royaume*, et *la pacification de l'empire*.

T CHOU-HI ajoute : « Les *quatre premiers chapitres* du commentaire de T HSÊNG-TSEU expliquent le but et le plan général de l'ouvrage, que les *six derniers* développent plus amplement ; *le cinquième* est le plus important, comme expliquant les moyens par lesquels l'esprit acquiert la connaissance exacte des choses, et le *sixième* comme indiquant la raison ou le fondement de la perfection de soi-même. »

(Fin du Ta-Hio.)

1. ↑_Cette traduction a été faite sur un texte chinois gravé à Paris, qui se trouve maintenant à la librairie orientale de Dondey-Dupré ; mais elle a été revue sur un texte plus correct imprimé en Chine, et accompagné d'un commentaire du célèbre philosophe *Tchou-hi*, dont on a traduit des extraits. Il existe déjà plusieurs traductions plus ou moins fidèles de cet ouvrage, en latin, en français et en anglais. Celle qui suit est aussi littérale qu'il a été possible de la faire en français.

2. ↑_Le célèbre commentateur philosophe T CHOU-HI dit que le premier caractère de ce titre se lisait anciennement *Taï*, mais qu'aujourd'hui on le prononce à la manière accoutumée *Ta*.

Ce *livre* est le premier des S se-chou , ou *Quatre Livres Classiques* , dont les trois premiers sont attribués à *Confucius (Koung-fou-tseu)* , et le quatrième à *Mencius (Meng-tseu)* . Le philosophe *Tching-tseu* dit que c'est un ouvrage posthume de *Confucius* , et que « pour ceux qui commencent à étudier les sciences morales et politiques, c'est la porte pour entrer dans le chemin de la vertu. »

Le titre de *Grande Étude* , d'après T chou-hi , indique *l'Étude propre aux hommes raisonnables* . Ce qui confirme cette explication, c'est le titre de *Siao-hio* , ou *Petite Étude* , donné par *Tchou-tseu* à un livre également classique pour l'instruction de la jeunesse.

3. ↑_C'est là le sens que donne T chou-hi à *ming-te* , litt. : *brillante vertu* , qui est dans le texte. Il ajoute que *c'est une faculté intelligente, qui n'est point obscure, qui est le principe rationnel chez tous les hommes, et qui opère ou agit secrètement dans toutes les actions de la vie. C'est ce principe qui restreint ou réfrène les esprits vitaux (les passions naturelles) ; c'est lui qui modère les désirs de l'homme. Il arrive des momens où cette nature rationnelle, cette faculté native s'obscurcit ; alors il faut rendre à cette faculté native son lustre primitif ; ce qui est toujours possible. C'est pourquoi celui qui en fait son étude doit chercher à connaître ce qu'elle produit ou ce qu'elle prescrit, et l'illustrer ou le mettre en lumière en le suivant : c'est par là qu'il retourne à son principe.*

4. ↑_Les commentateurs entendent par là la parfaite conformité de toutes ses actions avec la droite raison, avec cette faculté rationnelle primitive que nous avons reçue du ciel.

5. ↑_C'est cet état de quiétude parfaite de l'ame que rien d'heureux ni de malheureux ne peut troubler, et que les *Tao-sse* ont poussé jusqu'à l'extase, comme les *Yoguis* de l'Inde, les *Sofis* de Perse et les *Ascètes* de tous les pays ; mais ici c'est la satisfaction calme et stoïque de la raison éclairée, qui sait d'où elle vient, où elle va, et le chemin droit qu'elle suit.

6. ↑_La *pure faculté rationnelle ou intelligente que nous avons reçue du ciel en naissant* constitue le *fondement* , la *cause* ou la *racine* ; — la *rénovation du peuple* constitue les *rejetons* ou les *effets* . — *Connaître la fin ou le but auquel on doit tendre* , constitue *le commencement* ; — *pouvoir atteindre ce but* , constitue *la fin* . — La *racine* , le *commencement* , sont ce qui *précède* , = les *antécédens* ; les *rejetons* et *la fin* , sont ce qui *suit* , = les *conséquens* . Voilà le sens logique des deux propositions du texte ci-dessus. » T   chou-hi .

Le *Tao* ou la *Suprême Raison* de ce paragraphe est cette faculté rationnelle abstraite, divinisée par le philosophe lao-tseu , qui en a fait le type et la règle de toutes les actions de l'homme ; un être enfin revêtu des plus hauts et des plus profonds attributs de la divinité, qui anime le monde et agit dans tous les êtres. Le caractère qui représente cette intelligence abstraite signifiait primitivement *voie, chemin, voie droite, règle de conduite, principe normal* ; ensuite *parole, parler* . Dans Confucius et chez les philosophes de son école, ce mot signifie proprement *voie droite, règle de conduite, principe normal des actions* . On pourra voir dans notre traduction du *Tao-te-king* *, ou livre du *Tao* , = de *la Raison suprême* et de la *Vertu* par L AO-TSEU , la nouvelle acception de ce mot qui peut être assimilé au λόγος des pythagoriciens, des platoniciens et des stoïciens.

* Cette traduction, accompagnée du texte chinois, et d'un très-grand nombre de commentaires chinois traduits, formant 1 fort vol. in-4 ^{O} , a été présentée, il y a plus de quatre mois, à une commission établie à l'Imprimerie royale, pour en autoriser l'impression aux frais du gouvernement.

7. ↑_C ONFUCIUS dans ce paragraphe enseigne par la voie de *l'énumération* , après avoir posé les *principes* , quelles sont les choses qui doivent être rationnellement entreprises avant les autres pour parvenir au but déterminé, et quelles sont celles qui leur succèdent dans l'ordre logique ; quels sont les *antécédens* et les *conséquens* , les *racines* et *les branches* ou *rejetons* . Il ne faut pas perdre de vue cette manière de procéder.

8. ↑_« Ceux qui *rendent à sa pureté primitive et remettent en lumière dans tout l'empire la nature rationnelle de l'homme, ou cette faculté vertueuse reçue du ciel en naissant* , font en sorte que tous les hommes puissent rappeler leur *nature* ou *faculté vertueuse* à sa *pureté primitive* . Le *cœur* , ou le *principe intelligent* , est ce qui commande au *corps* , ou à la *personne* , à l' *individu organisé* … La *nature des choses* s'entend des *actions* , des *affaires* de la vie humaine. Ces huit choses sont les catégories ou les classes distinctes (*Tiaô-mo*) de la *Grande étude* . » T   CHOU-HI .

9. ↑_« *La nature des choses* , c'est leur principe rationnel d'existence scruté dans son essence la plus intime à laquelle on peut atteindre. *La connaissance perfectionnée de l'esprit* , c'est le moyen de connaître notre intelligence, porté à sa dernière perfection. *Connaître* et ensuite *épuiser tous les moyens de connaissance* , c'est par ce procédé que les *intentions* ou la *volonté* peuvent atteindre à la *pureté* ou à l'état de *vérité immuable* , etc. » T   CHOU-HI .

C ONFUCIUS , dans les deux paragraphes précédens, procède par la voie de la synthèse et de l'analyse. La méthode, qui indique la droiture de l'esprit et l'exercice du jugement, se montre ici dans toute sa simplicité. À défaut du syllogisme régulier, la formule logique que l'on nomme *sorite* y est exprimée avec précision ; c'est un véritable procédé d'esprit philosophique. « Les Lettrés, dit un écrivain chinois, regardent ce paragraphe comme un précis sublime de tout ce que la philosophie, la politique et la morale ont de plus lumineux et de plus indubitable. »

10. ↑_T HSÊNG-TSEU , pour prouver la vérité et la supériorité de la doctrine de son maître C ONFUCIUS , recourt à des autorités tirées des anciens livres révérés des Chinois ; méthode constamment suivie par l'école de C ONFUCIUS , qui semble appuyer toutes ses doctrines sur l'autorité des exemples, et non pas sur des raisons intrinsèques philosophiques tirées

du raisonnement ou de la nature des choses, comme font les philosophes de l'école de L AO-TSEU , et L AO-TSEU lui-même, qui en a donné l'exemple à ses disciples. Le contraste est si frappant entre les deux écoles, que C ONFUCIUS et ses disciples poussent l'abus de ce moyen de persuasion jusqu'à en être extrêmement fastidieux ; tandis que L AO-TSEU ne cite pas une seule fois un nom historique chinois, ou tout autre quelconque à l'appui de ses doctrines, qu'il déduit plus ou moins judicieusement de la nature des choses et du cœur de l'homme, d'après des traditions que ce n'est pas ici le lieu d'exposer.

11. ↑_Un des chapitres du *Chou King* , ouvrage compilé et mis en ordre par Confucius. Il a été traduit en français par G AUBIL et publié par D EGUIGNES , en 1770.

12. ↑_Autre chapitre du *Chou-King* .

13. ↑_*Idem* .

14. ↑_Le premier exemple cité par T HSÎNG-TSEU , dans ce chapitre, est tiré d'un ancien livre ou poème composé par *Wou-Wang* , fils de l'empereur *Wen-Wang* , en l'honneur de son père, pour servir d'instruction à son frère cadet *Kang-cho* , en l'envoyant gouverner une province de l'empire, environ onze cents ans avant notre ère. Ce livre a été inséré, par C ONFUCIUS , dans le *Chou-King* , et forme le neuvième chapitre de cet ouvrage.

Le second exemple est tiré d'un livre plus ancien, composé par le célèbre *Y-Yn* , premier ministre de *Taï-Kia* , de quinze à dix-sept cents ans avant notre ère ; le troisième est tiré d'un livre ou poème encore plus ancien, composé en l'honneur de *Yao* , qui régnait deux mille trois cents ans avant la même période ; ces deux derniers sont également insérés dans le *Chou-King* : ils en forment les premier et cinquième chapitres.

15. ↑_Cette coutume antique des Chinois, d'inscrire des sentences morales tirées de leurs livres les plus révérés, sur leurs baignoires comme sur leurs vases usuels, est digne d'être remarquée, comme une preuve du caractère moral et de l'esprit cultivé de cet ancien peuple. Toutes les bibliothèques ou cabinets d'étude, les chambres à manger, à coucher, jusqu'aux éventails que nous pouvons admirer dans nos salons, portent de semblables inscriptions analogues aux lieux et aux objets sur lesquels elles se trouvent inscrites. Souvent le titre d'un livre porte le nom de la bibliothèque de l'auteur. Partout, une sentence morale frappe les yeux, orne l'esprit et inspire des sentimens de vertus, comme dans l'institut de Pythagore.

16. ↑_Le *Chi-King* , livre des vers ou des Odes, recueillies par Confucius.

17. ↑_C HI- K ING , *Chang-Soung* , ode 3.

18. ↑_C HI- K ING , *Siao-Ya* , ch. 8, ode 6.

19. ↑ Le *point de repos* , ou l' *état de perfection* auquel on doit tendre et dans lequel on doit se fixer. « Le saint homme ou le sage, dit *Tchoû-hi* , ne s'arrête que lorsqu'il est parvenu au souverain bien ou à la *perfection* . »

20. ↑ C III- K ING , *Weï-Foung* , ch. 5, ode 1, à la louange du prince *Ou-Koung* , désigné par les deux caractères *Kiun-tseu* , qui signifient *homme supérieur, homme sage* et *prince* .

21. ↑ Les mauvais moyens de défenses qu'ils emploient.

22. ↑ « Les paroles de *Confucius* indiquent que le saint homme ou le sage peut faire en sorte que les hommes fourbes et méchans ne puissent pas ou n'osent pas épuiser leurs mauvais discours ; car nous, en rendant à la vertu, à notre faculté rationnelle, son primitif éclat, sa pureté première, nous éclairons par conséquent leur esprit, et le peuple ressent un respect salutaire et naturel pour une vertu brillante. »

T CHOU-HI .

23. ↑ Ces idées du célèbre commentateur de C ONFUCIUS , T CHING-TSEU , qui vivait un peu avant T CHOU-HI , vers la fin du onzième siècle de notre ère, sont très-remarquables. Elles indiquent beaucoup de raison et de logique dans l'esprit.

24. ↑ Dans la politique de ces philosophes chinois, chaque famille, comme l'a déjà observé Collie, est une nation ou état en petit, et toute nation ou tout état n'est qu'une grande famille : l'une et l'autre doivent être gouvernées par les mêmes principes de sociabilité et soumis aux mêmes devoirs. Ainsi, comme un homme qui ne montre pas de vertus dans sa conduite et n'exerce point d'empire sur ses passions n'est pas capable de bien administrer une famille ; de même un prince qui n'a pas les qualités qu'il faut pour bien administrer une famille est également incapable de bien gouverner une nation. Ces doctrines ne sont point constitutionnelles, parce qu'elles sont en opposition avec la doctrine que le chef de l' *état règne* et *ne gouverne pas* , et qu'elles lui attribuent un pouvoir exorbitant sur ses administrés, celui d'un père sur ses enfans, pouvoir dont les princes, en Chine, sont aussi portés à abuser que partout ailleurs ; mais d'un autre côté ce caractère d'assimilation au père de famille leur impose des devoirs qu'ils trouvent quelquefois assez gênans pour se décider à les enfreindre ; alors, d'après la même politique, les membres de la grande famille ont le droit, sinon toujours la force, de déposer les mauvais rois qui ne gouvernent pas en vrais pères de famille. On en a vu des exemples.

25. ↑ Cela revient au principe fondamental et universel qui se trouve exprimé en propres termes dans le *Tchoung-Young* ou *Invariable milieu* de *Confucius* : *Celui qui est sincère et attentif à ne rien faire aux autres de ce qu'il ne voudrait pas qu'on lui fît, n'est pas loin de la loi : ce qu'il désire qu'on ne lui fasse pas, qu'il ne le fasse pas lui-même aux autres* . (*Tchoûng-Yoûng* , ch. 13, §. 3. Tra-

duction de M. *Abel Rémusat*) ; et dans le *Lûn-Yû* ou *Dialogues moraux* , du même : *Ce qu'on ne désire pas pour soi-même, qu'on ne le fasse pas aux autres* . Cela a été écrit en Chine plus de cinq cents ans avant notre ère.

26. ↑_Un commentateur ajoute : « La fortune du prince dépend du Ciel, et la volonté du Ciel existe dans le peuple. Si le prince obtient l'affection et l'amour du peuple, le Très-Haut le regardera avec complaisance et affermira son trône ; mais s'il perd l'amour et l'affection du peuple, le Très-Haut le regardera avec colère, et il perdra sa puissance. »

Par *Très-Haut, litt. : Suprême Empereur (Chang-ti)* , les Chinois entendent un pouvoir au-dessus de l'empereur auquel celui-ci doit obéir : pouvoir vague non défini, souvent confondu avec le *thien* , ciel visible et invisible qui influe et domine sur toutes choses ; c'est à cette puissance suprême que les Chinois attribuent le pouvoir d'affermir et de renverser les trônes.

Il paraît, remarque le rév. Collie, que la maxime : *vox populi, vox Dei* , n'est pas d'hier, mais qu'elle a été professée par les écrivains politiques de cette nation, dont le gouvernement a été regardé comme un modèle de despotisme. Un principe constamment professé par *Mencius* et d'autres philosophes chinois, c'est que, « toutes les fois qu'un prince régnant perd l'affection de la grande majorité du peuple, en agissant contrairement à ce que le peuple regarde comme le bien général, ce prince était rejeté ou désavoué par le Ciel, et devait être détrôné par celui qui, au moyen d'un vertueux et bienveillant accomplissement de ses devoirs, a gagné le cœur de la nation. »

27. ↑_C'était un sage, gouverneur dans la province ou royaume de *Lou* , qui vivait avant *Confucius* .

28. ↑_Les grands ou les riches (*ta-fou*) de ce petit royaume qui se faisaient traîner sur un char attelé de quatre chevaux. C'est cet ancien luxe qui indigna le philosophe L AO-TSEU (V. *Tao-te-King* , chap. II.)

29. ↑_C'était un ancien usage de se servir de glace dans les grandes familles, en offrant des sacrifices aux manes des ancêtres.

Table des matières

Préface du traducteur   4

La Grande étude   7

L'Invariable milieu   19

Entretiens de Confucius   39

INTRODUCTION   39

CHAPITRE I. HIO EUL.   41

CHAPITRE II. WEI TCHENG.   43

CHAPITRE III. PA I.   47

CHAPITRE IV. LI JENN.   56

CHAPITRE V. KOUNG IE TCH'ANG.   59

CHAPITRE VI. IOUNG IE.   65

CHAPITRE VII. CHOU EUL.   72

CHAPITRE VIII. T'AI PE.   80

CHAPITRE IX. TZEU HAN.   84

CHAPITRE X. HIANG TANG.   90

CHAPITRE XI. SIEN TSIN.   96

CHAPITRE XII. IEN IUEN.   104

CHAPITRE XIII. TZEU LOU.   109

CHAPITRE XIV. HIEN WENN.   115

CHAPITRE XV. WEI LING KOUNG.   123

CHAPITRE XVI. KI CHEU.   129

CHAPITRE XVII. IANG HOUO.   134

CHAPITRE XVIII. WEI TZEU.   141

CHAPITRE XIX. TZEU TCHANG.   146

CHAPITRE XX. IAO IUE.   151

Meng Tzeu   153

Introduction.   153

Livre I. Leang Houei wang.   155

Livre II. Koung suenn Tch'eou.   183

Livre III. T'eng Wenn koung.   208

Livre IV. Li Leou.   234

Livre V. Wan Tchang.   257

Livre VI. Kao tzeu.   281

Livre VII. Tsin sin.   304